Weerspiegeling

Lees meer op: www.uitgeverijarchipel.nl / www.uitgeverijarchipel.be

Margaret Leroy

Weerspiegeling

Vertaald door Caecile de Hoog

Amsterdam · Antwerpen

Uitgeverij Archipel stelt alles in het werk om op milieuvriendelijke en duurzame wijze met natuurlijke bronnen om te gaan. Bij de productie van dit boek is gebruikgemaakt van papier dat het keurmerk van de Forest Stewardship Council (FSC) mag dragen. Bij dit papier is het zeker dat de productie niet tot bosvernietiging heeft geleid.

Mixed Sources
Productgroep uit goed
beheerde bossen en andere
gecontroleerde bronnen.
www.fsc.org   Cert no. SCS-COC-001256
© 1996 Forest Stewardship Council
FSC

Omslagontwerp: Freddy Vermeulen
Omslagfoto: CKDJ/Zefa/CORBIS

ISBN 978 90 6305 393 2 / NUR 302

1

Het is prettig om hier in Karens keuken aan de grote eikenhouten tafel tussen de restanten van de kindermaaltijd bij een glaasje witte wijn over onze kinderen te praten. Ik kijk de kring rond. Je kunt zien dat iedereen zich voor het feestje heeft gekleed – Fiona draagt oorbellen met glitters, Michaela is gehuld in een strak topje met een decolleté dat haar weelderige boezem accentueert. Maar alleen Karen is echt in vol ornaat: als gastvrouw heeft ze daar recht op, vindt ze, en vandaag heeft ze zich als een schitterende heks uitgedost in een zwarte jurk van chiffon met een rafelrand, en zwartrode lak op haar nagels. Achter haar op de vensterbank staan pompoenlampionnen waarvan de vlammetjes sidderen en wiebelen door de tocht die langs de kieren van het raam naar binnen glipt.

De kinderen beginnen te gillen. We draaien ons om naar de openstaande deur die toegang geeft tot de huiskamer en zien hoe de goochelaar een paar spinnen uit zijn mouw trekt. Karens man Leo, die bij de kinderen is om toezicht te houden, begint enthousiast te klappen. Het is een geweldige goochelaar, zegt iedereen bij herhaling – wat een geweldige vondst van Karen. Hij zag er zo gewoontjes uit toen hij in zijn busje aan kwam rijden, gekleed in een spijkerbroek en een Coldplay-t-shirt. Maar nu, met zijn cape van indigo met daarop een patroon van zilveren planeten, krijgt zijn aanwezigheid iets geheimzinnigs.

'Ik hou wel van magische handjes,' zegt Michaela. 'Mag ik hem mee naar huis nemen?'

Hij gooit twee sjaals omhoog die aan elkaar geknoopt naar beneden komen. De kinderen kijken met grote ogen toe. Hun uitdossingen zien er nu een beetje sjofel uit – maskers hangen op hun rug, capes glijden van hun schouders. Josh, Karens zoon, zit vooraan en heeft zijn armen volgeplakt met littekenstickers ter- wijl Lennie, haar dochtertje, verkleed als de zwarte kat van een heks naast Sylvie zit. Sylvie heeft de rokken van haar sneeuwjurk verfrommeld en sabbelt gedachteloos op de witte zoom. Eigen- lijk wilde ze als kat gaan, net als Lennie, maar dat was een van de duurste outfits in de feestwinkel en daarom heb ik de goedkope- re sneeuwjurk uit het rek gehaald en tegen haar aan gehouden in de hoop haar over te kunnen halen zonder dat ze van streek zou raken. Ze bekeek zichzelf in de spiegel. De jurk was wit en fluffy, van een mousselineachtige stof met linten eraan. Ze heeft heel licht haar, kleurloos, en op haar neus een zweem van sproetjes. Bleke kleren staan haar goed. Ik hou zelf meer van kleur, ik zou haar graag in alle kleuren van de regenboog tooien, maar te veel kleur lijkt haar dood te slaan. Ze glimlachte naar haar spiegel- beeld: ze zag er bleek en volmaakt uit in die witte jurk en tot mijn opluchting stemde ze zonder morren toe. Maar ik heb een hekel aan die momenten die altijd weer terugkomen, die dage- lijkse teleurstellingen, alle dingen die ik zo graag voor haar zou kopen, waarvan ik zeker weet dat ze haar gelukkig zouden ma- ken, al is het maar voor even. Ik vermoed dat geen van de andere moeders rond de tafel dit zou begrijpen, zoals ook niemand de paniek kent die me bevangt als Sylvie uit haar schoenen is ge- groeid of als er een uitnodiging komt voor een verjaardag, waar een cadeau voor moet worden gekocht dat boven mijn budget gaat.

De vrouwen wisselen telefoonnummers uit van entertai- ners voor feesten en partijen. Ik laat hun stemmen langs me heen drijven. Door het raam achter Michaela kan ik in Karens tuin kijken waar het bruine avondlicht steeds meer in de zware, vochtige aarde oplost. Het silhouet van de boomhut waar Len- nie en Sylvie 's zomers in spelen, tekent zich messcherp af te- gen de nog heldere lucht. Alles is zo verstild vandaag – er is geen briesje, geen zuchtje wind. Toen we aankwamen, Sylvie en ik, toen we parkeerden en uit de auto stapten, viel de stilte op ons, een stilte als een gewaad, gaaf en heel. Zelfs het windklokkenspel dat ergens aan een appelboom hing was stil, er was geen geluid te horen in de brede straat vol met geparkeerde auto's, afgezien van het lieflijke, heldere gezang van een vogel. Het rook naar oktober, er hing een zware aardlucht, de lucht van rotting en natte bladeren. Sylvie holde voor me uit. Ik had haar haar witte zomersandalen aangedaan die goed bij haar sneeuwjurk pasten, en de harde zolen klepperden in de stilte. Ik riep: 'Voorzichtig, Sylvie, een beetje in de buurt blijven.' Ze draaide zich naar me om, bleef op haar tenen staan en strekte met een uiterst geconcentreerd gezicht, alsof ze haar evenwicht maar ternauwernood kon bewaren, haar armen uit naar opzij. Alsof ze ergens af zou kunnen vallen.

'Ik kan mijn voeten horen, Grace, ik kan ze horen.'

'Ja,' zei ik.

'Mijn voeten maken lawaai. Ik zou een danseres kunnen zijn. Luister, Grace. Ik ben een danseres, hè?'

'Ja, je bent een danseres,' zei ik.

Vergenoegd, zelfbewust in haar prachtige jurk, draaide ze een perfecte pirouette en rende weer verder, als een witte wolk van rook of mist boven het grijze plaveisel, zo bleek maar ook zo levendig dat het leek alsof ze het enige levende wezen was in de hele, nog steeds schemerige straat.

Uit een huis niet ver van dat van Karen kwam iemand met een pompoenlampion naar buiten, zette hem op de vensterbank en stak het kaarsje aan. We bleven staan om de lampion te bewonderen. Er was met veel schwung een gezicht in uitgesneden dat ons met een vrolijke rij tanden aangrijnsde.

'Hij lacht, hè? Grace, hij lacht naar ons.'

'Ja, hij lacht,' zei ik.

Ze voelde zich gelukkig, vol vertrouwen, de wereld was goed. Ik nam haar hand in de mijne. Haar huid was koud, en ze nestelde haar hand stevig in die van mij. Ik vind het heerlijk als ze zo gelukkig is.

De goochelaar werkt toe naar zijn grote finale. Hij vraagt om een vrijwilliger. Alle kinderen hebben gretig, hunkerend hun hand opgestoken, ze hopen allemaal vurig de gelukkige te zijn. Ook Sylvie heeft haar hand opgestoken, maar niet zo gretig als de andere kinderen. Ze is vaak een beetje gereserveerd, alsof ze iets achterhoudt. Ik zend al mijn geestkracht naar hem uit: *Kies haar niet, alsjeblieft, alsjeblieft, kies Sylvie niet.* Maar natuurlijk doet hij dat wel, wellicht aangetrokken door haar terughoudendheid. Hij wenkt haar en we kijken toe, alle moeders, als ze naar voren komt en hij haar op zijn stoel zet.

Karen werpt me een blik toe en glimlacht geruststellend.

'Ze doet het geweldig,' mompelt ze.

En ze heeft gelijk: vooralsnog lijkt Sylvie heel rustig en beheerst zoals ze daar zit met haar handen gevouwen in haar schoot. Van pure concentratie tuit ze haar lippen, precies zoals Dominic altijd deed.

De goochelaar knielt naast haar neer.

'Niet bang zijn, hè, schatje? Ik beloof je dat ik je niet in een kikkervisje zal veranderen.'

Ze lacht hem minzaam toe, alsof ze het kinderachtig van hem vindt, want natuurlijk hoeft hij haar niets wijs te maken.

Een Latijnse spreuk prevelend schrijft hij met zijn toverstaf iets in de lucht. Dan wervelt zijn cape over haar heen en is ze eventjes helemaal aan het oog onttrokken. Als hij enigszins triomfantelijk de zijden stof weghaalt zit er een levend konijn op Sylvies schoot. De kinderen klappen. Sylvie knuffelt het konijn.

Fiona draait zich naar me om.

'Dat is jouw dochtertje, hè?' zegt ze. 'Dat is toch Sylvie?'

'Ja,' antwoord ik.

Sylvie aait het konijn met behoedzame, tedere gebaren. Ze lijkt de andere kinderen totaal vergeten te zijn en ziet er volmaakt gelukkig uit.

'Het verbaast me niet dat hij haar heeft uitgekozen,' zegt ze. 'Dat witblonde haar en die ogen.'

'Ook omdat ze helemaal vooraan zat, denk ik,' zeg ik.

'Ze is zo leuk,' zegt Fiona. 'En het intrigeert me altijd zo dat ze je bij je voornaam noemt... Daar zijn wij thuis te traditioneel voor.'

'Dat was niet mijn idee, hoor,' zeg ik.

Maar ze luistert niet echt.

'Is dat soms iets waar je heel veel belang aan hecht?' vraagt ze. Haar kristallen oorbellen lichten fel fonkelend op.

'Helemaal niet,' zeg ik. 'Sylvie wilde dat zelf. Het was haar keus. Ze heeft nooit mamma tegen me gezegd.'

De vrouw heeft haar ogen op mij gericht. Ze kijkt naar mijn korte spijkerrokje, mijn jasje met het patroon van lovertjes, mijn helderrode schoenen met de opzichtige bandjes. Ze is ouder dan ik en zoveel degelijker, zoveel zekerder van zichzelf dan ik. Ik kan haar uitdrukking niet peilen.

'Heeft ze dan nooit mamma gezegd? Zelfs niet toen ze net begon te praten?'

'Nee, nooit.' Ik voel het als een veroordeling, maar onderdruk de neiging me te verontschuldigen.

'Goh.' Ze kijkt zorgelijk. 'En haar vader dan? Hoe noemt ze die?'

'Daar heeft ze geen contact mee,' zeg ik. 'Ik ben alleenstaand. We zijn met z'n tweetjes, Sylvie en ik.'

'O, wat spijt me dat,' zegt ze. Alsof ze erdoor in verlegenheid is gebracht dat ze deze bekentenis heeft uitgelokt. 'Dat zal vast zwaar voor je zijn,' vervolgt ze. 'Ik zou echt niet weten wat ik zou moeten zonder Dan.'

Er klinkt een golf van geluid op uit de huiskamer, waar de kinderen onder het waakzame oog van de goochelaar bezig zijn met opruimen. Het konijn zit inmiddels in een mand.

'Hij speelt ook spelletjes met ze,' zegt Karen. 'Is dat niet geweldig?'

Leo komt zijn glas bijvullen. Hij draagt een poloshirt dat hem niet echt staat: hij is zo'n gezette man die er op zijn best uitziet in formele kleding. Hij begroet ons met de overdreven jovialiteit die mannen zich aan lijken te meten zodra ze zich bij een groep moeders voegen. Hij komt uit Schotland en praat met een zangerig Gaelisch accent. Hij slaat zijn arm om Karen heen en streelt haar schouder door de chiffonachtige stof van haar jurk. Ik kan aan hem zien dat haar heksentenue hem bevalt. Veel later, als het feestje voorbij is en alles is opgeruimd, vraagt hij haar misschien wel om de jurk weer aan te trekken.

Michaela leunt over de tafel in mijn richting. Ze wil het over crèches hebben. Ben ik tevreden over De Beukennootjes, waar Sylvie heen gaat? Ze heeft gehoord dat mevrouw Pace-Barden, die er de leiding heeft, een heel dynamische vrouw is. Ze heeft zo haar twijfels over nanny's. Je komt er tenslotte nooit helemaal achter wat ze uitspoken, toch? Ze had gehoord over iemand die de kinderen elke dag bij de lunch een fruitpuddinkje gaf, steeds een andere smaak, omdat de moeder haar op het hart had gedrukt dat ze genoeg fruit moesten eten. Opgelucht draai ik me om naar Fiona. In de huiskamer is de goochelaar bezig een spelletje appelhappen voor te bereiden. De meisjes gaan netjes in de rij staan, terwijl Josh en een paar andere jongens rondjes door de kamer rennen.

De wijn vloeit weldadig door me heen. Ik zit nu met mijn rug naar de huiskamer, laat mijn waakzaamheid verslappen en geniet van het gesprek. Ik praat graag over Sylvies crèche, het is mijn enige grote luxe, wat was ik blij toen er daar een plaats voor haar vrijkwam. De kaarsjes flakkeren en trillen op de vensterbank en daarachter, in Karens tuin, verdicht de duisternis zich in de holtes onder de heg.

Dan ineens voel ik intuïtief dat ik me om moet draaien. Sylvie is aan de beurt bij het appelhappen en knielt neer bij de bak met water. Ik kan niet precies zien wat er gebeurt. Er is lawaai, gestoei van jongens en dan is er overal water: op de geschuurde grenen vloer en op Sylvies haar en kleren. Ik zie haar gezicht maar kan niet op tijd bij haar zijn, kan het niet ongedaan maken. Ik ben te laat, ik ben altijd te laat. Ze zit op haar knieën, zo gespannen als een veer en de andere kinderen deinzen voor haar terug, voor het strakke, witte meisje dat haar adem inhoudt, en dan begint te gillen.

De kinderen wijken uiteen om mij door te laten. Ik kniel naast haar neer en houd haar vast. Haar lijf is stijf, ze stribbelt tegen en haar gegil is schril, hoog en vol angst. Als ik mijn armen om haar heen sla duwt ze met haar vuisten tegen mijn borst alsof ik haar vijand ben. Alle ogen zijn op ons gericht. De kinderen kijken gefascineerd, een beetje superieur, de vrouwen meelevend maar ook afkeurend. Ik vang een glimp op van de verbijsterde, bezorgde blik van de goochelaar, die de andere kinderen bij zich roept voor het volgende spel. Ik probeer haar op te tillen maar ze stribbelt tegen en het lukt me niet. Haar half dragend en half met me mee sleurend loop ik naar de gang. Karen komt achter ons aan en doet de huiskamerdeur dicht.

'Grace, wat naar allemaal,' roept ze door Sylvies geschreeuw heen. 'Ik was helemaal vergeten dat Sylvie niet tegen water kan. Het is mijn fout, Grace, ik had het tegen hem moeten zeggen... O, en vergeet haar verrassingstasje niet, er zitten pompoenkoekjes in...' Ze duwt een kleurige plastic tas in mijn richting maar ik kan hem niet aannemen omdat ik mijn handen vol heb aan Sylvie. 'Geeft niet, ik bewaar hem wel voor haar. O, god, Grace...'

Met Sylvie tegen me aan gedrukt kniel ik neer op de bleke, dure vloerbedekking in Karens onberispelijke gang. Als ze in alle staten is, zoals nu, gebeurt het soms dat ze moet overgeven. Ik moet zorgen dat we buiten komen.

'Het was een fantastisch feest,' zeg ik tegen haar. 'Ik bel je.' Mijn woorden worden door Sylvies gegil overstemd.

Karen houdt de deur voor ons open.

Ik manoeuvreer Sylvie langs het tuinpad en over het donker wordende plaveisel. Haar gehuil klinkt schokkend hard en verscheurt de stilte van de straat.

Bij de auto aangekomen houd ik haar met één hand dicht tegen me aan, terwijl ik met de andere in mijn tas naar de sleuteltjes zoek en het portier open. Ik zit op de bestuurdersplaats met Sylvie in mijn armen op schoot. Zo blijven we een hele tijd zitten. Langzaam komt ze tot rust en neemt de spanning in haar lichaam af: ze leunt dicht tegen me aan en gaat zachter huilen. Haar gezicht en de voorkant van haar jurk zijn nat van het water dat op haar is gespat en van haar tranen: haar wimpers plakken aan elkaar alsof er goedkope mascara op zit.

Ik droog haar gezicht af en strijk haar haar glad.

'Zullen we naar huis gaan?'

Ze knikt, kruipt naar achteren en doet haar gordel om.

Mijn handen trillen op het stuur en ik let extra goed op bij kruisingen want ik weet dat ik niet goed kan rijden. Zoals altijd ruikt mijn auto naar stuifmeel, van de bloemen die ik rondbreng; ik veeg een afgebroken varenblad van het dashboard en laat het op de grond vallen. In de binnenspiegel werp ik een blik op Sylvie. Haar gezicht is volkomen wit, alsof ze bijkomt van een shock. Er ligt een zware steen op mijn maag, het is het angstige gevoel dat ik altijd probeer te verdringen, te negeren: het gevoel dat er iets met Sylvie aan de hand is waar ik absoluut niet bij kan komen. Als ze huilt klinkt er te veel verdriet, te veel angst in door.

Ik woon in Highfields, in een straat met victoriaanse rijtjeshuizen. Lang geleden was dit een adres waar je indruk mee maakte: nu is het de rosse buurt. In de straat bij mijn voordeur ruikt het naar benzine en urine en het volle, ongezonde aroma van rottende meloenen van de markt. De hemel is inktzwart en onbewolkt. Later, wanneer het helemaal donker is, zullen er veel sterren zijn. Op de hoek, naast de supermarkt, staan een paar prostituees dicht bij elkaar zachtjes te praten. Ze hebben blote benen en er hangt een blauw waas van sigarettenrook om hen heen.

Altijd als ik thuiskom voel ik me nerveus. We wonen op de begane grond, naast een steegje, en ik maak me zorgen over insluipers, over de ontheemde, zwervende mensen die ik vaak op straat zie. Soms denk ik dat ik een andere plek had moeten kiezen, dat ik rationeler had moeten zijn. Bovendien is het huis moeilijk te verwarmen: het tocht, heeft hoge plafonds en een onberekenbare boiler in de badkamer. Mijn bejaarde hospita, die naar eucalyptus ruikt en een mottige luipaardjas draagt, heeft de werking ervan uitgelegd toen we hier kwamen wonen, maar ik heb het nooit helemaal in de vingers gekregen. En alles straalt een soort leegte uit: de schamele rotanmeubels, gekocht omdat ik me niets beters kon veroorloven, zijn te armetierig voor deze hoge kamers. Maar we hebben wel openslaande deuren en een klein tuintje: een grasveldje met wat kale plekken, een muur van gele baksteen en een moerbeiboom die langs de muur geleid wordt. Om eerlijk te zijn heb ik het huis waarschijnlijk gekozen vanwege die boom. Hij droeg vrucht toen we de eerste keer kwamen kijken en ik, aangemoedigd door de hospita, een moerbei voor Sylvie en mij plukte. Sylvie stak haar hand uit en ik legde de moerbei erin.

'Voorzichtig vasthouden,' zei ik tegen haar. 'Pas op dat je hem niet stuk knijpt.'

Haar ogen waren rond en heel helder. Ze hield haar hand plat en ging er met haar mond naartoe – bijna met een soort eerbied, alsof de vrucht een heel kostbaar iets was. Ik dacht dat ze hem misschien niet lekker zou vinden, dat de smaak te complex zou zijn, te subtiel, te scherp en te zoet tegelijk, zoals wijn, maar ze vond hem heerlijk, at hem langzaam, plechtig op. Op haar hand en mond zaten paarsrode vlekken van het sap.

Ik doe de voordeur open en steek de lampen aan. Alles is zoals het moet zijn. Ik word begroet door mijn ordelijke, rustige huiskamer met de witte katoenen gordijnen, de schaal met appels. Enkele zonnebloemen die ik uit de winkel heb meegenomen – niet meer verkoopbaar maar nog wel een paar dagen mooi – staan op mijn tafel te stralen.

Sylvie is uitgeput. Als ik op de bank ga zitten en haar naar me toe trek is haar lichaam zwaar en valt haar hoofd tegen mijn borst aan. Ik snuif de geur van haar haar op. Terwijl ik naar haar kijk, knipperen haar oogleden hevig en van het ene op het andere moment is ze diep in slaap. Ik hou mijn adem in en leg haar heel voorzichtig, alsof ze zomaar zou kunnen breken, op de bank. Ik leg het dekbed uit haar kamer over haar heen en stop Big Ted, haar beer, bij haar in. Als ze wakker wordt is ze weer in orde, dan zal het zijn alsof er niets gebeurd is.

Ik blijf nog even zitten, genietend van de stilte en het geluid van haar vredige ademhaling. Ik moet denken aan de vrouwen die op het feestje rond Karens tafel zaten, aan hun geordende levens, hun platina trouwringen en hun stellige meningen. Ik vraag me af wat ze over me gezegd hebben, en over Sylvie, en stel me hun gesprekken voor. 'Die arme Grace, wat erg voor haar...' 'Natuurlijk, alle kinderen hebben weleens een driftbui, maar niet op die manier, niet als ze bijna vier zijn...' 'Het is zo belangrijk dat je ze duidelijk maakt waar je staat. Je moet consequent zijn...' 'Nou ja, Grace ís natuurlijk ook alleen. Dat komt de discipline natuurlijk niet ten goede...'

En Karen – wat zou zij ervan denken? Praat ze met ze mee? Bezorgd, betrokken, een beetje afkeurend misschien? Karen is zo belangrijk voor me. Ik ben dankbaar voor haar vriendschap, maar voel me nooit helemaal op mijn gemak omdat die niet gelijkwaardig aanvoelt. Ik zou haar en Lennie nooit hier kunnen uitnodigen, ik weet precies wat ze zal denken als ze de injectienaalden op straat ziet liggen. We spreken altijd af bij haar thuis, waar ze ruime kamers hebben vol met boeken en speelgoed en zonlicht, en een grote, brede tuin met een boomhut en een fluwelig gazon waar de kinderen kunnen spelen.

Ik heb Karen op de kraamafdeling ontmoet, na mijn bevalling van Sylvie. Het was een vreemde tijd. Je bent heel open, je lichaam is geschonden, je verdedigingsmechanismen werken niet meer. Ik sliep haast niet, het was 's nachts zo lawaaiig op zaal. In plaats daarvan lag ik door de doorzichtige wanden van haar wieg naar Sylvie te kijken. Ik keek maar en keek, ik kon niet geloven dat er zoiets volmaakts bestond. En overdag hield ik haar urenlang vast, ik gaf haar de borst of wiegde haar alleen maar in mijn armen. En dan dacht ik: ze is van míj. Dit is míjn dochter. En als ze schrok van een deur die dichtsloeg voelde ik de angst door haar heen gaan en dacht ik: ze heeft alleen mij. Als er gevaar is, is ze helemaal op mij aangewezen. Ik wist dat ik alles zou doen om haar te beschermen, dat ik voor haar zou sterven als dat nodig was, daar zou ik niet over na hoeven denken, ik zou het zo doen. Dat besef geeft een soort extatische vrijheid – dat er iemand is van wie je meer houdt dan van jezelf. Niet omdat je daar moeite voor doet, maar gewoon omdat het zo is.

Soms dacht ik aan Dominic, en stelde me voor dat hij langs zou komen. Er was een hardnekkig sprankje hoop in mij dat zich niet liet wegnemen – het deed denken aan die nieuwe soort kaarsjes voor op een verjaardagstaart die steeds maar weer aangaan: hoe vaak je ze ook uitblaast, ze laten zich eenvoudigweg niet uitdoven. In mijn licht hallucinerende geestestoestand, na al die slapeloze nachten, dacht ik zijn stem te horen, die nogal luid en autoritair klinkt als hij niet intiem is, of ik meende zijn stevige voetstappen door de zaal te horen naderen. Ik stelde het me allemaal veel te levendig voor: hoe hij aan mijn bed zou verschijnen en Sylvie in zijn armen zou nemen en tegen zich aan zou drukken. Hij zou net zo naar haar kijken als ik had gedaan, net zo van haar houden als ik deed. Ik kon dit soort gedachten niet stoppen. Hoewel ik met mijn verstand wist dat het maar een idiote fantasie was: het was voorjaarsvakantie, hij was waarschijnlijk met zijn gezin in Val d'Isère aan het skiën.

Ik merkte dat een vrouw aan de andere kant van de zaal naar me keek, ze had donker haar dat keurig naar achteren was gekamd en zag er ernstig en verstandig uit. Ze had al een zoon en kreeg constant bezoek. Ik wist dat haar kindje Lennie heette en dat ze iets te vroeg geboren was en een grote bos zwart haar had dat binnen een paar dagen zou uitvallen. Dit was een vrouw met een scherpe blik, dat zag ik aan haar. Ik wist dat ze had gezien dat ik nauwelijks bezoek kreeg. Alleen Lavinia, mijn bazin, die, behangen met kralen en armbanden en om haar hoofd een prachtige, versleten zijden sjaal die ze in Delhi op een markt had gekocht, goede wensen en cadeautjes kwam brengen. Zo bracht ze me wolletjes die ze zelf had gebreid, een stukje prikkeldraad van Greenham Common dat ze in de jaren zeventig had afgeknipt toen ze daar met duizenden vrouwen tegen de kruisraketten demonstreerde, en een bandje met walvisgeluiden waar Sylvie, zo verzekerde ze me, goed op in zou slapen. En natuurlijk bloemen, een weelderige bos gele daglelïen waar ik zo van hou. Mijn leven mocht dan verre van volmaakt zijn, mijn bloemen waren in elk geval de mooiste van de hele zaal.

Ze tuurde in de wieg naar Sylvie.

'Wat is ze mooi,' zei ze. 'Een rozenknopje.' Met één vinger beroerde ze haar wenkbrauw, alsof ze haar zegende. 'Klein volmaakt wezentje.' En toen omhelsde ze me. 'Wat knáp van je, Gracie!'

Ik was blij dat Lavinia er was, het was bijna alsof ik mijn moeder terug had. Maar toen ze weg was moest ik huilen, en daar kon ik niet meer mee stoppen. Ik hield Sylvie tegen me aan en veegde de tranen weg, zodat ze niet op haar gezicht zouden vallen.

Op dat moment was Karen naar me toe gekomen, met Lennie in haar ene hand en een doos chocolaatjes in de andere. Ze ging naast me zitten en zette de doos op mijn bed.

'Soms is het allemaal wat veel, hè?' zei ze. 'Gisteravond heb ik uren in bad moeten zitten voor ik kon plassen. En toen kwam dat mens vanmorgen langs om te praten over voorbehoedsmiddelen. Ik heb tegen haar gezegd dat gemeenschap niet bepaald hoog op mijn agenda staat momenteel...' Ze schoof de chocolaatjes mijn kant op. 'Nou, eet op. Je moet aansterken.'

Met een heldere, rustige blik keek ze naar me. Ze wist dat het niet de postnatale ongemakken waren waar ik om huilde. Maar dat waren de dingen die we deelden en die een band tussen ons schepten: de littekens en wonden die we tijdens het baren hadden opgelopen. Ze leende me een rubber ring om op te zitten, wat hielp tegen de pijn van de hechtingen, was een groot pleitbezorgster van zoute baden en voerde me chocolaatjes. En ik vertelde haar over Dominic en ze hoorde me rustig aan. Nu ik haar beter heb leren kennen weet ik hoe genereus ze toen was. Karen is namelijk een heel traditionele echtgenote, ze is buitengewoon conservatief. Ze leest kranten die vol staan met verhalen over overspel en foto's van vrouwen die ooit aantrekkelijk waren maar zich nu veel te wulps kleden voor hun leeftijd. Ze koopt complete boeken over het bakken van taarten. Voor hetzelfde geld had ze me veroordeeld, dat zou haar instinctieve reactie zijn geweest. Maar ze was zo tolerant, ze verwelkomde mij in haar leven en ik ben haar altijd dankbaar geweest voor de manier waarop ze zich toen voor me openstelde.

'Kijk nou eens naar die twee van ons,' zei ze vaak. 'Ze hebben een identieke horoscoop. We moeten elkaar blijven zien als we weer thuis zijn, dan kunnen ze samen opgroeien...'

Ik loop naar de keuken om te bellen.

'Karen, het spijt me zo. Het was zo'n leuk feest. Halloween is bij jou altijd zo geweldig,' zeg ik. 'Ze heeft genoten, echt. Die goochelaar en alles...'

Ik hoor dat ze Mozart op heeft staan in de huiskamer.

'Ik had eraan moeten denken dat ze die angst voor water heeft.' Haar stem klinkt gespannen. 'Je hebt me er vaak genoeg aan herinnerd. Het was stom, ik had het hem moeten zeggen.'

'Nee, het is mijn fout,' zeg ik tegen haar. 'Ik had beter op haar moeten letten. Ik hoop niet dat we erge spelbrekers zijn geweest.'

'Jezus,' zegt Karen. 'Het was alleen maar heel jammer dat jullie weg moesten...'

'Ja,' zeg ik.

Er valt een korte stilte. De muziek meandert in volmaakte, uitgebalanceerde frasen naar het einde toe. Ik weet wat ze nu gaat zeggen maar ik wil het niet horen.

'Grace, ik hoop dat je het niet erg vindt dat ik dit zeg.' Haar stem klinkt behoedzaam, ze kiest haar woorden zorgvuldig. 'Maar we vinden echt dat je hulp moet zoeken.'

Ik voel een soort schaamte in me opkomen.

'Alle kinderen hebben toch weleens een driftbui?' zeg ik. 'Ik probeer me er maar niet te veel over op te winden.'

'Natuurlijk zijn alle kinderen weleens hysterisch,' zegt ze. 'Maar niet op deze manier, Grace, niet zoals Sylvie... Ze klinkt zo... tja, zo wanhópig...' En als ik mijn mond hou zegt ze: 'Waar het op neerkomt, Grace, is dat we vinden dat je er iemand bij moet halen. Een psycholoog. Een deskundige.'

Ik heb een hekel aan dat 'we'. Ik heb een hekel aan het idee dat ze daar in Karens riante keuken over mij en Sylvie zitten te praten.

2

Als ik op die maandagochtend bij Jonas en de Wallevis aankom, is Lavinia al druk in de weer. Ze heeft de pompoenen uit de etalage gehaald, die helemaal in het teken van Halloween stond, en is aan een smeedijzeren tafel met gekrulde poten – een roestig maar elegant ding dat ze ergens op een vlooienmarkt heeft gevonden – gentianen in potjes aan het zetten. Ze heeft een heleboel armbanden om haar polsen en haar haar is naar achteren gebonden met een zwierige rode knoopsjaal uit Gujarat van mousseline met lange zijdeachtige, met goudraad doorregen franje. De volle, zoete geuren van de bloemenwinkel – natte aarde en een mengsel van stuifmeel – omvatten mij.

Lavinia is weduwe, haar man was orthopedisch chirurg en hoewel ze nooit anders dan liefdevol over hem praat, heb ik altijd het gevoel dat hij een moeilijke man was. Hij overleed tien jaar geleden aan levercirrose. Zij had als fysiotherapeute gewerkt en na zijn dood maakte ze een nieuwe start en zette ze met het geld van de verzekering de bloemenzaak op. 'Waarom Jonas en de Wallevis?' vroeg ik haar eens, en ik verwachtte een diepzinnig antwoord over verlies en nieuwe wendingen, maar ze glimlachte op die typische manier van haar, mysterieus maar ook met een vleugje zelfspot, en zei dat ze dat gewoon leuk vond klinken. Ze woont alleen maar het lijkt of ze nooit eenzaam is, ze kent zoveel mensen – boeddhisten, beeldend kunstenaars, experimentele dichters, allemaal nog uit haar hippietijd. Ze vertelt dat ze zondag voor drie nogal haveloze muzikanten paella heeft gemaakt, en dat ze in haar huiskamer Cole Porter hebben gespeeld.

Ik vertel haar over het feestje en wat er met Sylvie gebeurde. Ze draait zich naar me om en luistert tot ik mijn verhaal heb verteld, me met haar kalme blik aankijkend.

'Arm kind,' zegt ze dan. 'Arme jij.'

Haar ogen blijven nog even op mij gericht. Tussen haar wenkbrauwen loopt een ragfijn rimpeltje. Ze geeft me nooit raad en daar ben ik haar dankbaar voor.

Ik zet bloemen op de stoep voor de winkel neer – emmers vol leliën met dat roodachtige stuifmeel dat kerriekleurige vlekken op je huid achterlaat, en hortensia's van een diep, intens soort blauw. Ik heb de hortensia's in azuurblauwe ijzeren potten gezet, die ik met veel zorg heb uitgekozen. Ik ben namelijk dol op het flikkerende effect van dicht bij elkaar liggende kleuren. De lucht heeft een winterse rauwheid, de kou schraapt langs mijn huid. Door het werk dat ik hier doe zitten mijn handen altijd vol met kloven. Ik heb talloze vingerloze handschoenen die ik in het achterkamertje op de buizen van de boiler laat drogen, en wissel ze in de loop van de dag steeds om, maar wat ik ook doe, in de winter krijg ik het nooit echt warm.

Het is een rustige ochtend, zoals meestal op maandag, en Lavinia heeft me eropuit gestuurd om met mijn auto de bestellingen te gaan doen. Eerst een groot, traditioneel boeket van rozen en anjers, voor een zilveren bruiloft. De vrouw die de deur opendoet heeft stijf krullend haar en een plichtmatig lachje, en achter haar zie ik een ordelijk huis dat naar lavendel en schoonmaakmiddelen ruikt. Dat fascineert me altijd, die glimp van andermans huizen, dat inkijkje in het leven van anderen. De volgende bestelling is een bloemstuk met wintercyclamen voor een nerveuze jonge vrouw met een lok die steeds over haar gezicht valt. De broze, bleke, bescheiden cyclamen lijken geknipt voor haar. Ze blijft op de drempel staan en kijkt me onzeker en een beetje verwonderd aan, alsof het om een misverstand gaat, alsof ze het gevoel heeft niet het soort vrouw te zijn voor wie iemand bloemen zou kopen. Terwijl ze praat raakt ze steeds even de zijkant van haar gezicht aan, alsof ze zichzelf moet troosten. Als ik wegrij voel ik een eenzaamheid die zowel van haar als van mij zou kunnen zijn.

Voor de laatste bestelling moet ik in een van die moderne wijken zijn waarvan de nummering niet te begrijpen is. Ik moet op nummer 43 zijn, maar op 37 lijkt 51 te volgen. Ik zet de auto aan de kant, stap uit en loop de straat door, in alle steegjes turend op zoek naar het huis waar ik moet zijn.

Het was tijdens zo'n bestelling dat ik Dominic ontmoette. Ik was achttien en werkte nog maar net bij Lavinia. Ik was in de zevende hemel dat ik dit baantje had gekregen, want nadat ik van school was gekomen had ik alleen nog maar als uitzendkracht op allerlei vervelende kantoren gewerkt.

Het was een groot bloemstuk in een rieten mand met een plant erin verwerkt, het duurste dat we hebben. Ik had de kaart eigenhandig geschreven, want ik was degene geweest die het telefoontje had aangenomen. Het was een oudere vrouw die belde en aan haar stem was te horen dat ze uit de betere kringen kwam: haar uitspraak was koel en onberispelijk. *Hartelijk gefeliciteerd, mijn lieve Claudia, heel veel liefs, Mamma.* Er was een puntig stukje riet van de mand losgeraakt en toen ik het bloemstuk uit de auto haalde, bleef ik er met mijn vinger aan haken. De snee was verbazingwekkend diep. Ik wond er een papieren zakdoekje omheen waar het bloed echter snel doorheen sijpelde, maar dat merkte ik pas toen ik had aangebeld.

Hij was in de veertig, groot, droeg een linnen overhemd waarvan hij de mouwen had opgestroopt, en keek me geamuseerd aan. Ik droeg mijn gebruikelijke outfit: een kort, ribfluwelen rokje, een gestreepte maillot en laarsjes met dunne hoge hakken – eigenlijk te hoog om auto mee te rijden. Plotseling was ik me er heel erg van bewust hoe kort mijn rok was.

'Bloemen voor Claudia Runcie,' zei ik.

Hij keek naar mij, niet naar de bloemen. Hij had toen nog die vergenoegde, geamuseerde uitstraling.

'Kijk eens aan,' zei hij.

Hij nam de plant van mij over en zijn oog viel op mijn hand.

'Wat is er gebeurd?' vroeg hij.

'Ik heb me gesneden,' zei ik.

'O ja. Domme vraag,' zei hij. 'Ik zou maar even binnenkomen. Je staat op mijn drempel te lekken.'

Hij stopte me een grote zakdoek toe, die ik om mijn hand wond.

Het was een grote, lichte keuken, met van dat quasitweedehandse keukenmeubilair dat eruitziet alsof het ergens op een markt in de Provence op de kop is getikt. Ik dacht nog: als ik een echte keuken zou hebben, zou ik er precies zo een willen. Op de schoorsteenmantel stonden zilveren lijstjes met zwart-witfoto's van een jongen en een meisje. Het waren mooie foto's, met soft focus gemaakt en geraffineerd belicht. Er stonden een heleboel verjaardagskaarten en er hing een zilveren ballonnetje, waarschijnlijk voor Claudia.

'Ik ben Dominic,' zei hij.

Ik vertelde hem hoe ik heette.

Hij begon in de keukenladen naar een pleister te zoeken.

'Waar bewaart ze die in godsnaam?' zei hij.

Onmiddellijk zag ik zijn vrouw Claudia voor me als het middelpunt van alles, de spil van het huishouden, degene die alles bij elkaar hield, die wist waar je heen moest voor de beste foto's en de mooiste keukenkastjes en die ervoor zorgde dat de pleisters hun eigen plek hadden in de la. Ik voelde zijn totale afhankelijkheid van haar. Wat ik toen niet wist, maar waar ik snel achter zou komen, was dat ze nooit met elkaar vreeën: het was een comfortabel, welgesteld huwelijk zonder seks of intimiteit. Tenminste, zo beschreef hij het.

Hij had de pleisters gevonden. Ik stak mijn hand uit om het doosje aan te nemen, maar hij had er een uitgehaald en begon de strip te verwijderen.

'Geef me je vinger eens,' zei hij tegen mij.

Vanaf het begin deed ik precies wat hij zei.

Op een overdreven grondige manier plakte hij de pleister op mijn vinger, en ik bleef dicht bij hem staan. Ik rook een zweem van leer en sigaren, een heel mannelijke geur. Zijn nabijheid voelde bijzonder, opwindend. Er ging een seksuele rilling door me heen maar het voelde ook veilig: alsof hij vertrouwd voor me was, alsof ik hem al kende. Ik was me ervan bewust hoeveel groter hij was dan ik, en dat beviel me.

'Zo beter?' vroeg hij.

'Ja. Bedankt.'

Hij deed een stap naar achteren en glimlachte naar me. Een plotselinge lach die verrassend oprecht was, met aan de ene kant van zijn mond een klein rimpeltje. Het is bizar als ik daar nu aan denk, want het is precies het lachje van Sylvie. Waar zijn haar terugweek zag zijn huid er kwetsbaar uit en ik voelde de neiging hem daar aan te raken. De gedachte alleen al maakte dat er een kleine siddering door me heen trok.

'Nou, Grace, volgens mij ben jij aan koffie toe. Na al dat bloedverlies.'

'Graag,' zei ik.

'Je drinkt toch wel koffie?'

Ik knikte.

'Gelukkig. Claudia is helemaal op de kruidenthee, kamille, niet te drinken dat spul. Het smaakt naar hooi. Wie drinkt er nou hooi?'

Ik had het gevoel dat hij over een grens ging, dat hij uit de school klapte en niet zo kritisch over zijn vrouw moest praten tegen mij, een vreemde, ook al ging het over iets heel onbelangrijks.

Nadat hij de ketel had opgezet maakte hij op de schoorsteenmantel ruimte voor het bloemstuk.

'Mooie bloemen. Heb jij het gemaakt?'

'Ja.'

'Ze zijn erg mooi,' zei hij. 'Nou, je ziet er ook wel kunstzinnig uit. Dat zie ik aan die streepjes.' Hij wierp een monsterende blik op mijn benen.

We dronken koffie. Op de een of andere manier kwam hij veel over mij te weten.

Toen ik wegging vroeg hij of ik wel in staat was om te rijden en ik zei dat ik me weer goed voelde, helemaal niet licht in het hoofd – hoewel dat niet helemaal waar was. Twee dagen later belde hij me op in de winkel en nodigde me uit om te gaan eten bij Alouette, waar hij me moeiteloos versierde.

Uiteindelijk vind ik nummer 43 ergens in een steegje. De man die de deur opendoet is ongeschoren en gekleed in een pyjama. Ik voel de warme lucht van een ziekenkamer langs me heen strijken en ruik kamfer en muffe lakens. Dat ik daar sta brengt hem in verlegenheid. Hij moet al een tijd ziek zijn, het huis is erop ingericht: in de huiskamer achter hem zie ik dat de bank als bed is opgemaakt. Er staat een opera op, een krachtige sopraan schalt met een hartstochtelijk pulserende stem door de kamer. Het is een triest contrast: de van energie en emotie zinderende muziek en zijn verspilde, beperkte leven.

Bij Just-A-Crust haal ik stokbrood voor de lunch. Op de terugweg blijf ik, zoals altijd, even dralen bij de banketbakker op de hoek. Daar verkopen ze de prachtigste taarten, opgemaakt met vruchtjes van marsepein en namen die klinken als de namen van mooie vrouwen. Om de beurt eten we ons stokbrood in de achterkamer.

De middag gaat langzaam voorbij. Om drie uur gaat Lavinia naar buiten voor een ommetje en een sigaretje.

Niet lang daarna zie ik een vrouw op de winkel aflopen. Ze is in de zeventig, schat ik. Ze draagt een strak gesneden jasje, haar kapsel staat stijf van de lak en ligt als een grijze helm over haar hoofd, haar wenkbrauwen zijn geëpileerd en met een dun potloodstreepje bijgewerkt. Alles aan haar is keurig netjes, opgepoetst. Terwijl ik naar haar kijk komt het in me op dat deze verzorgdheid iets defensiefs heeft – alsof haar gladde, gepolijste uiterlijk haar op de een of andere manier zal beschermen. Ik zie haar dichterbij komen, haar puntige, glimmende schoenen tikken op het plaveisel. Bij de deur aarzelt ze even, niet meer dan de duur van een hartslag, dan schraapt ze haar keel en stapt gedecideerd naar binnen. Ik weet waar ze voor komt. Een moment slaat de schrik me om het hart. Was Lavinia maar hier.

De bloemen zijn voor haar man, zegt ze.

'De begrafenisondernemer zei dat hij er wel voor zou zorgen, maar ik wilde ze zelf uitkiezen. Om de een of andere reden leek dat me belangrijk.'

Ze houdt haar handen strak gevouwen voor zich. Ik voel haar spanning, haar angst dat ze zal instorten.

Ik haal een stoel voor haar en laat haar onze catalogus zien. Maar ze kan niet kiezen. De beslissing is te belangrijk: het is alsof ze gelooft dat alles goed zal komen, dat ze hem op de een of andere manier terug kan halen als ze nu maar exact de juiste keuze maakt. Ik begrijp het, ik heb dat ook meegemaakt.

Ik sla een bladzijde van de catalogus om. Een foto trekt haar aandacht.

'Misschien iets met korenbloemen,' zegt ze. 'Dat waren zijn lievelingsbloemen. Hij was dol op die kleur blauw.'

Ze wendt haar blik af, haar ogen lopen vol en dan stromen de tranen over haar gezicht. Een immens verdriet overspoelt haar, ze kan er niets aan doen. Ze schaamt zich maar is niet in staat het tij te keren. De tranen laten glanzende strepen achter in de dikke laag make-up op haar gezicht. Ik ben blij voor haar dat er verder niemand in de winkel is: ze is iemand die haar gevoelens voor zichzelf houdt, ik weet dat ze deze publieke gevoelsuitbarsting vreselijk vindt.

'Ik zal iets te drinken voor u halen,' zeg ik tegen haar. 'Blijft u rustig zitten tot u zover bent, we hebben alle tijd.'

Ik ga naar achteren en maak een kop koffie voor haar. Haar verdriet is me niet in de koude kleren gaan zitten: mijn hand trilt als ik de koffie uit de pot schep en er dwarrelt iets van het zachte bruine poeder naar beneden.

Ze is dankbaar, legt haar beide handen om de beker heen alsof ze iets nodig heeft om zich aan vast te klampen, alsof de wereld te weinig houvast lijkt te bieden. Ze vertelt me over haar man. Hij had suikerziekte en was in een verpleeghuis opgenomen – het zou maar voor een week zijn, omdat zij rust nodig had – hoe had ze zo egoïstisch kunnen zijn? Ze hadden niet goed op zijn bloedsuikergehalte gelet, niet zoals zij dat zou hebben gedaan. Het was haar schuld dat hij was overleden...

Ik hoor haar aan en voel me machteloos. Ik zeg weinig, troost haar niet, zeg niet tegen haar dat het niet erg is want ik weet dat ze daar niets aan heeft. Als we de krans hebben uitgekozen neem ik haar mee naar achteren zodat ze haar gezicht kan fatsoeneren, want ik voel dat dat belangrijk voor haar is.

'Je bent een schat,' zegt ze als ze weggaat.

Haar verdriet blijft nog een tijd zwaar en drukkend in de winkel hangen. Ik denk terug aan de dood van mijn moeder, aan dat ik in het crematorium zat en aan dat lege, misselijke gevoel dat door me heen ging toen ik aan haar leven dacht en alles wat haar beperkt had – haar verbittering over het vertrek van mijn vader, een gevoel dat nooit was overgegaan. Ik weet nog dat ik dacht dat dat nooit meer zou veranderen omdat ze uit de tijd was gestapt. Hoe triest dat allemaal was.

Om halfzes sluiten we de winkel. We dweilen de vloer, ruimen op en ik hang mijn doorweekte handschoenen bij de boiler.

'Ga maar eens lekker vroeg naar bed,' zegt Lavinia bij het weggaan.

'Ik red me wel, hoor,' zeg ik tegen haar.

Haar ogen blijven een moment op mij rusten, maar ze zegt niets meer.

3

Er zijn verschillende routes die je kunt nemen naar Sylvies crèche. Ik ga via de Newgate Road, al weet ik dat ik dat niet zou moeten doen, maar de beslissing is ergens diep vanbinnen genomen, bijna buiten mezelf om.

Ik parkeer de auto op enige afstand van het huis. Het wordt steeds donkerder, niemand kan me zien, ik ben hier onzichtbaar, een persoon zonder gezicht, een schaduw in de straat. Ik draai mijn raampje een paar centimeter open en ruik de koude geur van de herfst, een zweem van rook en rotte bladeren, en ik hoor het hoge, scherpe keffen van een vos. Ik zeg tegen mezelf dat ik zo weer wegga.

De rolgordijnen van de zitkamer, die op de straat uitkijkt, zijn nog niet neergelaten en een geelbruin schijnsel valt op de tegels in de tuin. Het geluk is deze avond met mij: Dominics auto staat er, dan moet hij thuis zijn. In de kamer zijn alle dingen te zien die Claudia heeft uitgekozen: de subtiele grijstinten van de muren, de schetsen in dunne metalen lijsten, één koele, waterig groene orchidee op de schoorsteenmantel. De kamer heeft iets heel aanlokkelijks in dat zachte, gele licht. Plotseling voel ik hoe koud ik het heb terwijl ik daar zo zit, het is de kou van de hele dag. Ik sla mijn armen om mij heen en probeer te stoppen met rillen. Ik voel een diepe, gevaarlijke eenzaamheid.

Terwijl ik zit te kijken komt Charlie de zitkamer binnengeslenterd. Hij heeft zijn schooluniform nog aan, maar het is gekreukt en zijn overhemd hangt uit zijn broek. Hij is lang geworden, elke keer als ik hem zie is hij duidelijk langer, en heeft iets van een veulen, zijn handen en voeten zijn te groot en hij heeft een stugge bos bleekblond haar. Hij kijkt vaag om zich heen alsof hij iets zoekt, en drentelt dan weer de kamer uit.

Altijd als ik hier ben welt er een koortsige opwinding in me op. Ik vraag me af of ik Dominic te zien krijg.

Maar het is Claudia die de kamer binnenkomt. Ze loopt recht op het raam af, dat een beetje openstaat, en leunt met haar armen op de vensterbank. Als ze moeite zou doen zou ze me kunnen zien, maar ik zit tamelijk stil in de schaduw en trouwens, zou ze eigenlijk wel weten wie ik ben? Weet ze van mij en Sylvie? Dominic heeft me dat nooit verteld, er is zoveel dat hij ongezegd heeft gelaten. Ze blijft even staan. Misschien snuift ze net als ik de geur van rotting en vuur op, de lucht van naderende kou die paradoxaal genoeg ook iets van een belofte in zich heeft. Dan doet ze het raam dicht en reikt naar boven om aan het koordje van het rolgordijn te trekken. Ze houdt haar hoofd naar achteren en even valt het licht van de lamp op de boog van haar hals en de stralende bos blonde lokken. Ze is dun, haar figuur roept associaties op met pilateslessen en een permanent hongergevoel: de arm die ze naar boven uitstrekt ziet er schonkig uit en het amberkleurige licht doet de benige welving van haar pols opgloeien. Dan glijdt het rolgordijn naar beneden.

Ik blijf nog even kijken. Er is nog iemand de kamer binnengekomen, en nu speelt zich achter het rolgordijn een schaduwspel af. Maar de gestalten zijn vaag, onbestemd – misschien is het Charlie weer, of Maud, hun dochter. Ik kan niet vaststellen of Dominic er ook is. Ik denk aan zijn leven waarvan ik ben buitengesloten – iets wat altijd zo geweest is, zelfs op onze meest intieme momenten. Dominic als man van alledag, een hoedanigheid van hem waar ik niets van weet. Hoe hij is tijdens de maaltijden met zijn gezin of etentjes met vrienden, of buiten in de tuin terwijl hij een balletje trapt met Charlie. Op dat soort momenten heb ik hem nooit meegemaakt. Ik kende hem alleen als minnaar: teder, hartstochtelijk, nieuwsgierig, tijdens die ongebreidelde middagen die we samen in bed doorbrachten, als ik een volledig en absoluut genot ervoer onder zijn dwingende vingers, als hij moeiteloos diep in mij gleed en zijn mond vlijtig mijn hele lichaam beroerde. Of koel, gesloten en afwijzend zoals toen die keer bij Alouette, dat vreselijke moment waar we niet meer overheen zijn gekomen. Ik had antibiotica geslikt voor een blaasontsteking maar wist niet dat die invloed hadden op de werking van de pil. Toen ik hem vertelde dat ik zwanger was zag ik aan zijn ogen dat hij zich onmiddellijk terugtrok. Een kou trok door mijn lichaam. Zijn blik sprak boekdelen, zijn samengeknepen ogen, de manier waarop hij naar me staarde alsof ik zijn vijand was. Ik wist dat de breuk definitief was nog voor hij zijn mond opendeed en op die afgemeten toon begon uit te leggen dat ik het natuurlijk in een privékliniek wilde laten doen, dat hij een goede gynaecoloog kende en het uiteraard zou betalen.

Een bekend gevoel van onpasselijkheid komt over me. Ik walg van mezelf. Dit kan zo niet doorgaan, dat ik elke keer in een geparkeerde auto naar zijn huis ga zitten kijken of hem opbel, alleen maar om zijn stem op de voicemail te horen. Ik ben niet meer dan een toeschouwer van het leven van iemand anders, een leven dat het mijne niet is en dat ook nooit zal worden. Het is verkeerd, dat weet ik. Ik schaam me er diep voor, ik zou ook nooit iemand – Karen of Lavinia – vertellen dat ik dit doe. Ik probeer de draad van mijn leven weer op te pakken, maar niets lijkt te lukken: het relatiebureau niet, de speeddatingavond in de Crystal Club niet, het leidt nergens toe, andere mannen kunnen me niet bekoren. Ze zijn te jong, hebben te weinig inhoud, ze overrompelen me niet zoals hij deed. Ik moet moeite doen om ze leuk te vinden, door hun pluspunten op een rijtje te zetten. Zoals bijvoorbeeld bij een man die ik in de Crystal Club heb ontmoet en die mij echt leuk leek te vinden: ik somde het in mijn hoofd allemaal op: zijn perfect gesteven witte overhemd, zijn slordige Hugh Grant-kapsel, de lucht van zeep en lotion die om hem heen hing. Ik probeerde mezelf te overtuigen.

Ik besluit dat dit de laatste keer is geweest, druk mezelf op het hart dat ik dit nooit meer zal doen – nooit. Snel rijd ik weg, maar de onpasselijkheid blijft.

Bij de crèche word ik binnengelaten door Beth. Ze is bezig de tekeningen van de kinderen op een tafel uit te stallen zodat ze ze mee naar huis kunnen nemen. Met haar slordig opgestoken krullen en haar warme bruine ogen is ze Sylvies favoriete leidster.

Ze lacht naar me.

'Sylvie is in het verhalenhoekje,' zegt ze. 'O, en ik geloof dat mevrouw P-B je wil spreken, ze vroeg of ik je dat wilde zeggen.'

Er gaat een vage angstscheut door me heen.

'Is het wel goed gegaan met Sylvie?'

Beth maakt een schommelende beweging met haar handen.

'Het ging,' zegt ze. 'Overwegend goed, ach, je weet hoe ze is.'

Ik voel dat ze iets probeert glad te strijken.

Ik loop naar de tuinkamer. Er hangen posters met het alfabet en er staan bakken vol speelgoed in prachtige felle kleuren, en de warmte is weldadig na de kou van de straat. Ik kom altijd graag bij De Beukennootjes. Ons leven is misschien niet volmaakt, maar dat Sylvie een plaats heeft gekregen op deze crèche is voor mij het bewijs dat ik mijn best heb gedaan.

De kinderen die nog niet zijn opgehaald zitten op kussens in het verhalenhoekje te luisteren naar een van de leidsters die uit *Max en de Maximonsters* voorleest. Hoewel het een van Sylvies lievelingsboeken is – ze is dol op de fantastische monsters die vervaarlijk maar ook gemoedelijk zijn – is haar aandacht er niet echt bij. Ze kijkt steeds naar de deur, in de hoop dat ze mij ziet binnenkomen. Als ik naar binnen ga rent ze door de kamer naar me toe. Ze stort zich echter niet op me, zoals andere kinderen doen, maar blijft voor me staan. Ik ga op mijn knieën zitten en dan legt ze haar handen op mijn gezicht en huivert dramatisch.

'Wat ben je kóúd, Grace.'

Ik neem haar in mijn armen. Ze ruikt zo heerlijk, naar citroen, gemberkoekjes, warme wol. Ik snuif haar geur op en beleef een moment van volmaakt geluk. Het gaat door me heen dan dit mijn leven is – in het nu, met Sylvie – en dat ik niet steeds moet omkijken naar dat wat ik niet kan krijgen.

'Ha, mevrouw Reynolds. Naar u was ik op zoek.'

Mevrouw Pace-Barden staat in de deuropening van haar kantoor. Ze heeft kortgeknipt, grijzend haar en draagt donkere, klassieke kleren. Er gaat iets gezonds en krachtigs van haar uit, ik stel me haar altijd voor als een hockeylerares die een groep recalcitrante jonge vrouwen aanspoort zich op het spel te concentreren.

Ze buigt zich voorover naar Sylvie.

'Luister, Sylvie, ik moet even met je moeder praten. Ga jij je jas even halen?'

Sylvies vingers zijn als een verband om mijn hand gewikkeld. Ik voel haar weerstand om los te laten, ze heeft het immers al de hele dag zonder mij moeten stellen. Ik weet niet wat er nu gaat gebeuren, of ze doet wat haar gezegd wordt of dat ze hier met een ondoorgrondelijk gezicht blijft staan zwijgen, haar vingers om de mijne geklemd. Karen zei ooit eens tegen mij, toen ze me uitlegde waarom ze zo graag thuis bij de kinderen blijft: 'Het punt is dat je je kinderen door en door kent, beter dan wie ook, je weet precies waarom ze doen zoals ze doen. Ik bedoel, Lennie vindt het bijvoorbeeld vreselijk als haar eten geprakt wordt en ze kan absoluut niet tegen chocola, en Josh heeft iets gehad met hoofden die gescheiden zijn van rompen... Je weet gewoon altijd hoe ze zullen reageren...' Ze zei dit met zo'n stelligheid dat ik wel moest knikken en zeggen dat ik dat ook vond. Maar ik dacht: ik weet het niet, ik weet het zelfs helemáál niet met Sylvie.

Maar deze keer gaat het goed: ze houdt mijn hand nog even vast en loopt dan naar de garderobe. Ze heeft waarschijnlijk pastelkrijtjes gebruikt, want op mijn hand zitten vlekken die aan as doen denken.

'Waar ik u over wilde spreken,' zegt mevrouw Pace-Barden. 'We hadden vandaag jammer genoeg weer een beetje een toestand met Sylvie.' Ze is zacht gaan praten, alsof ze mij niet in verlegenheid wil brengen. 'Het gebeurde toen ze met water gingen spelen. Sylvie kan helaas nogal agressief uit de hoek komen als ze van streek raakt...'

Ik voel een golf hete woede in me opkomen. Ik heb dit al zo vaak tegen ze gezegd.

'U weet dat ze bang is voor waterspelletjes,' zeg ik.

'Natuurlijk weten we dat,' zegt mevrouw Pace-Barden. 'En

daar houden we ook rekening mee. We hadden ervoor gezorgd dat zij zich aan de andere kant van de kamer bevond. Maar u zult toch begrijpen dat we de andere kinderen allerlei verschillende activiteiten willen aanbieden, en dat we die niet vanwege één kind kunnen beperken. Dat zult u toch met me eens zijn, mevrouw Reynolds.'

'Ja, natuurlijk.' Een gevoel van schaamte trekt door me heen.

'Om eerlijk te zijn kan ik haar gewoon niet goed peilen. Dat gebeurt me zelden, maar in dit geval...' Haar gezicht drukt een emotie uit die ik niet goed kan plaatsen. 'We zullen het hier toch een keer over moeten hebben, denkt u ook niet?'

Het is geen vraag.

'Ja, natuurlijk,' antwoord ik.

'Ik zou graag een afspraak met u maken,' zegt ze.

'Maar ik heb geen haast, we kunnen er ook nu over praten.'

'Ik zou liever een echt gesprek over Sylvie met u willen hebben,' zegt ze. 'Ik vind dat we haar dat verplicht zijn.'

De ernst waarmee ze spreekt maakt me ongerust.

'Vandaag over twee weken misschien?' vraagt ze.

Ik weet dat ik hier niet onderuit kom.

We spreken een tijd af en dan trekt ze zich terug in haar kamer.

Sylvie komt terug met haar jas en haar hand glijdt in de mijne. We lopen samen naar de hal.

'Vergeet je tekening niet, Sylvie,' zegt Beth. Ze draait zich naar ons om met de tekening in haar hand. 'Het is weer een van haar huizen,' zegt ze tegen mij.

Ik kijk ernaar: midden op het blad heeft ze met pastelkrijt een huis getekend. Precies zoals ze elke dag doet. Ze tekent nu al een paar maanden huizen, steeds weer opnieuw. Ze zijn keurig, exact symmetrisch, met vier ramen, een schoorsteen, een deur, en altijd kaal, zonder enige opsmuk. Er zijn nooit mensen bij, hoewel ze inmiddels weet hoe ze een mens moet tekenen, met rondjes en streepjes, een driehoek als rokje voor de vrouwen en grote lompe laarzen voor de mannen. En in de tuin staan nooit bloemen. Soms maakt ze de omgeving van het huis blauw, niet alleen de hemel, maar alles eromheen, een heldere blauwe band zodat het lijkt alsof het huis in water drijft. Ooit zei ik eens tegen haar: 'Het is zo'n mooi huis op je tekening, woont er ook iemand?' Maar ze had haar ontoegankelijke gezicht en vertelde me niets.

Ik houd de tekening aan een hoekje vast, want pastelkrijt vlekt zo gauw. We zeggen Beth gedag en lopen de avondlijke straat in.

Midden in de nacht word ik wakker van het klikken van mijn slaapkamerdeur. Ik ben bang. Heel even, een fractie van een seconde, als ik de schaduw in de deuropening zie die zich donker tegen de kier van licht uit de gang aftekent, denk ik dat er een inbreker in huis is, dat er iemand naar me staat te kijken, een vreemde. Ik kan haar gezicht niet zien, ze is niet meer dan een silhouet tegen het ganglicht, maar wat ik wel zie is dat haar schouders schokken van het huilen.

Ik ben slaapdronken en kan nauwelijks overeind komen.

'O, liefje, kom maar hier.'

Ze komt niet.

Ik doe het bedlampje aan en sleur mezelf uit bed. Mijn lichaam voelt zwaar en ongecoördineerd. Ik ga naar haar toe en sla mijn armen om haar heen. Haar huid is kil, ze voelt niet aan als een kind dat net uit een warm bed is gerold. Soms trapt ze 's nachts al het beddengoed van zich af, hoe goed ik haar ook instop. Het lijkt wel of haar dromen een grote worsteling zijn.

Ze laat zich door mij vasthouden, maar leunt niet tegen me aan. Ze klampt zich aan Big Ted vast. Ze ziet er diep ongelukkig uit, alsof ze verdriet heeft.

'Wat heb je gedroomd, liefje?'

Ze wil het me niet vertellen.

Ze loopt bij me weg en kruipt in mijn bed. Ik ga naast haar liggen en neem haar in mijn armen.

'Het is allemaal voorbij,' zeg ik tegen haar. 'De nachtmerrie is voorbij. Je bent nu hier, bij mij. Er is niets meer aan de hand.'

Maar ze rilt nog steeds.

'Het is niet echt, Sylvie,' zeg ik tegen haar. 'Wat je ook gezien hebt, wat er ook gebeurd is in je droom... Het is niet echt gebeurd, het was maar een droom.'

Ze kijkt me aan, haar pupillen zijn sterk verwijd door de duisternis. In het schemerige licht van mijn bedlampje hebben haar ogen een diepere kleur dan anders, als het ongrijpbare blauwgrijs van water waar een schaduw over valt. Ze is nog steeds doodsbang. Hoewel ze naar me kijkt, lijkt ze me niet te zien. De dingen die ik tegen haar zeg dringen niet tot haar door. Ik probeer het opnieuw, ik moet iets zeggen, wat dan ook, in de hoop dat mijn stem haar zal troosten.

'Dat is wat een droom is,' zeg ik tegen haar. 'Iets wat je geest verzonnen heeft, als een film die in je hoofd wordt afgespeeld. Soms een nare film. Maar het is voorbij nu, het is over. Het betekent niets.'

Haar pyjamasje is van voren helemaal nat van al het huilen. Eigenlijk moet ik haar een schone pyjama geven, maar ze begint net een beetje rustiger te worden en ik wil haar nu niet weer helemaal wakker maken. Ik aai haar over haar bol.

'Je bent weer in de echte wereld, liefje. Jij en ik en Big Ted en ons huis en alles...'

Vrij plotseling vloeit de spanning uit haar weg. De hand die ze om de teddybeer geklemd hield gaat open, haar vingers worden weer los en soepel en haar oogleden trillen en zakken naar beneden. Ik zou willen zeggen: Sylvie, waarom doe je dit? Waarom ben je zo ongelukkig? Maar ze slaapt al.

4

Op zaterdagochtend gebeurt er iets leuks. Zelfs de timing is perfect, want Sylvie en ik staan op het punt om naar Karen te gaan. Als hij ietsje later had gebeld, waren we weg geweest. Dit is een goed voorteken.

'Hallo, spreek ik met Grace Reynolds?'

Een mannenstem – licht, aangenaam, met een lachje dat erin doorklinkt.

'Ja,' antwoord ik, terwijl een wankel sprankje hoop in mij opflakkert.

'Grace, je spreekt met Matt. We hebben elkaar ontmoet op die bizarre avond in de Crystal Club, weet je nog wel?'

'Natuurlijk weet ik dat nog.'

'Grace, om maar met de deur in huis te vallen: ik zou je graag mee uit eten willen nemen. Als jij dat ook leuk vindt.'

'Dat zou ik heel leuk vinden,' zeg ik tegen hem.

'Geweldig.' Hij klinkt opgelucht, alsof het belangrijk voor hem is.

We spreken een tijd af, en een plaats: aanstaande dinsdag, en we gaan naar Welford Place, een restaurant aan de rivier waar ik weleens langs ben gereden, het was ooit een mannensociëteit. Heel anders dan Alouette, denk ik. Geen roodgeblokte tafelkleden en accordeonmuziek en ook geen menu dat met krijt op een bord is geschreven. Ik stel me zoetgevooisde, beminnelijke obers voor en zilveren trolleys met daarop stapels onweerstaanbare desserts.

Ik kan me niet herinneren of ik hem over Sylvie verteld heb, het is waarschijnlijk het beste om het zekere voor het onzekere te nemen.

'Ik moet wel een oppas regelen voor die kleine van mij,' zeg ik tegen hem.

'Natuurlijk, Grace. Luister, als het niet lukt bel je me gewoon even.'

Ik leg de telefoon neer en blijf een ogenblik staan. Ik denk bewust terug aan zijn linnen overhemd en die lok die over zijn ogen viel: ik herinner mezelf eraan dat ik hem leuk vond. Ik heb het opwindende gevoel dat er iets nieuws te gebeuren staat. Dit klinkt allemaal zo gemakkelijk, zo ongecompliceerd: we zijn allebei ongebonden en ik heb hem over Sylvie verteld en daar scheen hij geen moeite mee te hebben.

Het is een schitterende middag, met honingkleurig zonlicht dat alles zacht maakt. Ik besluit dat we te voet naar Karen gaan, het is niet ver. Sylvie heeft haar Shaun het Schaap-rugzak mee-genomen, waar ze een paar van haar barbiepoppen in heeft ge-stopt. We praten over de dingen die we onderweg zien: een hand-schoen die iemand op straat heeft laten vallen en die er van een afstand uitziet als een klein dood dier, een rups die Sylvie op de stoep ontdekt en die niet langer is dan de nagel van haar duim, het frisse, heldere groen van de lindebomen.

'Als we straks teruglopen moeten we heel goed uitkijken,' zegt Sylvie. 'Zodat we niet op de rups trappen.'

In de met bomen omzoomde straat waar Karen woont zit een kat in een cirkel van zonlicht.

'Die kat heeft gele ogen,' zegt Sylvie. 'Kijk dan, Grace.'

Zacht en behoedzaam aait ze de kat, die luid spinnend tegen haar aan schurkt.

'Hij vindt me leuk, Grace,' zegt ze.

Ik kijk toe terwijl ze de kat streelt: ze lijkt een heel gewoon kind.

Bij Karen aangekomen gaan de meisjes naar boven, naar Len-nies kamer. Waarschijnlijk gaan ze daar hun favoriete zieken-huisspelletje met Lennies barbies spelen, wat altijd veel geam-puteerde ledematen en gedoe met de verbandtrommel met zich meebrengt. We gaan in de keuken zitten, waar het ruikt naar baksels en citrusvruchten, en waar de behaaglijke warmte van Karens Aga-fornuis me een welkom gevoel geeft. Leo en Josh zijn gaan zeilen, zoals ze meestal doen op zaterdag. Uit Lennies kamer klinken de klaterende klanken van het gekwebbel en gelach van de meisjes, want Karen heeft de keukendeur opengelaten. Ik merk dit op en even vraag ik me af of ze de deur ook open laat staan als er andere, minder gecompliceerde kinderen komen spelen.

Karen klaagt over het huiswerk. Josh heeft een alarmerende hoeveelheid wiskunde opgekregen die hij maandagmorgen af moet hebben.

'Maar het komt natuurlijk weer op ons arme ouders neer,' zegt ze. 'Waarom krijgen we niet even vrijaf?'

Ze zet de koffiepot op een plaatje op het fornuis.

In de herfstvakantie, vertelt ze me, moest Josh voor school een miniatuurkasteel bouwen. Karen had cornflakespakken bewaard en voor verf gezorgd en Josh had iets gemaakt dat vaag middeleeuws aandeed, alleen vielen de torentjes steeds om. Toen ze hem na de vakantie echter naar school bracht, waren er veel meer vaders met hun kinderen meegekomen dan gewoonlijk, en ze hadden allemaal enorm ingewikkelde bouwwerken bij zich, er was er zelfs een met een miniatuurkanon dat nog werkte ook.

'Al Josh' vriendjes lachten hem uit en zeiden dat zijn kasteel een misbaksel was,' zegt ze. 'Wat heb je daar nou aan? Het heeft toch niets te maken met iets leren, dit gaat gewoon over ouders die zo nodig moeten scoren.'

Karens koffie is altijd lekker sterk. Dankbaar drink ik mijn kopje leeg. Ze haalt muffins uit de Aga en legt ze op een rooster om af te koelen.

'Laten we er alvast een nemen,' zegt ze. 'Voor die kleine aasgieren zich erop storten.'

De cakejes zijn haast te heet om vast te pakken. Ze smaken naar boter en sinaasappel en er zit een glanzend korstje vanillesuiker op.

Ik vertel haar over het telefoongesprek en haar ogen stralen van opwinding. Het raakt me dat ze zo blij voor me is.

'En met hoeveel mannen ben je nou precies uit geweest sinds die rat je liet zitten?' Zo noemt ze Dominic meestal.

'Met niemand. Tenminste, niet echt,' antwoord ik.

Ze glimlacht vergenoegd.

'Je bent er klaar voor, begrijp je? Dat heb ik altijd gezegd. Je bent er klaar voor om verder te gaan. Mannen voelen dat aan.'

Karen is zo iemand voor wie het leven een ordelijk geheel is: haar wereld is als een keurig huis waarin alles klopt en bij elkaar past, waar je de ware jakob tegenkomt zodra dat speciale moment is aangebroken waarop je er klaar voor bent. Naar mijn gevoel gaat ze dan voorbij aan die volslagen beangstigende, zenuwslopende willekeur van wie je wanneer tegenkomt, van hoe de dingen lopen. Maar op dit moment bevalt haar theorie me wel. Het geeft me het gevoel dat het zo heeft moeten zijn.

'Ik kom wel babysitten,' zegt ze tegen me.

Ik omhels haar.

'Je bent een engel, dankjewel.'

'Nou, het is belangrijk,' zegt ze. 'Een nieuw begin, een heel nieuw iemand. Precies wat je nodig hebt. En waar neemt hij je mee naartoe?'

'Naar Welford Place.'

'O.' Ze staart me nogal indringend aan. 'Hm, chique tent, Grace, dan moet je er wel goed uitzien.'

'Karen, wat bedoel je hiermee te zeggen?'

Ze bekijkt me van top tot teen. Vandaag heb ik bleekgroene netkousen aan, een kort zwart rokje, cowboylaarzen uit een tweedehandswinkel en een vest dat ik zelf gebreid heb van wol die ik in een buurtwinkeltje heb gevonden en waar ik meteen op viel vanwege het roetkleurige blauw, precies de kleur van rijpe bosbessen.

'Je ziet er altijd leuk uit,' zegt ze verzoenend. 'Het is alleen altijd een beetje apart wat je aanhebt. Wat doet hij, die Matt van jou?'

'Ik weet het niet meer, iets financieels.'

'O, nou. Kom dan maar even met me mee.'

Ik loop achter haar aan naar boven. Als we langs Lennies kamer komen werpen we een blik naar binnen. Die amuseren zich wel. Ze lijken net bezig te zijn een blote barbiepop in een pan op

Lennies speelgoedfornuisje te koken, en Lennie heeft een plastic mes in haar hand. De meisjes staan er vrolijk bij te lachen.

In Karens slaapkamer hangt de geur van tuingeraniums en er staat een sleebed waar een witte sprei met gehaakte bloemetjes op ligt. Op de toilettafel liggen zilveren haarborstels die van haar moeder zijn geweest en er staan familiefoto's in leren lijstjes. Overal spreekt continuïteit uit, samenhang. Ik benijd Karen dat ze zich zo verbonden voelt, alles maakt zo'n solide, troostrijke indruk.

Ze opent haar kast en zoekt tussen haar kleren. Karen houdt van klassiek: trenchcoats, zijden blouses, kasjmier. Ze trekt iets lichtblauws tevoorschijn met een beetje glans: een satijnachtige blouse met lange, weelderige mouwen en parelknoopjes. Ze houdt hem bij mijn gezicht om te kijken of de kleur me staat. Naar mijn gevoel is dit niets voor mij – veel te chique, te volwassen – maar de stof voelt wel heerlijk glad en soepel aan.

'Nou, kom op,' zegt ze. 'Trek eens aan.'

Ik doe mijn vest uit en trek de blouse aan. Hij is laag van voren, ondanks de zedige lange mouwen, en zo gemaakt dat je borsten tegen elkaar worden gedrukt. Tot mijn verbazing zie ik dat ik een heus decolleté heb. Karen legt haar handen op mijn schouders en draait me naar de spiegel. Samen kijken we naar mijn spiegelbeeld.

'Hm,' zegt ze. 'Niet gek. En je zou je haar op kunnen steken.'

'Ik draag het altijd los.'

'Waarom eigenlijk?'

'O, ik weet het niet – omdat ik dat altijd zo gedaan heb, denk ik.'

Ze kijkt me sceptisch aan. Ik voel dat ik begin te blozen.

'Oké. Ik zal je bekennen dat ik dat doe omdat Dominic het leuk vindt.'

'Leuk vónd. Hij is verleden tijd, Grace.' Ze steekt een vermanende vinger naar me op en doet alsof ze me streng gaat toespreken. 'Denk eraan: geen vaderfiguren meer,' zegt ze.

Eén keer heb ik Karen over mijn vader verteld. Alleen de grote lijnen – nou ja, er is ook niet zo veel te vertellen. Ik heb haar verteld hoe ik me hem herinnerde, hoe groot hij leek en hoe warm hij rook en de opwinding die ik voelde als hij met mij op zijn schouders op straat liep en ik me niet kon voorstellen hoe het zou zijn om de wereld altijd vanaf die hoogte te bekijken. En dat mijn moeder toen ik drie was op een dag ineens zei: je vader is vertrokken, en dat ik niet wist wat ze bedoelde. Ik dacht dat ze bedoelde dat hij weer terug zou komen, waardoor ik nog jarenlang naar het raam rende als ik buiten een taxi hoorde stoppen, en er even een sprankje hoop in mij opwelde. Karen vond het fascinerend: 'Nou, zie je nou wel,' zei ze, overtuigd van het feit dat mijn passie voor Dominic alles te maken had met dit verlies, dat het er allemaal om draaide dat ik op zoek was naar mijn verloren vader. Waarschijnlijk heeft ze gelijk, maar dat inzicht helpt niet echt, ik kan het niet meer ongedaan maken.

Met een zwierig gebaar trekt ze mijn haar naar achteren en zet het vast met een glimmende klem die ze van haar toilettafel heeft gepakt. Op de een of andere manier zie ik er ineens markanter uit, alsof ik meer contouren heb gekregen.

'Te gek,' zegt Karen. 'Doet me denken aan *Breakfast at Tiffany's*. En misschien nog wat oorbellen, hele kleintjes...'

Ik grijns naar mijn spiegelbeeld, mijn decolleté, mijn nieuwe haar. Het is leuk om je zo te verkleden. Ergens in een hoekje van mijn bewustzijn registreer ik de plotselinge stilte in Lennies kamer, maar besluit die te negeren. Ik ben lichtelijk opgewonden.

Ze doet haar bijouteriekistje open. Een robijn gloeit vol en donker op. Ik zie hoe haar voorzichtige vingers de sieraden opzij schuiven.

'Ik moet toch ergens nog een paar pareloorbellen hebben...'

Plotseling klinkt er een schreeuw uit de speelkamer, voetstappen op de overloop en de klap van een deur. Lennie rent de kamer in en stort zich op haar moeder. Haar gezicht zit vol rode vlekken. Ze snikt woedend, ze is zo heftig aan het huilen dat ze geen woord kan uitbrengen. Ik denk: mijn god, wat is er gebeurd? Wat heeft Sylvie gedaan?

Door de open deur kan ik de gang in kijken. Sylvie is nog steeds in Lennies kamer en wikkelt een barbiepop in een deken.

Ze staat met haar rug naar ons toe en maakt een onverstoorbare indruk.

Karen knielt naast Lennie neer en neemt haar in haar armen.

'Is er iets gebeurd, schatje? Heb je je pijn gedaan?'

Lennie haalt schokkerig adem.

'Ze zegt dat ik Lennie niet ben.' De woorden komen tussen de tranen door naar buiten getuimeld. 'Maar ik ben het wél, mam, ik ben het wél.'

Karen strijkt Lennies haar uit haar natte, levendige gezicht. Ze fronst.

'Natuurlijk ben jij Lennie,' zegt ze.

'Zij zegt dat het niet zo is,' herhaalt Lennie.

'Zegt Sylvie dat?'

Lennie knikt.

'Sylvie zegt soms rare dingen,' zegt Karen. 'Dat weet je...'

Ik loop naar de speelkamer.

'Wat is er gebeurd, Sylvie? Wat heb je gezegd?'

Ze kijkt niet naar me. Haar aandacht is gefixeerd op de pop die ze, een en al zorgzaamheid uitstralend, uiterst nauwgezet in een dekentje wikkelt. Haar gezicht is een masker. Ze neuriet zacht.

'Je moet het me vertellen,' zeg ik.

Ik neem haar gezicht in mijn handen, zodat ze niet aan me kan ontsnappen, zodat ze me wel moet aankijken. Haar huid voelt verrassend koel aan voor een kind dat binnenshuis aan het spelen is.

'Wat heb je tegen Lennie gezegd? Heb je gezegd dat dat haar naam niet is?'

Ze haalt haar schouders op.

'Dat is ook zo,' zegt ze. 'Ze is niet de echte Lennie. Niet míjn Lennie.'

Ze rukt haar hoofd opzij en glipt tussen mijn handen vandaan.

'Lennie is echt van streek, heb je dat niet gemerkt?' zeg ik. 'Ik wil dat je tegen haar zegt dat het je spijt.'

Sylvie zwijgt. Ze staat nu met haar rug naar me toe en is druk

40

bezig met de barbie. Ze gaat met haar vinger langs het poppen-gezichtje in een nauwkeurige imitatie van moederlijke teder-heid.

'Sylvie, ga je zeggen dat het je spijt?'

'Ze is niet mijn Lennie,' zegt ze nog een keer.

Er welt boosheid in me op. Even voel ik de neiging haar te slaan – omdat ze zo afstandelijk is, zo koel, omdat ze me ont-glipt, zoals ze ook uit mijn handen is gegleden.

'Oké. We gaan naar huis,' zeg ik.

Ze laat de pop los waar ze zojuist nog met zoveel zorg mee be-zig was, ze laat hem gewoon naast haar voeten op de grond val-len, alsof ze er geen belangstelling meer voor heeft. Dit had ik bedoeld als straf, als uiting van afkeuring, maar het lijkt alsof ze blij is dat we gaan. Zonder dat dat haar gevraagd is loopt ze naar beneden om haar jas en haar schoenen aan te trekken.

Ik ga terug naar Karens slaapkamer.

'Karen, het spijt me zo. Ik denk dat we maar beter kunnen gaan.'

Karens gezicht is strak en gesloten, ze houdt zich in.

'Dat hoeft echt niet,' zegt ze.

'Ik denk dat het beter is,' zeg ik.

Ik heb nog steeds de blauwe zijden blouse aan. Ik kan hem niet uittrekken waar Lennie bij is.

'Wij gaan naar beneden,' zegt Karen. 'Vergeet de haarklem niet.'

In de spiegel vang ik een glimp van mezelf op. Ik weet ineens niet meer zo zeker of Karens kleren wel bij mij passen: de bleke stof maakt mijn gezicht hard en moe. De dag heeft zijn glans verloren.

Als ik beneden kom, is Sylvie klaar om te vertrekken: ze heeft haar schoenen en haar jas aan. Ze staat met haar rug naar Karen en Lennie. Haar gezicht is verstild, het lijkt alsof ze geen emoties heeft zoals ze daar staat met haar ogen op de deur gericht. Len-nie is gestopt met huilen, maar heeft zich tegen haar moeder aan geklemd en kijkt fronsend naar Sylvies rug terwijl ze Karens rok vastgrijpt. Weer verlaat ik gegeneerd en beschaamd Karens huis.

5

Buiten is het inmiddels donker en koud geworden. We kunnen onze adem zien als we onder de straatlantaarns door lopen. Sylvies hand glijdt in de mijne. Ik voel haar kleine, koele aanraking en mijn boosheid vloeit weg.

Ze loopt langzaam, alsof haar schoenen loodzwaar zijn.

'Ik ben moe, Grace. Ik wil niet lopen, mijn voeten doen pijn.'

We zouden de bus kunnen nemen, maar ik wil het geld voor de kaartjes liever in mijn zak houden.

'En als we langs Tijger Tijger gaan, wil je dan wel lopen?' vraag ik.

'Zien we mijn huis dan?'

'Ja. De winkel zal nu wel dicht zijn, maar we kunnen in de etalage kijken.'

Ze knikt.

'Ik wil mijn huis zien,' zegt ze.

Het is maar een kleine omweg. Tijger Tijger bevindt zich in een rij met dure winkels twee straten van Karens huis, naast een delicatessenzaak die in reformproducten gespecialiseerd is. Bij Tijger Tijger verkopen ze poppenhuizen en handgemaakt houten speelgoed. Alle winkels zijn gesloten, maar deze etalage is verlicht. We blijven staan en kijken naar binnen.

Een deel van hun meest indrukwekkende speelgoed staat in de etalage uitgestald: een hobbelpaard met manen en een staart van echt paardenhaar, een paar Duitse teddyberen met beweegbare ledematen, en alle poppenhuizen. Er staat een kasteel met overdadige kantelen; een spookachtig landhuis waarvan de muren beschilderd zijn met klimop; een prachtig Georgian rijtjeshuis waaraan de voorgevel ontbreekt zodat je de stoffen muizenfamilie kan zien die er woont, het behang met het rozenpatroon en de piepkleine antieke stoeltjes. Als kind had ik dit fantastisch gevonden, deze besloten, betoverende wereld. Maar Sylvie neemt er nauwelijks notitie van.

Achter het verlichte gedeelte is de winkel een en al schaduw. De marionetten die aan de zoldering hangen, vangen zo nu en dan het licht van passerende auto's. Er hangt een vampier met hoektanden vol gestold bloed, een bleek, broodmager prinsesje in een wolk van zijde, een heks met haar dat aan spinrag doet denken, een paar tanden in haar mond met grote gaten ertussen en witte, lege ogen. De marionetten zien er een beetje sinister uit, hangend in die lichtbanen die over ze heen glijden. Hun haar en de randen van hun kleren worden lichtjes in beweging gebracht door een luchtstroom die uit een of ander verborgen luchtgat komt: waarschijnlijk tocht het altijd wel een beetje in de winkel. Als ik nog een kind was geweest, zouden die poppen me beangstigd hebben, maar Sylvie is helemaal niet bang. Ze lijkt vaak zo angstig, maar de dingen die de meeste kinderen eng vinden, zoals grijnzende monden met maar een paar tanden, spoken, hoofden die van de romp gescheiden zijn, doen haar schijnbaar niets.

'Daar staat mijn huis,' zegt ze, met een kleine zucht van voldoening. 'Daar staat het, Grace.'

Het huis waar ze zo weg van is is het kleinste dat ze hebben, het is eigenlijk niet meer dan een cottage met blauwgrijze dakpannen en ruwe, witgepleisterde muren. Het verbaast me telkens weer. Je zou verwachten dat ze het landhuis of het Georgian rijtjeshuis zou kiezen. Weer bekruipt me het gevoel dat ik haar niet ken en nooit kan voorspellen hoe ze zal reageren. Het is een kort en breed, symmetrisch huis, net als de huizen die ze tekent. Misschien vindt ze het daarom wel zo mooi. De ramen hebben luiken en op de dakpannen is mos geschilderd.

Het licht van de etalage schijnt in Sylvies ogen: haar hele gezicht wordt verlicht terwijl ze staat te kijken. Ze gaat dicht bij het raam staan en drukt haar gezicht met aan weerszijden een gespreide hand tegen het glas.

'Dat is mijn huis, hè, Grace?' zegt ze nogmaals.

Ik buig naar haar toe.

'Ja. Dat is je lievelingshuis.'

Ze drukt tegen het glas alsof ze verwacht dat ze binnen kan komen. Ik ben bang dat ze een alarm in werking stelt, dat het raam misschien beveiligd is.

'Wie woont daar?' vraag ik aan haar.

Als ze haar hoofd naar mij omdraait, is op het glas een zuivere ovaal te zien met wazige randen: het is de afdruk die de warmte van haar adem op het raam heeft achtergelaten. Ze kijkt me bevreemd aan, met een kleine frons op haar voorhoofd, alsof ik iets vanzelfsprekends niet begrepen heb.

'Ik woon daar, Grace,' zegt ze. 'Dat is mijn huis. Dat zei ik toch al.'

'Het lijkt precies op de huizen die je altijd tekent,' zeg ik.

Even blijft ze stil en staat daar alleen maar naar binnen te kijken.

'Ik wil het hebben, Grace.'

'Ja, liefje, dat weet ik.'

Als ik naast haar hurk, zie ik de marionetten als kleine, smetteloze beelden in haar ogen gereflecteerd.

'Ik wil het zó graag hebben, zó graag. Koop je het voor me, Grace?'

'Misschien, ooit,' zeg ik tegen haar.

Ik hou het altijd een beetje vaag als ze me zoiets vraagt, voor het geval mijn plan in duigen valt. Ik weet nooit zeker of er niet iets zal gebeuren dat roet in het eten gooit: de crèche kan duurder worden of Sylvie groeit uit haar tuinbroek of haar schoenen. Ik heb een aparte rekening waarop ik elke week een klein bedrag wegzet, zo veel als ik kan missen. Als er niets fout gaat hoop ik in februari – als ze jarig is – genoeg gespaard te hebben. Het geeft me een warm, tevreden gevoel dat ik dit poppenhuis voor haar zal kunnen kopen. In gedachten zie ik voor me hoe ze ermee zit te spelen: aandachtig, met een kalm, beheerst gezicht, de uitdrukking die ze heeft als ze zich concentreert, terwijl ze een beetje hees en toonloos voor zich uit neuriet. Plotseling voel ik een golf van liefde in me opkomen en ik strijk met mijn lippen langs haar koele wang.

Omdat het nu even zo goed is tussen ons probeer ik met haar te praten over wat er vanmiddag is gebeurd.

'Sylvie, wat is er nou gebeurd bij Karen?'

Ze zegt niets.

'Waarom zei je dat tegen Lennie?' vraag ik.

Haar ogen zijn leeg, er gaat niets van uit. Ze haalt haar schouders op. Het lijkt wel alsof ze het is vergeten.

'Ze is Lennie, ze is je vriendin,' zeg ik tegen haar. 'Ze raakte van streek toen je dat zei. Je moet zuinig zijn op je vrienden, je moet ze niet van streek maken.'

Ze wendt zich van me af. Had ik dat nou maar niet gezegd.

'Ik wil nu naar huis, Grace,' zegt ze met een vlakke, uitdrukkingsloze stem.

Bijna de hele weg naar huis zwijgen we. Ze zegt dat haar voeten pijn doen.

6

Welford Place heeft de ouderwetse grandeur van een landhuis: alles donkerrood en goud en veel kroonluchters. Matt begroet de ober, die ons vervolgens naar onze tafel brengt. Ik voel me zo anders dan anders, met mijn opgestoken haar en in die bleke grotemensenkleren. Ik ben me bewust van de blikken die mannen me toewerpen.

Onze tafel staat bij het raam en kijkt uit over de rivier. De gordijnen zijn in lussen aan weerszijden van het raam gedrapeerd en omlijsten het uitzicht. Buiten ziet de avond er feestelijk uit: in de bomen aan de overkant van de rivier hangen snoeren met gekleurde lampjes en de kleuren fonkelen als edelstenen in het donkere water van de rivier.

'Wat is dat mooi,' zeg ik.

We gaan zitten, lachen naar elkaar en delen een licht gevoel van triomf omdat we hier nu toch maar samen zitten.

'Je ziet er fantastisch uit met je haar zo opgestoken,' zegt hij tegen me.

Ik neem me voor om Karen te bedanken.

Het is goed om hier te zijn, om even geen moeder te zijn maar gewoon mezelf. Ik ben altijd zo gepreoccupeerd met Sylvie, zo gespitst op elke verandering in haar stemming, misschien is dat niet goed voor ons. Het restaurant ruikt naar gebraden vlees en naar het parfum dat een van de vrouwen op heeft, een geur zwoel als gardenia; er liggen gesteven linnen tafelkleden op de tafels en het barokke, zilveren bestek ligt zwaar in de hand. We drinken een fluwelige bordeaux. Ik denk aan hoe ik normaal mijn avonden doorbreng: nadat ik de keuken heb schoongemaakt hang ik meestal rond in een slobberig t-shirt en eet het eten op dat Sylvie heeft laten staan. Op de een of andere manier verrast het me dat deze andere wereld ook nog bestaat, een wereld van glamour en dure rode wijn; de blikken van mannen op je lijf, warm als de zon op je huid. Ik voel me licht en vol verwachting. Misschien krijgt Karen gelijk en gaat er nu een deur voor me open, is dit een nieuw begin.

We bestellen parelhoen met polenta en praten over onszelf, om te beginnen over onbelangrijke dingen: muziek die we mooi vinden, plaatsen waar we geweest zijn. Matt blijkt overal te zijn geweest, India, Peru en Namibië, waar hij een trektocht door de Visrivier-Canyon heeft gemaakt. Ik moet bekennen dat ik alleen maar in Parijs ben geweest, met school. Maar misschien vindt hij dit verschil juist leuk, omdat het hem een man van de wereld doet lijken.

Ik merk de dingen op die ik leuk aan hem vind en zet ze op een rij: zijn frisse geur van lotion en gestreken linnen, de lok die over zijn gezicht valt. Even moet ik denken aan die keer toen Dominic me voor het eerst meenam naar Alouette: hoe hij mijn blik vasthield en ik wist dat hij alles van mijn gezicht kon aflezen, dat ik me naakt voelde en dat er al geen weg terug meer was. Ik duw de gedachte weg en prent mezelf in dat de vonk niet altijd meteen overspringt.

Matt schenkt mijn glas bij. Ik ben al een beetje dronken, voel me high omdat het zo'n stralende, hoopvolle avond is. De parelhoen is verrukkelijk en de volle, donkere jus heeft een subtiele smaak. We genieten van het eten. Er valt een korte stilte.

Dan zegt hij aarzelend: 'Je dochter. Is die man... ik bedoel, heb je nog contact met hem?'

'Ik had een verhouding met iemand,' vertel ik hem, en ik probeer nonchalant te klinken. 'Een veel oudere man. Hij was getrouwd.'

'En nu?' vraagt hij voorzichtig.

'Dat is allemaal verleden tijd,' antwoord ik. Het klinkt nadrukkelijk, definitief. Vanavond meen ik het echt, daar ben ik zeker van. 'Ik was nog ontzettend jong toen ik hem leerde kennen.'

'Ja,' zegt hij. Misschien iets te snel naar mijn smaak, alsof hij zich heel goed voor kan stellen dat ik nog ontzettend jong was.

'En is er sindsdien nog iemand in je leven geweest?'

Ik weet niet of ik moet doen alsof. Is vier jaar erg lang om geen man te hebben gehad? Zal hij me dan raar vinden?

'Nee, niemand,' zeg ik tegen hem.

'Dan moet je wel heel sterk zijn,' zegt hij. 'Om je kind alleen op te voeden.'

'Ik voel me niet zo sterk,' zeg ik.

'Het lijkt me soms wel eenzaam,' zegt hij.

'We redden ons wel maar inderdaad, het is soms eenzaam,' zeg ik.

En op dat moment zie ik in dat ik inderdaad eenzaam ben, maar dat ik misschien niet altijd alleen hoef te blijven. Dat het niet eeuwig hoeft te duren, deze beklemming die voelt alsof ik bij elke beweging die ik maak tegen een muur op bots. Dat het allemaal anders zou kunnen zijn.

'Ik voel dat je gekwetst bent,' zegt hij.

Hij legt zijn hand op de mijne. Het voelt aangenaam, geruststellend.

'En jij?' zeg ik, opzettelijk vaag.

'Ik heb een tijdje met een vrouw samengewoond,' antwoordt hij.

Hij trekt zijn hand terug en begint met de dingen die op tafel staan te schuiven – het zoutvaatje, de wijnfles – alsof hij een spel speelt op een onzichtbaar bord.

'Wat is er gebeurd?' vraag ik hem.

Hij strijkt met een vinger langs de rand van zijn glas.

'Ik reis veel voor mijn werk,' zegt hij. 'En er gebeurde dan altijd iets heel geks. Als ik weg was, verlangde ik er altijd naar om bij haar te zijn – ik hunkerde er gewoon naar om weer thuis te zijn. Het werd een obsessie, ik kon nergens anders meer aan denken.'

'Dat begrijp ik wel,' zeg ik warm. Vertel mij over obsessies.

'Maar als ik dan thuiskwam was ze heel anders dan ik me haar had voorgesteld. Dat ging zo snel. Dan kregen we weer ruzie en ging ik me aan alles ergeren. Ze kon dingen doen waarmee ze me

48

het bloed onder de nagels vandaan kon halen. Onnozele dingen. Ze at bijvoorbeeld veel appels en dan liet ze de klokhuizen op de grond slingeren...'

Ik maak meelevende geluiden en besluit van nu af aan de restanten van mijn appels onmiddellijk in de vuilnisbak te gooien.

Hij slaat zijn blik neer en plukt een pluisje van zijn mouw.

'Vreemd, hè?' zegt hij. 'Zoals je alleen maar van iemand kan houden als je mijlenver van haar vandaan bent. Alsof het alleen maar een droom is...'

Dan gaan we over op minder zware onderwerpen – familie, waar we vandaan komen. Hij leunt over de tafel naar me toe en zijn blik gaat als een liefkozing over mijn gezicht. Bij de panna cotta met wittechocoladesaus voel ik een lichte siddering van lust door mijn lichaam gaan.

We gaan naar buiten en lopen naar zijn auto. Het is een koude avond, de sterren priemen door de diepblauwe hemel. Onze adem is wit. Zijn auto staat bij de rivier, waar zwanen bleek en stil over het rimpelige, donkere water glijden. Er liggen bootjes aan de kant, je kunt het water zachtjes tegen hun rompen horen klotsen.

'Bedankt. Het was een heerlijke avond,' zeg ik tegen hem.

'Ja, dat vond ik ook,' zegt hij.

Hij pakt niet meteen zijn sleuteltje, maar draait zich naar me toe en legt zijn hand lichtjes op mijn schouder.

'Grace, ik zou je graag willen kussen.'

'Ja,' zeg ik.

Hij legt zijn handen langs mijn gezicht en trekt me naar zich toe. Dan kust hij mijn voorhoofd, mijn oogleden, en beweegt zijn lippen heel langzaam over mijn gezicht, terwijl zijn vingers over mijn haar strijken. Dat trage vind ik heerlijk: ik voel een golf van opwinding, een klein vlammetje dat zich over mijn huid beweegt. Mijn ogen zijn gesloten, ik hoor het geluid van het water en zijn snelle, hunkerende ademhaling. Als zijn lippen de mijne raken, ben ik meer dan klaar voor hem. Hij smaakt naar rode wijn, zijn tong is nieuwsgierig. We kussen elkaar langdurig. Hij trekt me nog dichter naar zich toe en ik voel zijn erectie.

Uiteindelijk maken we ons van elkaar los en stappen in de auto. Hij zet een cd op – Nina Simone. De muziek is perfect, haar stem klinkt doorrookt, vertrouwelijk. Tijdens de rit terug naar mijn flat zeggen we geen van beiden iets en het grootste deel van de tijd rust zijn hand op mijn dij. Ik voel me los, open.

In Highfields draait hij mijn straat in en parkeert de auto langs de stoeprand.

'Als je mee naar binnen wilt komen...' zeg ik tegen hem.

'Dat wil ik heel graag,' zegt hij.

Hij legt zijn arm om mijn middel als we naar de deur lopen en laat zijn hand onder mijn blouse tussen de zijden stof en mijn huid glijden. Ik stel me voor dat hij mijn hele lichaam streelt en met zijn vingers zachtjes bij mij naar binnen gaat.

Ik doe de voordeur open en op dat moment stort het geluid over ons heen: een dun, schril gejammer. Matt doet een stap naar achteren. Ik kan mezelf wel voor m'n kop slaan dat ik hem mee naar binnen heb gevraagd, maar het is te laat om om te draaien.

'O, wat spijt me dit,' zeg ik tegen hem.

Ik duw de deur naar de zitkamer open. Het gehuil, dat plotseling luider wordt als de deur openzwaait, komt als een lawine over ons heen. Ik voel Matt in elkaar krimpen. Nou ja, dat is ook logisch.

Sylvie zit met een vertrokken gezicht op Karens schoot te rillen en naar adem te happen. Als ik binnenkom draait ze haar hoofd naar me toe, maar het snikken wordt niet minder. Karens blik is strak en gekweld. De glamour en glitter van Welford Place zijn heel ver weg.

'Dit is Matt – dit is Karen. En Sylvie,' roep ik boven het gejammer uit.

Matt en Karen knikken naar elkaar. Ze zijn op een ongemakkelijke manier medeplichtigen geworden, als vreemden die zich plotseling samen op de plaats van een misdrijf bevinden. Niemand lacht.

'Ze had een nachtmerrie,' zegt Karen. 'Ik kreeg haar niet meer rustig.'

Sylvie strekt haar armen naar mij uit. Ik kniel op het tapijt en neem haar op mijn schoot. Haar lichaam voelt breekbaar aan. Ze huilt nog steeds, maar zachter. Karen is gaan staan en strijkt duidelijk opgelucht haar kleren glad.

'Zal ik koffiezetten?' vraagt ze.

'Ja, graag,' antwoord ik voor ons beiden.

Matt zwijgt. Hij heeft een afzijdige houding aangenomen en is half op de leuning van de bank gaan zitten, zodat zijn gewicht er niet helemaal op rust.

Karen gaat naar de keuken. Heel abrupt, alsof er een knop wordt omgedraaid, houdt Sylvie op met huilen. Ze klampt zich aan me vast, er gaat een kramp door haar lichaam en dan braakt ze geluidloos over mijn blauwe zijden blouse.

'Shit,' zegt Matt binnensmonds.

Hij loopt snel naar het raam en keert zich van ons af. Karen komt terug, pakt Sylvie bij haar schouders en loopt met haar naar de badkamer.

'Ik zal haar wel even wassen.' Ze klinkt resoluut, kordaat. 'Ga jij je maar verkleden.'

Ik ben haar ontzettend dankbaar.

Ik hol naar de slaapkamer, trek de blouse uit en grijp het eerste t-shirt dat voorhanden is.

Matt staat in de gang, hij heeft zijn autosleutels in zijn hand.

'Ik denk dat ik maar beter kan gaan, je hebt genoeg te doen,' zegt hij.

'Je hoeft niet weg,' zeg ik tegen hem. 'Dat hoeft echt niet.'

Ik kijk naar beneden, naar het t-shirt dat ik gedachteloos heb aangetrokken. Er staat een kuikentje op met daaronder de tekst *Chicks Rule*.

'Nee, echt, ik moet gaan,' zegt hij. 'Doe geen moeite, ik kom er wel uit.'

Zijn gezicht is gesloten als een oester.

'Bedankt. Het was een fijne avond,' zeg ik zwakjes.

Hij strekt zijn hand naar me uit en aait me even over mijn bovenarm, door de stof van mijn t-shirt – voorzichtig, alsof hij bang is dat zijn hand vies zal worden.

'Het was geweldig,' zegt hij hartelijk. 'Het was fijn je te leren kennen, Grace. Hoor eens, ik bel je nog wel.'

Maar we weten allebei dat hij dat niet zal doen.

Ik blijf staan en hoor hem weggaan: het ritmische geluid van zijn schoenen op het trottoir, het autoportier dat wordt dichtgeslagen, het ronken van de motor als zijn auto wegrijdt. Het heeft allemaal zoiets definitiefs, elk geluid klinkt als het einde van een zin. Hij rijdt weg, mijn leven uit. Waarschijnlijk ben ik voor hem slechts een van vele illusies: zoals zoveel in zijn leven bleek ik niet te zijn wat hij had gehoopt en verwacht. De teleurstelling laat een wrange smaak achter in mijn mond. De geur van zijn lotion, die in de gang is blijven hangen, geeft me nu al een nostalgisch gevoel.

Karen heeft Sylvie gewassen en een schoon pyjamajasje voor haar gevonden.

'Het spijt me zo,' zeg ik tegen haar. Het is iets wat ik heel vaak tegen haar zeg. 'Je krijgt je blouse terug zodra ik hem gewassen heb.'

'Het moet wel op de hand.' Er klinkt iets scherps door in haar stem. 'Misschien moet je er wat soda bij doen, om de stank weg te krijgen.'

'Ja, ik zal zorgen dat hij weer zo goed als nieuw is, dat beloof ik je.'

In de spiegel zie ik hoe idioot ik erbij loop. In mijn lollige T-shirt en met mijn opgestoken haar zie ik eruit als een tiener die doet alsof ze een volwassen vrouw is. Met een ruk haal ik de haarklem los.

7

'Mevrouw Reynolds, komt u binnen.'

Haar kamer kijkt uit over de tuin. Het heeft vannacht gevroren. In een dun geel zonnetje licht het smeltende ijs fonkelend op en over het gras vallen de rechte, scherpomlijnde schaduwen van de bomen. Op het klimrek spelen met dassen en mutsen inpakte kinderen, hun geschreeuw en gelach is binnen duidelijk te horen.

Ik ga voor haar bureau zitten. Mijn kaak is pijnlijk, al vanaf dat ik wakker werd, waarschijnlijk is het een soort zenuwpijn, het zeurt en ik heb spijt dat ik geen Nurofen heb ingenomen. De secretaresse komt met een blad met koffie. Mevrouw Pace-Barden schenkt een klein, goudomrand kopje vol en schuift het over haar bureau naar me toe. Mijn handen voelen groot en lomp aan als ik het kleine kopje vastpak. Ze schenkt ook wat voor zichzelf in, maar drinkt er niet van.

'Ik heb gevraagd of u vandaag wilde komen,' zegt ze, 'om het over Sylvie te hebben.'

Ze is ernstig, ze lacht niet en op haar voorhoofd is een frons te zien, maar ik denk bij mezelf dat het goed is dat ze Sylvie zo serieus neemt.

'Ja,' zeg ik.

'Ik moet u zeggen dat wij Sylvies gedrag erg verontrustend vinden.'

Haar nogal bleke ogen zijn strak op mijn gezicht gericht.

'Ja, dat weet ik,' zeg ik tegen haar.

Ik nip aan mijn koffie, die slap en smaakloos is maar gloeiend heet door de warme melk. Het is pijnlijk om te slikken.

'Die driftaanvallen die ze heeft – ja, dat hebben wel meer kinderen natuurlijk, daar zijn we wel aan gewend... Maar niet zoals bij Sylvie,' zegt ze.

Ze laat een veelbetekenende stilte vallen. Ik zeg niets.

'Mijn medewerksters vinden het heel moeilijk,' zegt ze. Er klinkt iets van een verwijt door in haar stem. 'Als Sylvie zo'n aanval heeft, gaat alle aandacht naar haar want alleen dan komt ze weer tot zichzelf, en dat duurt soms wel een uur. Dit gebeurt een paar keer per week, mevrouw Reynolds.'

'Het spijt me heel erg,' zeg ik tegen haar.

'En dan die waterfobie. Heeft u enig idee hoe ze daaraan komt?'

'Dat heeft ze eigenlijk altijd gehad,' zeg ik. 'Ze kan er niet tegen als haar gezicht met water in aanraking komt. Maar ja, er is van alles waar kinderen bang voor zijn, toch? Zonder duidelijke oorzaak.'

'Natuurlijk. Maar Sylvie reageert wel heel extreem. U moet begrijpen, mevrouw Reynolds, waterspelletjes zijn een belangrijk deel van ons programma. De meeste kinderen zijn er dol op. Ze vinden het ontspannend.'

'Maar kan zij dan niet in een andere kamer worden gezet, of zo?'

Haar gezicht verstrakt. Misschien klonk ik beschuldigend.

'We zorgen er altijd voor dat Sylvie zo ver mogelijk uit de buurt wordt gehouden. Maar zelfs dat werkt niet bij haar. En we kunnen natuurlijk niet vanwege één kind ons hele programma omgooien.'

'Nee, natuurlijk niet,' zeg ik.

Ze kijkt naar me met een bleke, ondoorgrondelijke blik.

'En het lijkt momenteel alleen maar erger te worden, is dat ook uw indruk?'

'Het wordt in elk geval niet beter,' zeg ik met een klein stemmetje.

'Ik vroeg me af, is er misschien iets veranderd in uw situatie? Ik bedoel, is er soms een nieuw iemand in uw leven gekomen?'

Met een steek van spijt denk ik aan Matt.

'Nee, dat niet. Er gebeurt niet zoveel in ons leven.'

Ze pakt haar kopje en neemt peinzend een slok.

'En dat huis dat ze alsmaar tekent. Een huis met een blauwe rand eromheen en altijd diezelfde deuren en ramen... We proberen haar echt aan te moedigen om ook eens iets anders te tekenen. Beth heeft geprobeerd haar een paar mensen te laten tekenen, echt heel zachtzinnig hoor, zo van: "Zou je een klein meisje voor mij willen tekenen?" Maar ze weigerde. Ze kan echt behoorlijk goed tekenen, daar is niets mis mee, maar het feit dat ze zoiets obsessiefs heeft baart me zorgen...'

Ik moet denken aan meisjes bij mij op school die na veel moeite paarden of bruidjes konden tekenen en dan steeds maar dezelfde tekeningetjes in de kantlijn van hun boeken zaten te maken.

'Volgens mij was ze gewoon zo blij dat ze het onder de knie had gekregen om huizen te tekenen,' zeg ik.

Ze gaat hier niet op in, maar leunt over haar bureau naar voren en drukt haar vingertoppen tegen elkaar.

'Mevrouw Reynolds.' Haar stem klinkt zacht, intiem. 'Ik hoop dat u mij niet kwalijk neemt dat ik hierover begin, maar bent u er zeker van dat dit huis niet een plek is waar ze iets naars heeft meegemaakt?'

Er zijn donkerrode vlekken in haar gezicht verschenen. Wat is dit vreselijk. Ik weet dat ze me vraagt of Sylvie misschien misbruikt is.

'Dat weet ik absoluut zeker,' antwoord ik.

'U moet namelijk weten dat kinderen soms op deze manier met een trauma omgaan – het wordt een soort obsessie. Ze beleven het trauma steeds weer opnieuw en proberen zo te begrijpen wat er gebeurd is. Beth heeft een poging gedaan om erachter te komen, door te vragen wie er in dat huis woont. Maar Sylvie wilde het niet zeggen.'

'Misschien gaat het haar niet om wie er woont.'

'Nou, misschien niet,' zegt mevrouw Pace-Barden, maar ze klinkt niet overtuigd. 'Laten we hopen dat ik ernaast zit. Ik begrijp dat dit allemaal heel pijnlijk voor u is, maar het is in Sylvies belang dat we dit onderwerp niet uit de weg gaan.'

'Áls er iets gebeurd was, dan zou ik dat weten,' zeg ik tegen haar. 'Ze is altijd bij me, als ze niet hier is, op de crèche, of bij haar vriendin Lennie speelt. Er gebeurt niets waar ik niet van op de hoogte ben.'

'Dat willen we als ouders zo graag,' zegt ze. 'We denken dat we alles weten wat er te weten valt over onze kinderen. Dat begrijp ik, ik heb ook kinderen. Maar soms misleiden we onszelf. Soms weten we niet alles...'

Ze pakt de koffiepot en schenkt mijn kopje vol, hoewel het nog niet leeg is. Het is een bewust getimed moment. Ik voel een sprankje hoop: misschien heeft ze een voorstel waarmee Sylvie geholpen zou zijn, een of ander programma of plan.

Ze slikt en ik zie haar adamsappel bewegen. Ze kijkt me niet direct aan.

'Ik hoop dat u mij niet kwalijk neemt dat ik erover begin, maar dit moet worden opgelost. Want om eerlijk te zijn, mevrouw Reynolds, weet ik niet of we uw dochter hier kunnen houden als de situatie niet verbetert.'

Ik zet mijn kopje neer. Ik doe het langzaam, zeer geconcentreerd, om te voorkomen dat ik op het schoteltje mors. Opeens vereist alles heel veel omzichtigheid.

'Het spijt me,' zegt ze. 'Dit is duidelijk een schok voor u. Maar we hebben eenvoudigweg de middelen niet om een kind met dit soort problemen op te vangen. Ze heeft een groot deel van de tijd individuele aandacht nodig, en zo werken we hier niet, niet met de drie- en vierjarigen. De bedoeling is dat we de kinderen op de school voorbereiden – dat we ze zelfstandigheid bijbrengen. We kunnen niet voorzien in de mate van zorg die Sylvie nodig lijkt te hebben...'

Ik staar uit het raam naar de tuin. Alles lijkt zich van mij los te maken: het strepenpatroon van schaduwen op het heldergroene gras, de natte zwarte takken van de bomen, ook de kinderstemmen klinken hol en ver weg, alsof ze van over het water komen.

'Maar er moet toch iemand zijn die ons kan helpen?' Ik hoor hoe schril mijn stem klinkt.

'Nou,' zegt ze langzaam, 'ik ken wel een kinderpsychiater. We hebben hem hier weleens gehad, in verband met bepaalde kinderen. Dokter Strickland. Hij werkt in de Arbourskliniek. Misschien kan hij Sylvie speltherapie geven.'

'Goed. We gaan naar hem toe,' zeg ik.

'Mooi,' zegt ze. Als bij toverslag keert haar lach terug op haar gezicht en ook de robuuste gemoedelijkheid van de hockeylerares komt weer terug. 'Dat vind ik een uitstekend besluit. Ik zal hem schrijven,' zegt ze.

Buiten klinkt het druppelen en sijpelen van de dooi en de hemel is stralend blauw. Snel loop ik door de straat, omringd door de vochtige, kille lucht en het verblindend gele zonlicht, en voel me kwetsbaar, dun als een uit karton gesneden figuurtje, mijn zicht wazig door de tranen.

8

Ik ben in de keuken op zoek naar iets eetbaars. Er zijn geen kip-nuggets meer, Sylvies favoriete avondeten, maar wel kaas en al-lerlei groentes. Vanavond ga ik iets nieuws maken, iets gezonds, een vegetarische kruimeltaart. Ik bak tomaten en uien, roer er kikkererwten doorheen en bedek het geheel met een knapperige laag broodkruimels en geraspte kaas.

Sylvie is in de huiskamer aan het spelen met haar ark van No-ach. Ze heeft een heleboel plastic dieren in lange rechte rijen op-gesteld, die als de stralen van de zon alle kanten op waaieren. Ze zingt een fluisterend, monotoon liedje. Ze heeft haar lievelings-kleren aan, een tuinbroek met een patroon van madeliefjes. Als ze zich diep over haar dieren buigt, valt haar zijdeachtige haar over haar gezicht.

Terwijl de kruimeltaart gaar wordt, houd ik een grote schoon-maak en ruim alles op zodat het huis glimt en de orde weer is hersteld. Uit de oven komt een rijke geur, het volle aroma van tomaten en kruiden dat aan een bistro aan de Middellandse Zee doet denken. Ik voel nog steeds een doffe, zware pijn in mijn kaak, misschien is er toch meer aan de hand dan zenuwpijn. Ik probeer me te herinneren wanneer ik voor het laatst voor con-trole bij de tandarts ben geweest. Vier jaar geleden, toen ik zwan-ger was, want toen was de behandeling gratis.

Ik zet de kruimeltaart op tafel en schep wat op Sylvies bord.

'We eten vandaag iets wat een beetje anders is dan anders,' vertel ik haar.

Ik neem een hap en ben voldaan. Het smaakt goed.

Sylvie schuift met haar vork een kikkererwt over haar bord.

'Ik lust het niet,' zegt ze.

'Probeer het nou gewoon even, schat. Meer hebben we niet vandaag, want de nuggets zijn is op.'

'Ik wil het niet,' zegt ze. 'Het is vies. Het smaakt naar rapen.'

'Dat weet je niet. Je kunt niet weten hoe het smaakt want je hebt nog geen hap genomen. En trouwens, wanneer heb jij ooit rapen gegeten?'

'Ik wéét hoe ze smaken, Grace.' Ze prikt een kikkererwt aan haar vork, brengt hem naar haar gezicht en begint er luidruchtig en met veel omhaal aan te snuiven. 'Rapen,' zegt ze.

Karens stem klinkt in mijn hoofd, kordaat, zelfverzekerd en verstandig. Ik weet precies wat ze zou zeggen. *Je moet haar niet haar zin geven, alleen maar omdat ze niet van groente houdt. Kinderen hebben grenzen nodig, Grace. Je kunt niet altijd alles maar goedvinden. Ze windt je om haar vinger...*

'Hoor eens, Sylvie, ik wil dat je iets hiervan eet. Niet alles, maar een beetje. Als je het niet op zijn minst probeert, krijg je geen pudding.'

Met een scherp geluid dat aan een brekend bot doet denken legt ze haar vork precies evenwijdig aan haar bord op de tafel.

'Ik wil het niet.' Haar gezicht is hard, onverzettelijk.

'Sylvie, neem een paar happen, oké?'

Mijn borst verstrakt. Ik voel iets dreigends naderbij komen waarvan de koele adem langs mijn huid strijkt. Maar ik probeer mezelf voor te houden dat dit een heel alledaagse confrontatie is tussen een kind dat niet wil eten en een ouder die boos begint te worden. Ik houd mezelf voor dat er verder niets aan de hand is.

Ze kijkt naar me. Haar blik is vernauwd, beklemd, haar kooltjes van pupillen zijn als kleine zwarte kralen. Ze kijkt me aan alsof ze me niet herkent, of niet gediend is van wat ze ziet.

'Ik vind het hier niet leuk,' zegt ze tegen me. Haar stem is zacht en helder. 'Ik vind het hier niet leuk met jou, Grace.'

De blik in haar ogen doet me huiveren.

Ik zeg niets. Ik weet niet wat ik zeggen moet.

'Ik vind het hier niet leuk,' herhaalt ze.

Ik staar haar aan, zoals ze daar aan tafel zit in haar gebloemde tuinbroek, met haar vlassige bleke haar en haar hartvormige gezicht: die kilte in haar blik.

Dan grijpt de razernij me bij de keel. Ik wil haar door elkaar schudden, slaan, wat dan ook, als die kille blik maar van haar gezicht verdwijnt.

Heel rustig, niet in een vlaag van boosheid maar heel beheerst en doelbewust, schuift ze haar bord naar de andere kant van de tafel. Dan keert ze me de rug toe.

'Hou op! Hou daarmee op!' schreeuw ik tegen haar. Ik kan het niet helpen. Mijn stem is veel te hard voor de kamer, hard genoeg om iets stuk te maken. 'Jezus, Sylvie. Ik kan hier niet meer tegen. Wil je hier in godsnaam mee ophouden?'

Ze blijft roerloos aan tafel zitten, met haar rug naar mij toe. Dan drukt ze haar handen tegen haar oren.

Als ik niet wegga, ga ik slaan.

Ik loop naar de badkamer, smijt de deur achter me dicht en doe hem op slot. Verkrampt ga ik op de rand van het bad zitten, bal mijn vuisten en druk mijn nagels in mijn handpalmen. Mijn hart klopt in mijn keel. Ik blijf heel lang zitten, hap naar adem en zuig de lucht diep in mijn longen als iemand die net uit zee is gehaald. Langzaam wordt mijn hartslag rustiger en ebt de boosheid uit me weg.

Ik word me weer bewust van de pijn, die erger is geworden en door mijn kaak dreunt. Achter in het badkamerkastje vind ik twee Neurofentabletten, maar mijn keel zit zo dicht dat ik ze nauwelijks kan doorslikken. Als het eindelijk gelukt is heb ik het buitenste laagje eraf gezogen. Ze laten een bittere smaak achter.

In de huiskamer is Sylvie weer op de grond met haar ark aan het spelen, zachtjes voor zich uit neuriënd alsof er niets gebeurd is.

'Ik zal een boterham voor je roosteren,' zeg ik tegen haar.

Ze kijkt niet op.

'Met Marmite?' vraagt ze.

'Natuurlijk. Als je dat wilt.'

Ik rooster de boterham en schenk melk in haar kop. Ik neem

een paar happen van de kruimeltaart, hoewel mijn eetlust is verdwenen. Dan ruim ik de tafel af.

'Zullen we tv-kijken?'

Ze knikt. Als we samen op de bank zitten, rolt ze zich op en komt dicht tegen me aan zitten terwijl ze aan haar toast knabbelt. Als ze een kruimel laat vallen likt ze aan haar vinger, drukt hem op de kruimel en zuigt hem van haar vingertop. Er is een natuurfilm op tv over otters in een riviertje in de Schotse Hooglanden. Ze is dol op otters en lacht om hun snelle, sierlijke lijven en de manier waarop ze glad en wendbaar als water over de stenen glijden. Als we zo knus bij elkaar zitten, voelt het weer goed tussen ons en lijkt de uitbarsting alleen nog maar een herinnering die net zo vaag is als de enigszins bittere nasmaak in mijn mond.

'Schatje, het spijt me dat ik tegen je schreeuwde,' zeg ik. 'Ik voel me niet zo goed, mijn kies doet pijn.'

Ze heeft zich in de bocht van mijn arm genesteld en kijkt naar me op.

'Welke kies, Grace?' vraagt ze.

'Deze hier.' Ik wijs naar de pijnlijke plek. 'Ik moet naar de tandarts, hij zal wel getrokken moeten worden.'

Ze strekt haar arm uit en legt haar hand tegen de zijkant van mijn gezicht.

'Zo,' zegt ze.

De tederheid van haar gebaar doet me smelten. Ik druk haar tegen me aan en begraaf mijn gezicht in haar haar, in de geur van citroen en warme wol. Ze laat het toe.

9

Ik word begroet door de receptioniste, die getrouwd is met een van de tandartsen die hier werken. Ze heeft een soort tanende schoonheid en warrig, geblondeerd haar.

'Kiespijn?' vraagt ze.

'Ik ben bang van wel.'

'O jee.' Ze schudt haar hoofd enigszins afkeurend. 'U had ook niet zo lang moeten wachten.'

Er is een aquarium in de wachtkamer en er staan comfortabele stoelen. Ik ga zitten en kijk naar de vissen. Ze zien er transparant en onnatuurlijk uit, als embryo's, en hun trage, moeizame dans heeft iets hypnotiserends. Er hangt een licht antiseptische geur die doet denken aan die groene bloedstelpende vloeistof die de tandarts je geeft om mee te spoelen. Het is heel warm en rustig, door het dubbele glas dat het geluid van het verkeer in de straat reduceert tot een zacht gebrom. Het is prettig om hier alleen maar te zitten terwijl de warmte mijn ledematen doet ontspannen.

Op het tafeltje naast me liggen kranten en tijdschriften. Ik blader de tijdschriften door in de hoop op wat glamour: weelderige tafzijden jurken of extreme schoenen, maar het zijn allemaal bladen voor huizenkopers.

Er komt een vrouw binnen die met de receptioniste praat. Ze is onopvallend gekleed in een mantelpak met degelijke pumps eronder, maar ik kan mijn blik niet van haar afhouden: haar gezicht is toegetakeld, rond één oog heeft ze een bloeduitstorting en is de huid kapot. Ze moet door iemand zijn aangevallen, of misschien heeft ze een gewelddadige man. Ze gaat heel recht en stil naast het aquarium zitten, alsof elke beweging pijn zou kunnen doen.

De vrouw van de tandarts legt haar pen neer.

'Hoe gaat het eigenlijk met uw dochtertje, mevrouw Reynolds?'

Ze kent Sylvie goed, want hoewel ik mijn eigen controles steeds voor me uit schuif, zorg ik er wel voor dat Sylvies gebit goed wordt nagezien.

'Met Sylvie gaat het prima,' zeg ik tegen haar.

'Hoe oud is ze nu?'

'Ze is drie.'

'O, ze zijn zo leuk op die leeftijd.' Even wordt haar gezicht zacht en krijgt ze een vage, nostalgische uitdrukking. 'Ze worden zo snel groot,' zegt ze.

'Ja, hè.'

'Die twee van mij zitten op de universiteit. Het lijkt allemaal zo plotseling te gaan. Maar laat me je dit vertellen: je blijft je zorgen over ze maken. Wat je ook doet, je hebt altijd het gevoel dat je het misschien wel helemaal fout hebt gedaan.'

'Ja, daar kan ik in komen.'

Dan wordt ze door haar man geroepen om hem te helpen met de patiënt die voor mij is. Naast receptioniste is ze ook zijn assistente.

Ik kijk naar de vrouw met de bloeduitstorting en probeer me haar leven voor te stellen en de kleine stapjes, die elk misschien zo onschuldig leken maar die haar uiteindelijk in een situatie hebben doen belanden die door en door slecht is. Hoe gemakkelijk kan dit gebeuren, dat je slaapwandelend in de ellende terechtkomt. Misschien voelt ze mijn blik, want ze kijkt op en onze ogen ontmoeten elkaar. Ik voel dat ik begin te blozen, richt me weer op de stapel tijdschriften en pak een regionale krant, de *Twickenham Times*.

Ik houd mijn blik op de krant gericht en doe alsof ik geïnteresseerd zit te lezen. Er staan foto's in van prijsuitreikingen op scholen. Ik lees mijn horoscoop. Er staat ook een recept in voor een taart met grapefruit en maanzaad die me heerlijk lijkt, en ik probeer het in mijn hoofd te prenten. Ik vraag me af of maanzaad duur is, en of het te krijgen is in de supermarkt bij mij op de hoek.

Ineens wordt mijn aandacht door iets getrokken: een groot artikel over twee pagina's in het middenstuk van de krant. 'De echte spokenjagers: een verslag van Cynthia Johnson'. Geïntrigeerd begin ik te lezen. Het is geschreven in die platte roddelstijl die je vaak in regionale kranten tegenkomt.

'Geheimzinnig gedoe in de duisternis, daar kijkt dokter Adam Winters van het Psychologisch Instituut van de universiteit van Hampton niet van op. Ik sprak met Adam in zijn helaas nogal prozaïsche werkkamer op de Faculteit Psychologie. Hij is een vriendelijke man wiens zachte stem in tegenspraak lijkt te zijn met de gedrevenheid en fascinatie waarmee hij onderzoek doet naar fantomen, klopgeesten en telepathie. Een opwindende baan? "Het is meestal nogal gewoontjes," zegt Adam. "Als iemand bijvoorbeeld zegt telepathische gaven te bezitten, dan doen wij een experiment waarbij de persoon in kwestie voorspellingen moet doen en dan analyseren wij de resultaten om te kijken of die voorspellingen op meer dan toeval kunnen berusten. Waar het op neerkomt is dat we wetenschappelijke onderzoeksmethoden toepassen op onverklaarbare dingen die mensen meemaken..."'

Er is een foto van Adam Winters bij het artikel geplaatst. Het beeld is nogal korrelig, je kunt hem niet duidelijk zien. Hij is slank en donker, op zijn kin ligt de schaduw van een stoppelbaard en hij ziet er verbaasd uit, alsof iemand zojuist zijn naam heeft geroepen. Peinzend bekijk ik de foto, om tot de conclusie te komen dat hij het soort man is dat op een feestje te dicht bij je komt staan om je langdurig over een of andere obsessie te onderhouden – iemand die mij ongetwijfeld een beetje lichtzinnig zou vinden. Dan moet ik om mezelf lachen, omdat ik meteen een heel verhaal over hem verzonnen heb.

Uit een van de behandelkamers klinkt het snerpende gejank van een boor. Daar wil ik niet aan denken. Ik concentreer me op het artikel, waarin gewag wordt gemaakt van allerlei plaatselijke geesten. Er is een zuilengang in Hampton Court waar de geest van de door Hendrik VIII onthoofde Kathryn Howard rondwaart. Honden weigeren daar naar binnen te gaan. Adam Winters en zijn collega's gaan naar dit soort plekken toe en meten de schommelingen in de elektromagnetische velden.

'Als ik hem vraag of hij in geesten gelooft, houdt hij zich op de vlakte en zegt: "Een wetenschapper mag nooit zeggen dat iets onmogelijk is..."'

Ik kijk op als de vrouw in het zwarte mantelpak binnen wordt geroepen. Het valt me op hoe stijf ze beweegt, haar lichaam is breekbaar als een eierschaal. Dan knalt de deur achter haar dicht en ben ik alleen in de kamer.

Ik sla de krant weer open en lees de rest van het artikel vluchtig door. Als ik op het punt sta om de bladzijde om te slaan, wordt mijn oog onweerstaanbaar naar de laatste paar regels getrokken, die eruit springen alsof ze verlicht zijn.

'Maar Adams onderzoek beperkt zich niet tot geestverschijningen. Zo is hij momenteel bezig met het geval van de vierjarige Kevin Smith (gefingeerde naam). Kevin wordt elke nacht huilend wakker en zegt dan hij dat hij naar huis wil. Soms praat hij over een huis waarvan hij zegt dat hij er gewoond heeft. Zijn moeder vraagt zich af of Kevin zich misschien een vorig leven herinnert...'

De kamer kantelt. Ik voel mijn nerveuze, snelle hartslag.

'Ik zeg tegen Adam dat veel kinderen in een fantasiewereld leven. "Natuurlijk," zegt hij. "En daarom moeten we elk geval ook heel zorgvuldig bekijken. Het komt vrij veel voor dat kinderen zich vorige levens lijken te herinneren, maar meestal gaat het dan om kinderen uit culturen waarin men gelooft in reïncarnatie, zoals de Druzen in Libanon." En hij vertelt dat er psychiaters zijn die beweren regressie naar een vorig leven als middel te gebruiken om lichamelijke klachten en fobieën te genezen...

Ik vraag hem wat hij hiervan vindt. "Ik heb nog nooit een geval onderzocht dat mij helemaal overtuigde," antwoordt hij. "Maar er is een Amerikaanse psychiater, Ian Stevenson, die zich al zijn hele leven wijdt aan dit verschijnsel, en sommige gevallen die hij beschrijft zijn echt heel indrukwekkend...'

Ik schrik als de deur van mijn tandarts openzwaait. Een oudere man in een morsige grijze jas komt naar buiten. Hij betast zijn gezicht alsof hij zich ervan wil vergewissen dat het er nog is. De vrouw van de tandarts neemt zijn creditcard in ontvangst. Met trillend hart lees ik snel nog even door.

'Maar wat vindt Adam van Kevin? Hij antwoordt diplomatiek, met een behoedzaam lachje: "Als wetenschapper vind ik dat je nooit nooit moet zeggen."

Heeft u een ervaring gehad die onverklaarbaar was? Adam Winters hoort graag van u. U kunt hem per e-mail bereiken op...'

Ik graai naar mijn tas en ga naarstig op zoek naar een pen.

'Mevrouw Reynolds, komt u binnen?'

De tandarts staat in de deuropening van zijn behandelkamer. Ik vouw de krant op en schuif hem onder de tijdschriften.

Ik ga in de stoel zitten en de tandarts begint in mijn mond te prikken. Hij is een benige, sombere maar aardige man. Er klinkt een melodramatische zucht.

'En wanneer was u voor het laatst hier?' vraagt hij.

'Ik weet het niet meer precies. Een tijd geleden, ben ik bang.'

Vermoeid schudt hij zijn hoofd, alsof hij zich er maar bij neerlegt dat de mens zwak is.

'Ik zal kijken wat ik kan doen,' zegt hij droefgeestig. 'Maar het zal er uiteindelijk wel op neerkomen dat hij eruit moet.'

Hij boort mijn kies schoon, stopt er een vulling in en schrijft antibiotica voor.

'Eerlijk gezegd heb ik geen idee of dit zal helpen,' zegt hij. 'Ik wil u graag over acht weken terugzien. Maar als er problemen zijn komt u eerder, is dat afgesproken? Als u pijn krijgt.'

Ik beloof het hem.

Ik loop terug naar de wachtkamer. De vrouw van de tandarts loopt achter me aan. Als ze dat niet had gedaan had ik de *Twickenham Times* misschien wel meegenomen. De behandeling is duur en we spreken af dat ik in termijnen betaal. We maken een nieuwe afspraak.

Als ik buitenkom verbaast het me dat alles nog hetzelfde is: de dreunende bussen, de menigte voetgangers die elkaar bij de stoplichten verdringen – alles even echt, levendig en voorspelbaar als altijd.

10

Het is een druilerige, koude decembermaand met donkere dagen, een gure, onontkoombare wind die vaak sneeuwvlokken met zich meevoert en soms regen die eruitziet als water maar die als ijzel op je huid valt. De moerbei in onze tuin is kaal, het gazon modderig en nat, en de bladeren van de bomen die op de parkeerplaats van de supermarkt staan, waaien tegen de muur, hun flamboyante rode en gele tinten zijn dof geworden door de nattigheid. Met de hoge plafonds en een verwarming die oud en onberekenbaar is, is het een hele toer om het huis warm te houden. Door de kleinste openingen glipt de wind naar binnen. 's Nachts leg ik al mijn jassen op Sylvies dekbed.

In de bloemenwinkel zijn we ons op de kerst aan het voorbereiden. We hebben kerststerren ingeslagen, amaryllisbollen en de maretak waar ik zo dol op ben vanwege de parelmoer glanzende bessen die iets vaags hebben alsof je er door een laagje water naar kijkt. Lavinia heeft ook wilgentakken en allerlei stofjes ingekocht. Als het rustig is in de winkel zitten we in het achterkamertje kerstslingers te maken: heel simpele dingen met in elkaar gevlochten twijgen en ook het meer traditionele werk met linten, bessen en dennentakken. Soms leef ik me uit met kleuren en stofjes waar je niet zo gauw op zou komen: strikken van bruin papier, of glimmende Indiaanse linten. Als ik thuiskom ruiken mijn handen nog steeds naar jeneverbes.

Er wordt een brief bezorgd met op de envelop de slogan van de Arbourskliniek: *Helpt Gezinnen Opnieuw te Beginnen* en een regenboog die door een kind getekend is. Er welt hoop in me op. Eindelijk hulp, eindelijk begrip. Ik scheur de envelop open. We hebben begin januari een afspraak met dokter Strickland. Ik ben blij dat we niet zo lang hoeven te wachten. Sylvies gympen baren me zorgen, ze zijn nogal sjofel en ik wil niet overkomen als een moeder die haar kind verwaarloost, dus gaan we nieuwe schoenen kopen voor de afspraak: roze suède rijglaarsjes die ik me eigenlijk niet kan veroorloven.

Ik hunker naar Dominic. In de hoop zijn stem op de voicemail te horen bel ik naar het huis in de Newgate Road. Zo erg snak ik ernaar om iets van hem te horen, ook al is het maar kort, om zijn stem een ogenblik binnen in mij te voelen trillen. Ik kies een tijdstip waarop ik er zeker van meen te zijn dat Claudia de kinderen van school haalt, maar tot mijn afgrijzen neemt zij de telefoon op. Vol schaamte leg ik neer.

En de hele tijd speelt het artikel dat ik heb gelezen door mijn hoofd. Soms – meestal, eigenlijk – zeg ik tegen mezelf dat het allemaal onzin is, niet meer dan een zweverige newagefantasie. Ik bedenk dat mensen het nodig hebben zich ergens aan vast te klampen – aan wat dan ook, om gevrijwaard te zijn van het besef, het werkelijke besef, dat we sterfelijk zijn. Soms laat het brein dit besef eenvoudigweg niet toe.

Ik herinner me de avond waarop mijn moeder stierf. Die middag had ik een paar uur aan haar bed doorgebracht in het ziekenhuis. Het ging zo goed met haar: na veel revalidatie was ze weer begonnen met lopen, twee maanden nadat ze een beroerte had gehad. Die middag zat ze wakker en levendig in bed in het nieuwe, kleurige bedjasje dat ze van mij had gekregen. Ze had een beetje lippenstift op en vertelde wat ze van plan was te gaan doen als ze weer naar huis mocht – de pelargoniums die ze zo graag wilde planten. Ze was bang dat ze het begin van het groeiseizoen zou missen. Die avond belde de hoofdverpleegster om elf uur met het bericht dat ze was overleden. Ik zei alleen maar: 'Nee, dat is niet zo.' Mijn stem klonk heel rustig en ontspannen. 'Nee, echt, maakt u zich geen zorgen. Het gaat goed met haar, ik was vanmiddag nog bij haar...' Ik geloofde het gewoon niet. Toen de verpleegster voet bij stuk hield, dacht ik dat het een practical joke was. Dat heb ik zelfs nog gezegd: 'Dit is een grap, hè? U neemt me in de maling...' Ze bleef onverstoorbaar. Het zal zeker niet de eerste keer zijn geweest dat ze dit meemaakte. Ze bleef maar praten, op een vriendelijke maar vasthoudende manier. 'Mevrouw Reynolds, het spijt me echt heel erg, maar u moet naar mij luisteren. Ik bel u uit het ziekenhuis waar uw moeder ligt. Ze heeft weer een beroerte gehad. Deze keer een zeer ernstige. Het gebeurde heel plotseling. Ze heeft nauwelijks pijn gehad...' Maar ik kon het niet in me opnemen. Ik kón het gewoon niet. Alsof een deur in mijn hoofd potdicht zat en ook niet open te krijgen was, waardoor deze informatie er bij mij niet in kwam. En ik heb het gevoel dat al die ideeën over vorige levens hierop neerkomen: op deuren in je geest die de duisternis buiten moeten sluiten.

Toch denk ik ook weleens: misschien zit er toch iets in, misschien leeft de ziel door. Misschien zijn er mensen die een spoor van een herinnering hebben, de afdruk van een vorig leven of een paranormale verbinding met het verleden... En altijd als ik me die dingen afvraag – als ik er alleen maar heel terloops een paar seconden over nadenk – gaat er iets schuiven: de zekere, vanzelfsprekende wereld van het heden begint om me heen uit elkaar te vallen als alles wat ik altijd dacht te weten op losse schroeven komt te staan.

Soms denk ik aan Adam Winters en dan kan ik mezelf wel voor m'n kop slaan dat ik zijn e-mailadres niet heb opgeschreven. Dan had ik tenminste de keus gehad. Maar ik kan me ook niet voorstellen hoe het zou zijn om hem te ontmoeten, en wat hij in godsnaam voor indruk zou krijgen van Sylvie en mij. Ik kan het me gewoon niet voorstellen. Ik stel me hem voor op zijn faculteit – zijn flitsende carrière, de studenten die hem bewonderen. En dan zie ik mezelf in mijn flat in Highfields, kipfilet bradend en oude glossy's doorkijkend. En wat zou het met Sylvie doen: al die serieuze aandacht voor de vreemde dingen die ze zegt. Misschien wordt het dan wel nog erger. Er zijn veel goede redenen om hem helemaal uit mijn hoofd te zetten. Ik houd mezelf voor dat het maar goed is dat ik niet weet waar ik hem kan bereiken, want het weerhoudt me er in elk geval van om iets onbezonnens te doen.

'Lavinia,' zeg ik op een ochtend als we achter in de winkel aan het werk zijn. Het is een bitterkoude dag, met een ijzige wind. 'Lavinia, ik heb laatst een artikel gelezen. Over paranormale verschijnselen – geesten en zo. Er is iemand die daar onderzoek naar doet. Geloof jij in dat soort dingen?'

Ze heeft een schipperstrui aan met lange, zware mouwen waarvan de boorden over haar handen hangen. Ze duwt de mouwen omhoog en slaat ze met sierlijke gebaren een aantal keren om. Om haar vingers, die aan de binnenkant kaneelbruin zijn van de nicotine, heeft ze allerlei zilveren ringen.

Ze kijkt me peinzend aan, met iets van een vraag in haar blik. 'Hangt er van af waar je precies op doelt,' zegt ze. 'Ik geloof wel in een geestenwereld, in een spirituele dimensie.' Dan haalt ze met enige zelfrelativering haar schouders op. 'Ach, Gracie, je weet toch hoe ik ben.'

Met een glimlach moet ik denken aan het huis waar ze woont, aan de tarotkaarten, de kristallen in het raam en het lage zwarte tafeltje in de gang waarop altijd kaarsen van bijenwas branden. Als ze een feestje geeft plakt ze er een briefje op met de tekst: 'Dit is een boeddhistisch altaar. Leg je bril ergens anders neer s.v.p.'

'Soms,' zegt ze langzaam. 'Soms denk ik weleens: stel dat we het gewoon verkeerd begrepen hebben? En dat doodgaan iets heel anders is dan we altijd hebben gedacht.'

Ze komt naar me toe en legt haar hand even op mijn schouder. Ik ben van pijpenragers piepkleine engeltjes aan het maken voor in de kerstboom, met jurkjes van donkerpaarse zijde.

'Hé, te gek zeg! Wat ben je toch knap...' Ze wendt zich van me af, schept instantkoffie in onze koppen en giet er water overheen. 'Waarom vraag je dat trouwens?'

'Vanwege iets wat ik gelezen heb.'

Ze wacht tot ik verderga, maar ik laat het hierbij.

'Het is wel zo,' zegt ze dan, 'dat je een beetje uit moet kijken. Mensen zijn zo goedgelovig. Voor je het weet ga je de raarste dingen denken...'

Buiten begint het nu echt te sneeuwen: dikke, wollige vlokken zweven zachtjes naar beneden. Ik zie aan haar dat ze ergens over peinst, en wacht af.

Ze roert suiker door haar koffie. Door de beweging van haar hand fonkelen en glinsteren haar fijn bewerkte ringen.

'Toen ik fysio studeerde,' zegt ze, 'had ik een skelet in huis, voor mijn studie. Het lag onder mijn bed. Nou, ik heb zelden zoveel nare dingen achter elkaar beleefd – mijn vriendje gaf me de bons en alles leek fout te gaan...'

De koffie verspreidt een warme gloed door mijn lichaam. Dankbaar drink ik mijn kop leeg. Buiten weeft de sneeuw haar web.

'En mijn vriendin Teresa – een Ierse en zo bijgelovig als wat – zei dat het door dat skelet kwam, en toen heeft ze mij op sleeptouw genomen naar de Brompton Oratory om het skelet, dat we in een boodschappentas hadden gestopt, te laten zegenen.' Ze schudt langzaam haar hoofd. 'Ik bedoel, kun je je dat voorstellen? En die priester die we daar tegen het lijf liepen, een stokoude man, maar helemaal blij! Hij kon zijn geluk niet op. Twee meiden in hele korte rokken met een tas vol beenderen...'

Ze staart uit het raam, waar de sneeuwvlokken wentelend naar beneden dwarrelen en de vensterbank met een wit vachtje bedekken. Haar gezicht is zacht en weemoedig geworden.

Maar ik ben ongeduldig.

'En wat zei hij ervan? Heeft hij zijn zegen gegeven, en zat alles toen weer mee?'

Er liggen afgeknipte jeneverbestwijgjes op tafel waar ze met haar hand doorheen strijkt zodat ze hun aromatische geur afgeven. Haar armbanden maken een zacht metalig geluid.

'Hij stond naar ons te kijken,' zegt ze. 'Hij had van die blauwe ogen, intens blauwe, sprekende ogen, als van een kind. En toen zei hij – dat ben ik nooit vergeten – "het zijn niet de doden waar we bang voor moeten zijn, maar de levenden..."' Ik moet lachen om haar belabberde Ierse accent. "Vergeet dit nooit, mijn kinderen, het zijn de levenden die we moeten vrezen..."'

11

The Arbours was ooit een woonhuis. Het is een stevig, witgepleisterd gebouw dat imposant tussen de ceders en de gazons oprijst.

De receptioniste heeft marineblauwe nepnagels met glitters erop. We zitten in de wachtkamer, die naar vocht en bijenwas ruikt. De muren hangen vol met kaarten van dankbare kinderen en er ligt een stapel oeroude kinderboeken. Ik lees Sylvie *Kikker en pad* voor en voel me niet helemaal op mijn gemak in mijn moederrol: misschien worden we nu al bestudeerd en is de receptioniste met de lange glinsterende nagels bezig mijn vaardigheden als ouder te beoordelen.

Dokter Strickland begroet ons. Hij is een geparfumeerde, smetteloos verzorgde man met wit haar en een keurige geitenbaard. Hij schudt me de hand: zijn huid is koel en glad, als gladde stof.

'Ik vraag iedereen die hier komt altijd om even wat tijd in de speelkamer door te brengen,' zegt hij. 'Dan krijg ik meer inzicht in uw situatie. Ik kijk mee door een scherm dat aan één kant doorzichtig is, maar u bent zo vergeten dat ik er ben. Ga maar gewoon even leuk spelen...'

De speelkamer is geschilderd in primaire kleuren en overal ligt aanlokkelijk speelgoed – een fornuisje, blokken en lego, een stapel verkleedkleren. Sylvie gaat meteen naar het fornuisje toe en maakt met Play-doh in rode plastic pannetjes een maaltje voor me klaar. Ik kijk naar haar terwijl ze speelt – haar sierlijke bewegingen, haar zijdeachtige kleurloze haar. Ze is vandaag zo evenwichtig, zo beheerst. Voor het eerst van mijn leven hoop ik erop dat ze zich echt onmogelijk gaat gedragen.

Er komt een vrouw binnen met papegaaienoorbellen en een

brede, witte lach. Ze stelt zich voor als Katy de speeltherapeute en zegt dat zij nu met Sylvie zal gaan spelen terwijl ik met dokter Strickland ga praten. Ze brengt me naar zijn spreekkamer, die uitzicht biedt over het gazon. Het is een onstuimige dag, de wind rukt aan de takken van de ceders maar in de kamer is het rustig en stil. Hij gebaart dat ik kan gaan zitten. Naast ons bevindt zich de glaswand waardoor de speelkamer zichtbaar is.

'Nou, mevrouw Reynolds.' Hij pakt een dikke zilveren pen en trekt een blocnote naar zich toe. De geur die hij opheeft is te zoet voor een man. 'Vertelt u mij eens, wanneer geloofde u voor het eerst dat er iets met Sylvie aan de hand was?' vraagt hij.

Het bevalt me niet dat hij het over 'geloven' heeft, maar ik vertel hem over haar driftaanvallen en dat ze 's nachts vaak wakker wordt, en hij schrijft het allemaal op met zijn dikke zilverkleurige pen.

'En ze heeft een waterfobie,' vertel ik hem. 'Vooral als het met haar gezicht in aanraking komt.'

'Ja, dat vertelde mevrouw Pace-Barden ook al. Is er een traumatische gebeurtenis geweest die deze angst kan hebben veroorzaakt?'

'Nee, er is nooit iets gebeurd,' zeg ik. 'Daar heb ik heel veel over nagedacht.'

'Welnu, wanneer begon u zich bewust te worden van dit probleem?' zegt hij.

'Als klein baby'tje vond ze baden al een ramp,' zeg ik. 'Maar we passen ons aan. Ik doe niet meer dan vijf centimeter water in het bad en daar gaat ze heel snel in en uit, zonder te spetteren. Haren wassen doe ik met zo'n gezichtsscherm van Mothercare...'

'U moet haar helpen door haar in een ontspannen situatie met water te laten spelen,' zegt hij. 'Zodat water iets vertrouwds voor haar wordt.'

'Ja, dat heb ik wel geprobeerd,' zeg ik.

Ik denk aan alles wat ik geprobeerd heb om haar minder bang te maken – kappertje spelen met haar barbies, de speciale gieter die ik heb gekocht om de bloemen water te geven. En dan zie ik haar gesloten gezicht voor me toen ik haar deze dingen voorstelde. *Nee, Grace, ik wil dat niet.*

Hij kijkt fronsend naar de notities die hij gemaakt heeft.

'En die andere dingen – het schreeuwen en het wakker worden midden in de nacht. Is dat ook al zo lang aan de gang?'

'Ja, maar het lijkt erger te worden. Het gebeurt nu bijna elke nacht.'

'Zijn er nog meer dingen die u verontrusten?'

'Mevrouw Pace-Barden maakt zich er zorgen over dat ze altijd hetzelfde tekent,' zeg ik tegen hem.

'Wat tekent ze dan precies?' vraagt hij.

'Het is gewoon een huis,' antwoord ik.

Nu gaat hij vast vragen of er iets met haar gebeurd is in dat huis, zoals mevrouw Pace-Barden deed. Maar in plaats daarvan verschijnt er een ironisch glimlachje op zijn gezicht.

'Ik heb veel respect voor mevrouw Pace-Barden,' zegt hij tegen me. 'Maar als we hier elk kind dat steeds een huis tekent in behandeling zouden nemen, zou de gezondheidszorg er nog slechter aan toe zijn dan nu al het geval is... Nou, laten we nog even teruggaan in de tijd.'

Hij vraagt naar Sylvies geboorte, hoe het voeden ging, de mijlpalen in haar ontwikkeling. Daar lijkt niets ongewoons aan de hand te zijn geweest.

Dan buigt hij zich een beetje naar me toe.

'Ik heb begrepen dat u de zware taak heeft uw kind alleen op te voeden?' vraagt hij.

Ik knik. Dit is het gedeelte van het consult waar ik meest tegen op heb gezien.

'Hoe zit het met de vader? Ziet zij hem weleens?' vraagt hij.

'Nee,' zeg ik, en ik ben bang dat hij in dit feit een verklaring zal zien van het hele probleem.

'Wanneer een relatie stukloopt, is het heel natuurlijk om een zekere mate van boosheid te voelen.' Hij praat een beetje zalvend en lispelend. 'Heel natuurlijk. Nu vraag ik me af, gold dat ook voor u?'

Ik zeg dat dat inderdaad het geval was. Ik heb er van tevoren over nagedacht wat ik hierover zou zeggen. 'Ik had graag gewild dat hij er voor haar zou zijn – dat hij een vader voor haar zou zijn.'

'Natuurlijk,' zegt hij. 'Dat is heel normaal. En Sylvie hunkert natuurlijk naar een vaderfiguur en naar de dingen die u haar niet kunt geven, die alleen een vader haar kan geven...'

Het stoort me intens zoals hij dat zegt, maar ik houd mijn mond.

'Vertelt u mij eens: als u naar Sylvie kijkt, ziet u dan soms haar vader in haar?'

Ik schud mijn hoofd. 'Natuurlijk zie ik de gelijkenis, maar Sylvie is ook heel erg zichzelf,' zeg ik.

'Goed. Dank u wel mevrouw Reynolds.'

Met twee handen schuift hij zijn blocnote over het bureau zodat het precies langs de rand komt te liggen. 'Ik zal nu de mogelijke diagnoses met u bespreken,' zegt hij.

Een warm, hoopvol gevoel welt in me op. Ik houd mezelf voor dat hij de deskundige is, deze geparfumeerde, onberispelijke man, en dat hij ons nu gaat helpen, dat hij de diagnose zal stellen en Sylvie zal genezen.

'Zoals u weet hebben we Sylvie geobserveerd tijdens het spelen, en daar hebben we veel uit af kunnen leiden. Gezien haar verleden is het mogelijk dat ze lijdt aan een stoornis in het autistische spectrum. Sylvie heeft namelijk een zekere rigiditeit in haar denken en handelen. Aan de andere kant maakt ze goed oogcontact en is ze behoorlijk communicatief ingesteld, wat bij autistische kinderen nooit het geval is. Bovendien is ze heel goed in fantasiespelletjes. Autistische kinderen spelen niet zoals Sylvie, ze zijn niet in staat om zulke rijke symbolische werelden te scheppen. Een andere mogelijkheid is een posttraumatische stressstoornis – maar uit wat u mij verteld heeft blijkt dat er geen sprake is geweest van een traumatische gebeurtenis, hoewel er natuurlijk iets gebeurd kan zijn waar u niet van op de hoogte bent. Soms kennen we onze kinderen lang niet zo goed als we wel denken...'

'Ik weet zeker dat er niets is gebeurd,' zeg ik.

Dit negeert hij.

'Waar ik ook op gelet heb is of er symptomen zijn van ADHD – maar Sylvie kan zich goed concentreren, daar mankeert niets aan. Integendeel, zou ik haast zeggen. Haar vermogen om haar aandacht op iets te richten is misschien wel uitzonderlijk goed ontwikkeld...'

Ik zou misschien blij moeten zijn dat hij haar zoveel goede eigenschappen toeschrijft, maar de moed zinkt me in de schoenen. Ik werp een blik in de speelkamer en zie dat ze haar nieuwe roze laarsjes aan Katy laat zien en naar haar lacht. Ze is het volmaakte kleine meisje op die manier die ze soms heeft en die als iets té volmaakt op mij overkomt, alsof ze toneelspeelt. Met mijn wilskracht probeer ik haar uit haar evenwicht te brengen, zodat hij ziet hoe ze ook kan zijn.

'De diagnose waar ik uiteindelijk op uitkom is een fobische stoornis die waarschijnlijk het gevolg is van een aangeboren gevoeligheid die Sylvie heeft, en die geactiveerd is door een of andere gebeurtenis in haar omgeving. En hoewel ze niet voldoet aan de diagnostische criteria voor een stoornis in het autistische spectrum, vertoont ze wel een lichte tekortkoming in haar sociale functioneren en haar betrokkenheid bij anderen. Misschien verergerd door bepaalde omstandigheden in de manier waarop u zich als ouderfiguur opstelt...'

Ik ben benieuwd wat hij over mij zal zeggen en ik voel een doffe, zware pijn in mijn borstkas.

Hij leunt naar voren en drukt zijn vingertoppen tegen elkaar alsof hij gaat bidden.

'Er was iets wat mij zorgen baarde toen ik u samen zag spelen.' Zij stem klinkt persoonlijk, vertrouwelijk. 'Het viel me op dat ze u geen mam of mamma noemt, en ik vroeg me af waarom u daar bezwaar tegen zou hebben.'

'Dat was Sylvies beslissing,' antwoord ik.

Er komt een beeld in mij op. Sylvie is twee en we zitten in de tuin bij de moerbeiboom. Ik ga op mijn knieën zitten en leg mijn handen om haar gezicht. *Liefje, ik wil dat je me mamma noemt. Dat doen alle kinderen, ook Lennie noemt haar moeder...* Ze wendt zich van mij af en haar zijdezachte haar valt als een scherm over haar gezicht. *Nee, Grace.*

'Ze heeft me nooit mamma genoemd,' zeg ik.

Twijfel trekt over zijn gezicht. Ik weet dat hij me niet gelooft.

'U moet begrijpen dat wat mij verontrust is dat u niet krachtig grenzen stelt. Er is geen duidelijke grens tussen u en uw dochtertje. En dat is zo belangrijk voor succesvol ouderschap. Sylvie moet weten dat u de volwassene bent, degene die de leiding heeft. Het is niet zo goed voor kinderen als ze het gevoel hebben dat hun ouders hun beste vrienden zijn.'

'Ik geloof niet dat zij mij zo ziet,' zeg ik.

Maar ik weet dat hij niet luistert. Ik weet dat hij denkt dat hij de sleutel heeft gevonden waarmee hij het geheim van onze relatie kan ontrafelen.

'Een te grote betrokkenheid is iets waar alleenstaande moeders alert op moeten zijn,' zegt hij. 'En misschien wel vooral bij moeders en dochters, en als er maar één kind is. Het komt voor dat de moeder haar dochter bijna als een deel van zichzelf gaat zien, en dat is heel ongezond voor een kind. U moet die grens in acht nemen, dat is van het grootste belang voor Sylvies geestelijke gezondheid. Ik zou heel graag willen dat zij u mamma gaat noemen.'

Ik geef geen commentaar.

Zijn blik flitst even naar zijn horloge. Ik weet dat het consult bijna voorbij is. De wanhoop neemt bezit van mij. Als hij me niet kan helpen, wie dan wel?

'Dus, tenzij u nog vragen heeft...' zegt hij.

In de speelkamer is Sylvie lachend hoeden uit de verkleedstapel aan het uitproberen. Ik voel een stompzinnige woede in me opkomen omdat ze zich zo voorbeeldig gedraagt. Ik wil dat ze gaat schreeuwen, dat ze iets verontrustends doet of iets vreemds. Maar ze zet een hoed met een veer op haar hoofd en grijnst naar zichzelf in de spiegel. Over twee minuten is het voorbij en is mijn kans op hulp verkeken.

Ik schraap mijn keel maar kijk hem niet aan.

'Ik heb iets in een krant gelezen over kinderen met het soort problemen dat Sylvie heeft...' Mijn mond voelt dik en droog aan. Ik was helemaal niet van plan om dit te gaan zeggen, maar zie geen andere mogelijkheid. 'Er stond in dat er psychiaters zijn die regressietherapie toepassen en kinderen daarmee... u weet wel, hypnotiseren... zodat ze teruggaan naar...' Mijn stem sterft weg.

Zijn gezicht is gespannen en een beetje scherp geworden. Ik voel dat ik voor het eerst zijn onverdeelde aandacht heb, maar of dat positief is weet ik niet.

'U moet het zeggen als ik ernaast zit,' zegt hij. 'Maar heeft u het soms over de reïncarnatiemaffia?'

'Nou ja, eigenlijk wel.'

Nu klinkt mijn stem dun en hoog.

Hij vertrekt zijn mond alsof hij iets bitters proeft.

'Ik vrees dat u gelijk hebt, die mensen bestaan. Jammer genoeg heb je zelfs in de medische wereld dit soort geschifte randverschijnselen.'

'Ik dacht, ik noem het toch maar even...'

Ik kijk naar buiten, naar de tuinen, de gazons, de grote wuivende ceders. Wat zou ik daar nu graag willen zijn en de koele lucht op mijn huid voelen.

'Mevrouw Reynolds.' Hij pakt zijn zilveren pen en leunt naar voren. Opeens is hij doortastender, formeler, zijn stem klinkt zorgelijk. 'Heeft u soms een speciale belangstelling voor dit soort verschijnselen?'

'Niet echt. Alleen dat jongetje waar dat artikel over ging deed me zo aan Sylvie denken...'

Hij kucht even.

'Wat ik eigenlijk bedoel, mevrouw Reynolds, is: kunt u mij vertellen of u ooit iets hebt meegemaakt dat u heeft doen geloven in het paranormale?' Zijn woorden klinken afgemeten, weloverwogen.

Ik begrijp niet waarom hij dit vraagt.

'Wat bedoelt u?' vraag ik.

'Soms horen mensen dingen – stemmen in hun hoofd die klinken alsof ze van andere mensen zijn. Is dat iets wat u ooit hebt meegemaakt?'

Shit.

'Nee, zoiets heb ik nooit meegemaakt,' antwoord ik.

'Ook nooit hallucinaties gehad? Dingen gezien die er niet waren?'

'Nee, nooit.'

'En in uw familie? Moeder, vader, grootouders – heeft ooit iemand met psychische stoornissen of iets dergelijks te maken gehad?'

'Nee. Mijn moeder was niet bepaald gelukkig, maar nee, dat lag niet in die sfeer, nee.'

'En de familie van de vader? Hoe zit het daarmee?'

'Dat weet ik eigenlijk niet,' zeg ik tegen hem. 'Zo'n soort relatie was het niet. Om eerlijk te zijn weet ik helemaal niets over zijn familie.'

Mijn stem wordt zachter. Ik gloei van schaamte.

Hij knikt, alsof dit is wat hij had verwacht.

'Wat ik u ook nog moet vragen – in het belang van Sylvie, dat begrijpt u – is of u verboden middelen gebruikt of ooit gebruikt heeft. Zoals cannabis of amfetamine.'

Ik schud mijn hoofd, hoewel ik ooit op een feestje bij Lavinia wat hasjkoekjes gegeten heb – ze kweekt cannabisplanten op haar vensterbanken. We hadden een hilarische avond maar daarna was ik ziek.

'Oké.' Hij staat zichzelf een kleine, zachte zucht toe. 'Moet u luisteren. Ik denk niet dat het nodig is het paranormale erbij te halen om uw dochter te begrijpen. Het is vaak gemakkelijker om een of andere extravagante theorie aan te hangen dan ons eigen gedrag onder ogen te zien,' zegt hij.

'Ik dacht, ik noem het toch even,' zeg ik. Ik kan niet geloven dat ik zo stom ben geweest.

Hij leunt weer achterover in zijn stoel.

'Waar het op neerkomt is het volgende, mevrouw Reynolds. Sylvie heeft een fobische stoornis en een lichte tekortkoming in haar sociale functioneren, die waarschijnlijk verergerd is doordat u te weinig grenzen stelt. Natuurlijk begrijp ik dat u haar gedrag moeilijk vindt, maar ik heb echt niet de indruk dat ze ervoor in aanmerking komt om door ons behandeld te worden.'

Ik slik moeizaam.

'U kunt ons dus niet helpen,' zeg ik.

Hij fronst. Misschien zeg ik het te hard.

'Dat heb ik niet zo gezegd, mevrouw Reynolds. Het is soms echter beter het probleem niet rechtstreeks te benaderen maar andere aspecten in de gezinssituatie aan te pakken. En ik heb sterk het gevoel dat we hier te maken hebben met kwesties als overmatige betrokkenheid en het stellen van grenzen, en ook met onverwerkte boosheid met betrekking tot Sylvies vader en hoe u door hem behandeld bent. Ik denk dat we ons op u zouden moeten richten en niet op Sylvie. Wij zouden u kunnen helpen met het stellen van grenzen en het omgaan met Sylvies gedrag.'

Een loden gewicht is in mijn maag neergedaald.

'Ik heb een uitstekende collega, dokter Jenny Martin,' zegt hij, 'die u vast en zeker kan helpen. En ze is ook heel benaderbaar. Als u zich hierin kunt vinden, fax ik haar mijn aantekeningen en kunt u haar bellen om een afspraak te maken.'

Hij geeft me het nummer van dokter Martin en loopt met me mee naar Sylvie. Ze zegt Katy gedag en haar hand glijdt in de mijne. Dan kijkt ze me met een vergenoegd lachje aan, alsof ze verwacht dat ik haar zal prijzen voor haar onberispelijke gedrag.

Langzaam lopen we over het terrein van de kliniek. De bewegende takken van de ceders kraken met een vreemd hoog, haast menselijk geluid.

'Het was leuk daar,' zegt Sylvie. 'Dat fornuisje vond ik leuk, Grace. Wat een mooi fornuisje, hè?'

Ik ben wanhopig. Al die moeite: de vrije dag die ik heb genomen, de voorbereiding op het gesprek, Sylvies nieuwe laarzen die ik me nauwelijks kon veroorloven – allemaal voor niets.

'Ik wist dat je dat fornuisje leuk zou vinden. In Lennies kamer staat precies hetzelfde,' zeg ik.

'Zij is Lennie niet,' zegt Sylvie.

Ik zeg niets.

12

Op een zaterdag, als Leo en Josh zijn gaan zeilen, nemen we de meisjes mee naar de dierentuin. Het is een prachtige heldere middag, met messcherpe schaduwen en waar de zon niet is, een bijtende kou. We kopen een ijsje, hoewel het daar eigenlijk te koud voor is. De meisjes rennen voor ons uit.

'Sylvie lijkt in goeden doen vandaag,' zegt Karen.

'Ja, ik hoop dat het zo blijft.'

Ik vertel haar over dokter Strickland en dat hij me heeft geadviseerd zelf in therapie te gaan. Karen luistert aandachtig.

'Dat zou ik niet zomaar afwijzen, Grace,' zegt ze als ik mijn verhaal heb gedaan. 'Het is misschien heel goed voor je om met iemand te gaan praten. Je staat onder zware druk. Het zou weleens nuttig kunnen zijn, je weet maar nooit.'

'Maar het is niet míjn probleem, het is Sylvies probleem.'

'Het is begrijpelijk dat je het zo ziet, maar in een gezin zijn problemen niet altijd zo eenduidig,' zegt ze.

De meisjes hebben hun ijsjes op en komen naar ons toe om de hoorntjes in de afvalbak te gooien. Sylvie omhelst me even, heel licht. Als ik me vooroverbuig geeft ze me een plakkerige zoen die zoetig ruikt. Ik begraaf mijn gezicht in haar haar, waar de zon een muskusgeur uit heeft losgemaakt.

'Je ruikt naar de zon,' zeg ik tegen haar.

'Hoe kan dat nou, Grace? Ik kan toch niet naar de zon ruiken?' zegt ze. 'Wérkelijk!'

Het is haar verstandige stem, de stem waarmee ze me laat merken dat ze weet hoe het toegaat in de wereld. Dan rent ze lachend weg met Lennie.

We lopen langs de omheining waarachter de gibbons verblijven. Het hek werpt een markant zwart patroon op het gras, een smetteloos schaduwraster. De meisjes trekken apengezichten en doen alsof ze vlooien uit elkaars kleren halen. We lopen in de volle zon, die al bezig is rood vlammend onder te gaan, zo verblindend dat het pijn doet aan je ogen. We komen langs de tijgers, twee grote dieren die zich lui en slaperig in een poel van vurig licht hebben uitgestrekt: hun adem rimpelt zichtbaar over hun felgekleurde bontjas. Dan zijn we bij de lama's en de kamelen.

'Ik ben zo dol op kamelen,' zegt Karen. 'Ze zijn zo grappig. Die hooghartige uitdrukking die ze hebben! Als je naar al deze dieren kijkt moet je wel concluderen dat God er soms hele rare ideeën op na hield.'

In een opwelling draai ik me naar haar toe en zeg: 'Karen, geloof jij in reïncarnatie?'

Ze grinnikt. 'Dat je terugkomt als aap, bedoel je dat?'

Over mijn gezichtsveld ligt een rood waas dat de zon er heeft achtergelaten. 'Nou ja, of als een ander mens...'

'Weet je,' zegt ze. 'Het lijkt mij zo leuk om als kat terug te komen. En dan het liefst zo'n indolente raskat met een baasje dat hem adoreert. Grote hoeveelheden gerookte zalm eten en laveloos bij de haard liggen...' Ze kijkt me lachend aan, dan worden haar ogen groot en staart ze me ontzet aan. 'Mijn god, Grace, je méént het, hè? Je méént het echt.'

'Ik heb een artikel gelezen over kinderen met dezelfde problemen als die van Sylvie. En over iemand die denkt dat het komt doordat ze zich een vorig leven herinneren...'

Er valt een geladen stilte. Haar gestifte mond ligt als een dunne, rode snee in haar gezicht. Ze schudt een beetje met haar hoofd.

'Grace. Dit leven is het enige leven dat we hebben, het enige dat we krijgen.' Ze maakt een groots gebaar met haar armen, alsof ze alles wil omvatten – de dieren, het gras en de bomen, onze lachende kinderen, het brede, lichte hemelgewelf. 'Meer is er niet, Grace. Dit is het, meer krijgen we niet, dus we moeten er het beste van maken.'

Sylvie heeft een slechte dag. Als ik haar ophaal uit de crèche is haar gezicht uitdrukkingsloos en strak.

'Het is weer misgegaan vandaag,' zegt mevrouw Pace-Barden tegen me. Ze klinkt streng en een beetje afstandelijk. 'Deze keer was het geen waterspelletje, maar gewoon een van de jongens die een beetje wild deed. Hij had iets van lego gemaakt en deed alsof het een pistool was. We hebben hem natuurlijk een standje gegeven, maar Sylvie kon er echt niet tegen... Ik maak me echt zorgen, mevrouw Reynolds.'

'We zijn bij dokter Strickland geweest,' zeg ik tegen haar.

'Dat is geweldig,' zegt ze. 'Ik hoop maar dat hij een soort wonder kan verrichten...'

Het schokt me dat ze denkt dat alleen een wonder Sylvie kan redden. Ik prevel iets vaags, want ik wil haar niet vertellen wat er in de kliniek is gebeurd.

's Nachts wordt Sylvie wakker en komt naar mijn slaapkamer. Ik ben diep in slaap en verwikkeld in een hunkerende droom over Dominic als haar gesnik me langzaam uit de diepte omhoogtrekt naar de rand van mijn droom. Ik druk haar dicht tegen me aan en voel haar hart bonken.

'Het was gewoon een nachtmerrie,' zeg ik tegen haar, zoals ik altijd doe.

Ik neem haar bij me in bed en laat het nachtlampje branden zodat ze niet bang is in het donker als ze nog een keer wakker wordt. Ze drukt zich tegen me aan. Haar ademhaling wordt rustiger.

Het is een heel stille, koude nacht. Als ik er zeker van ben dat ze helemaal in slaap is, haal ik het dekbed en de jassen van haar bed. Op het raam in de gang, waar geen gordijn voor hangt, zie ik de door de vorst getekende ijsbloemen. Zachtjes, zodat ik haar niet wakker maak, stapel ik het extra beddengoed boven op haar en dan schuif ik zelf naast haar in bed. Ze verroert zich niet. Hoewel ze heel dichtbij is, kan ik haar niet horen ademen, maar daar waar haar arm tegen de mijne aan ligt voel ik haar weifelende polsslag waarvan de trilling zich in mijn lichaam voortzet.

Ik lig een hele tijd wakker en denk aan de vorst in mijn tuin, hoe nauwgezet hij te werk gaat en zijn witte hand over alles heen legt: het zilveren schoonschrift waarmee de takken van de moerbeiboom zich tegen de hemel aftekenen, het knisperen van de bladeren in de goot en de grassprieten die elk van een metalig hulsje worden voorzien. Ik verbeeld me dat ik het allemaal kan horen, als een tinkelend gefluister in de stilte.

Als ik bijna weer ben ingedommeld word ik met een ruk uit mijn slaap gehaald door voetstappen in de steeg naast het raam. Mijn hart klopt in mijn keel. Zoals altijd ben ik bang voor inbrekers, maar dan hoor ik stemmen en weet ik dat het een van de hoertjes is met een klant. Je zou toch denken dat ze in deze kou een andere, meer beschutte plek zouden zoeken. Er wordt zachtjes gepraat, dan klinkt de mannenstem plotseling luid op en volgt er een reeks van katholieke krachttermen, waarna er weer zacht wordt gepraat en voetstappen zich verwijderen. Ze zal wel blij zijn dat het zo snel is gegaan. Ik hoor het hoge, eenzame gekef van een vos dat snel wegsterft terwijl het dier zich door de verwilderde tuinen en braakliggende terreinen achter de huizen uit de voeten maakt. Dan vervaagt ook dit geluid en wordt het weer stil.

Sylvie beweegt in haar slaap en gaat tegen me aan liggen zodat ik haar warmte voel. Als ze slaapt wordt haar gezicht zacht, dan verliest ze die strakke uitdrukking die ze altijd heeft. Ik kijk naar haar in het licht van de lamp en word omgeven door haar geur van muskus en citroen. Zo lig ik maar naar haar te kijken, naar mijn kleine vreemdeling. Fysiek ken ik haar door en door: elk detail van haar gezicht, de precieze welving van haar jukbeenderen. Maar op een ander, dieper niveau is ze een vreemde voor me.

We hebben een belangrijke opdracht bij Jonas en de Wallevis: een grote begrafenis, een flamboyant afscheid van een plaatselijke patriarch, de eigenaar van een keten van drogisterijen en een gulle gever aan liefdadigheidsorganisaties. Omringd door zijn hele familie is hij op zijn vijfentachtigste overleden.

'Dat is een mooie dood,' zegt Lavinia. 'Eerst je hele leven nuttige dingen doen, gerespecteerd worden, een hele stoet kinderen krijgen en dan op hoge leeftijd in je eigen bed doodgaan. Dat is iets om verdomde jaloers op te zijn.'

De vrouw van de dode wil dat alles tot in de puntjes verzorgd is: de bloemen moeten allemaal wit zijn, ze wil een berg margrieten.

De middag waarop de uitvaart plaatsvindt sluit Lavinia de winkel en gaan we kijken naar de stoet. De kist wordt vervoerd in een gitzwart victoriaans rijtuig dat met zorg is opgepoetst. Er lopen twee zwarte paarden voor met elegante veren pluimen, en op de kist liggen onze margrieten. Het is een prachtig contrast: dat plechtige van die koets met paarden, een beeld uit het verleden, als een sepiafoto uit een victoriaans album, en dan die bloemen die bijna achteloos op de kist zijn gelegd, als een veldboeket, een arm vol roomwitte madeliefjes die zojuist zijn geplukt. De ruwe, koude wind rukt aan de manen en staarten van de paarden en hun zwarte pluimen schudden en beven. De paarden zijn onrustig, ze schrapen met hun hoeven over het plaveisel. Als ze lopen kun je de krachtige spieren en pezen onder hun huid zien golven. Iedereen blijft staan. Er heeft zich een kluitje mensen langs de weg verzameld, hoofdzakelijk moeders met kinderen, want kinderen zijn dol op paarden. Iedereen glimlacht. Dat moment, daar op die stoep, voel ik me zo gezegend, zo dankbaar terwijl alles beweegt in de wind en de manen van de paarden heen en weer worden geschud, de wind die zo levend is.

13

Het is zondag vandaag en koud, veel te koud om te gaan wandelen. Er valt een scherpe, bijtende regen. Ik heb popcorn gemaakt en we zitten samen in de huiskamer bij de gaskachel op de grond met de schaal tussen ons in. We hebben papier, lijm, een schaar en een stapel oude zondagskranten en nog een paar glossy's die ik heb bewaard, want vandaag gaan we een collage maken. De televisie staat aan, op een zwart-witfilm waarin Betty Grable rondloopt op suède pumps en met een ingewikkeld kapsel. We kijken geen van beiden. Hier voel ik me altijd een beetje schuldig over, want ze zeggen dat dat voortdurende geklets op de achtergrond slecht is voor de taalontwikkeling van kinderen, maar ik voel me minder eenzaam met nog wat andere stemmen om me heen.

Ik blader door een weekendbijlage en word afgeleid door de modepagina's waar jurken van gerecyclede parachutezijde te zien zijn. Wat zou Lavinia die mooi vinden. Sylvie is rustig bezig. Ze bijt op haar lip: ze moet langzaam knippen, heel geconcentreerd en met veel kracht, want de schaar is veel te groot voor haar kleine hand. Bij elk nieuw stukje dat ze knipt houdt ze haar adem in. Als ik een foto vind waarvan ik denk dat ze die mooi vindt, leg ik hem op haar stapel.

Mijn oog valt op een reclamefoto waarop een man te zien is op een breed, rotsachtig strand. Hij heeft hetzelfde postuur als Dominic, dat zware en stevige, en draagt een lange, groene, sportieve regenjas die om hem heen beweegt terwijl hij loopt, precies zo'n jas had Dominic ook. Ik merk altijd meteen dingen op die me aan hem doen denken: zijn zegelring en clubdas, de geur van zijn sigaren. Soms draai ik me om op straat, door een plotselinge hunkering bevangen omdat een passant Dominics geurtje opheeft. En als ik nu naar die foto kijk, ruik ik hem, voel ik zijn aanraking. Het is een reclame van een bedrijf dat sportieve kleding verkoopt voor buitenmensen. De achtergrond van de foto is een leeg, open zeegezicht met wit zand, donkere rotsen en een helderblauwe lucht.

Sylvie merkt dat ik naar de foto zit te staren. Ze zit tegenover me en moet haar hoofd draaien om de foto goed te kunnen zien. Haar blik schiet van de foto naar mijn gezicht en dan weer terug naar de foto. Haar ogen worden groot en gaan stralen. Dan gooit ze zich tegen me aan. De zijkant van haar gezicht en haar lichaam zijn warm van de gaskachel. Als ze me kortstondig omarmt kan ik haar hart voelen bonzen.

'Je hebt het gevonden, Grace,' zegt ze, en haar lach is als een lamp die is gaan branden.

Ik begrijp niet wat er aan de hand is. Even komt de krankzinnige gedachte in me op dat ze een mysterieuze kennis heeft over haar vader. Dat ze op de een of andere manier buiten mij om iets over hem te weten is gekomen, dat ze hem in deze foto herkent. Ze strekt haar arm uit en raakt de bladzijde met haar vinger aan, en dan strijkt ze er heel zachtjes overheen, als een streling.

'Daar is het,' zegt ze. 'Dat is mijn strand, hè?'

'Natuurlijk,' zeg ik. 'Plak hem maar in je collage.'

'Grace, wat is het daar prachtig, hè?'

Ze lacht stralend en zelfverzekerd, alsof er iets gebeurd is wat ze had verwacht. Ik schrik ervan: ze lijkt zo zeker, zo levendig.

Ik kijk wat aandachtiger naar de foto. Hij is knap genomen. Het licht dat op het water valt is helder maar heeft ook iets onbestendigs: je kunt zien dat het weer hier altijd veranderlijk is, met die wind van zee. Het witte strand glinstert in het aarzelende zonlicht. Het zand is vlak en glanst vochtig: het water heeft zich nog maar net teruggetrokken. Op de rotsen ligt een krijtachtige korst van zeepokken en het water blijft tot ver in zee nog ondiep. Waarschijnlijk komt het tij hier heel snel op. Door de schaduwen van wolken die zich over het water bewegen, verdiept de kleur van de zee zich tot een intens kobaltblauw. Helemaal aan de rand van de foto is een klein haventje met vissersboten te zien.

'Ja, het is prachtig,' zeg ik.

Ik begin de pagina uit het blad te scheuren.

Ze grijpt mijn arm. 'Voorzichtig, Grace,' zegt ze scherp. Haar vingers klauwen in mijn pols. 'Niet scheuren.'

'Oké, dan zal ik hem uitknippen,' zeg ik tegen haar.

Ik pak de schaar en begin te knippen. Met ingehouden adem kijkt ze toe.

'Je moet heel, heel voorzichtig zijn,' zegt ze.

Ik geef haar de foto. 'Hier, plak hem maar op.'

Ze schudt haar hoofd. 'Ik wil hem bij mijn bed hebben. Kunnen we hem bij mijn bed hangen, Grace?'

'Natuurlijk,' zeg ik verbaasd. 'Als je dat wilt.'

Ik pak het plakband en daarmee bevestigen we de foto tegen de zijkant van haar klerenkast, zodat ze hem vanuit haar bed kan zien.

Ze heeft geen oog meer voor haar collage, maar gaat met gekruiste benen op haar bed zitten en staart naar de foto. Ze ziet er blozend en opgewonden uit. Het duurt lang voor ze van haar bed komt. De hele avond lijkt ze intens gelukkig.

Als ik haar die avond heb ingestopt, blijf ik nog een tijdje bij haar bed zitten. Met haar bedlampje als enige verlichting lijkt de kamer groter en leger: in de hoeken en onder haar kleren die aan haakjes tegen de deur hangen verdikt de duisternis zich. Terwijl ik stil blijf zitten begin ik in die donkere vlekken, in die ondoordringbare schaduwen dingen te zien: spinnen en spookachtige gezichten. Had ik maar genoeg geld om wat meer meubels te kopen, misschien een bureautje voor Sylvie en een degelijke klerenkast. We leven hier alsof we krakers zijn, alsof we hier niet echt wonen. Met iets meer meubels zou het hier misschien niet zo eenzaam zijn.

Sylvie is bijna in slaap, ze knippert hevig met haar ogen. Dan geeuwt ze, draait zich om en gaat met haar rug naar me toe liggen. Mijn hart gaat tekeer, maar ik probeer mijn stem kalm te laten klinken.

'Sylvie, vertel me eens over die foto. Waarom is die zo belangrijk voor je, schat?'

Even komt het in me op dat ik het juiste moment gemist heb en ze in slaap is gevallen. Maar dan draait ze zich weer naar me toe.

'Dat is mijn strand, Grace.' Heel nuchter, alsof het vanzelfsprekend is.

'Het is er prachtig,' zeg ik nogmaals.

'Ja,' zegt ze. 'Daar heb ik gewoond, Grace.'

Ik blijf een hele tijd roerloos zitten. Een koude rilling trekt over mijn huid.

'Dat wist ik niet,' zeg ik.

'Echt niet, Grace?' Ze klinkt verbaasd.

'Nee. Ik ben daar nog nooit geweest. Je moet me erover vertellen. Kun je me er iets over vertellen?'

'Het is mijn strand,' herhaalt ze. 'Ik heb daar gewoond.'

'Waar heb je dan precies gewoond?' vraag ik.

'In een klein huisje,' zegt ze. 'Een wit huis.' Ze wendt zich weer van me af en geeuwt uitgebreid. 'Daar woonde ik. En ik had er een grot en een draak.'

Het gewone, het alledaagse is weer terug. De wereld is weer normaal geworden. Een mengeling van teleurstelling en opluchting stroomt door me heen. Het is iets wat ze in een boek op de crèche heeft gezien, of een fantasie van haar, iets uit een verzonnen wereld.

'Goh, een drakengrot,' zeg ik, zonder van toon te veranderen. 'Een draak, fantástisch.'

Dan gaan haar ogen open. Er verschijnt een verticaal rimpeltje tussen haar wenkbrauwen. Er is iets in mijn stem wat haar niet bevalt.

'Grace, ik meen het.' Ze fronst naar me, een beetje ontstemd over het feit dat ze niet serieus wordt genomen. 'Het is echt waar. Ik had een draak.'

'Het is er in elk geval heel erg mooi,' zeg ik nogmaals.

'Ja, Grace,' zegt ze. 'Daar heb ik gewoond. Vroeger.'

Later die avond bel ik Karen op.

'Er gebeurde vanavond iets met Sylvie,' zeg ik. 'En ik weet niet wat ik ervan moet denken.'

'Oké, vertel.' Ze klinkt behoedzaam.

'We kwamen een foto tegen in een tijdschrift. Niets bijzonders, een reclamefoto. Een strandtafereel. Het was net of Sylvie het herkende, alsof ze die plek kende.'

'Wacht even, Grace, even rustig, oké? Wat heeft ze precies gezegd?'

'Ze zei dat ze daar gewoond had.'

'Meer niet? Alleen dat ze daar gewoond had?'

'Ze zei dat ze daar in een klein huisje gewoond had.'

Karen zegt niets, ze laat het tot zich doordringen. Op de achtergrond hoor ik Mozart, de evenwichtige, elegante muziek waar ze zo van houdt.

'Grace, kinderen komen met de idiootste verhalen aanzetten, dat weet je toch. Wat zei ze nog meer?'

'Ze zei dat ze in een klein huisje woonde. Toen ik vroeg of ze erover wilde vertellen zei ze dat ze een grot en een draak had...'

'Ze zei dat ze een draak had?'

Ik hoor aan haar stem dat ze glimlacht.

'Ik weet hoe dit klinkt,' zeg ik. 'En de helft van de tijd denk ik dat ook – dat ze het allemaal uit haar duim zuigt. Maar ze lijkt de plek echt te kennen.'

'Je hebt een vernauwde blik, Grace, sinds je dat artikel hebt gelezen. Soms horen we wat we willen horen.'

'Ja, dat zal wel... Maar misschien kan ik erachter komen waar het is. Ik bedoel, waar die foto is gemaakt. Als iemand me kan vertellen waar dit is...'

'Jezus, Grace,' zegt ze. 'Wat ze zegt heeft helemaal niets te betekenen. Kinderen zeggen de vreemdste dingen. Dat is toch zo? Lennie had zo'n periode dat ze het steeds over haar nieuwe mamma had. Ze hield er niet over op. "Ik heb een nieuwe mamma..." Toen drong het tot ons door dat ze de oppas bedoelde...'

'Toch was het heel vreemd,' zeg ik. 'Ze leek zo gelukkig.'

Even valt er een stilte, alsof Karen hierdoor uit het veld is geslagen.

'Grace, je moet de verhoudingen niet uit het oog verliezen,'
zegt ze, en er klinkt ongerustheid door in haar stem. 'Ga haar
obsessies nou niet voeden. Ik weet zeker dat dat niet de goede
weg is...'

14

Maar als we de zaterdag daarop naar Karen gaan zit de foto in mijn tas. Leo is vandaag niet gaan zeilen omdat hij thuis nog wat moet werken. Hij komt naar ons toe in de keuken om een stuk van de appeltaart te eten die Karen heeft gebakken. Ik ben zo blij om hem te zien, het is een geschenk, het is precies wat ik gehoopt had.

Leo komt uit het westen van Schotland. Een oom van hem woont er nog steeds, in een laag, grillig huis aan de kust. Het is mijlenver van de bewoonde wereld en er komt maar eens per week post. Ze gaan weleens naar hem toe. Karen zegt dat het er heel bijzonder is: een mistige plek met zeehonden, vocht dat overal binnendringt en een stilte die zo drukkend is dat het moeilijk is om wakker te blijven. Het is een magische plek, maar naderhand is ze altijd heel blij om weer thuis te zijn, in het lawaaiige, bruisende leven van Londen.

Ik haal Sylvies foto uit mijn tas. Karen valt stil en verstijft. Een stukje appeltaart blijft tussen haar bord en haar mond in de lucht hangen. Ik voel dat haar ogen op mij gericht zijn.

'Leo, ik vroeg me af of jij hier even naar zou willen kijken.' Ik reik hem de foto aan. 'Weet jij misschien waar dit is?'

Met zijn grote, sproetige hand pakt hij de foto aan. De neiging komt in mij op om, net als Sylvie, te zeggen dat hij voorzichtig moet zijn en hem niet moet kreuken.

'Ik dacht dat het misschien ergens in Schotland zou kunnen zijn,' zeg ik tegen hem. 'Vandaar dat ik dacht dat jij het misschien zou weten.'

Hij kijkt naar de foto en strijkt de hoeken werktuigelijk met zijn vinger glad. Karen heeft haar appeltaart terug op haar bord gelegd. Ze knijpt haar ogen samen.

'Dat is de foto waar je het over had, neem ik aan?' zegt ze.

'Ja.'

Ze kijkt streng. 'Grace, doe dit nou niet. Laat het los. Je maakt alles alleen maar erger. Alsjeblieft, dat moet je toch inzien.'

Leo kijkt nieuwsgierig en geamuseerd van de een naar de ander: hij is zich ervan bewust dat er iets gebeurt waar hij buiten staat.

'Ik vroeg me alleen maar af of je het kende,' zeg ik. 'Ik bedoel, denk je dat het Schotland zou kunnen zijn?'

Hij haalt zijn schouders op. 'Het zou kunnen.'

'Maar het is niet waar jij vandaan komt, of daar in de buurt? Je herkent het niet?'

'Nee. Maar deze foto zegt niet zo veel, het zou ook Bretagne kunnen zijn, of ergens in de buurt van Mont St. Michel misschien. Je hebt daar fantastische kusten.'

'Waar zou het verder nog kunnen zijn?'

'Ierland uiteraard, de westkust. Misschien de Atlantische kust van Frankrijk. Zelfs Cornwall zou kunnen, bepaalde delen. Grace, er zijn zoveel plaatsen waar dit kan zijn... Maar waar gaat dit eigenlijk over?'

Ik pak de foto van hem aan en stop hem in mijn tas.

'Het is gewoon een plek waar Sylvie weg van is,' zeg ik tegen hem.

Zodra hij naar zijn werkkamer is teruggegaan legt Karen haar hand op mijn pols. Haar greep heeft iets dwingends. 'Grace. Waarom doe je dit?'

'Ik wil graag zoveel mogelijk over deze plek te weten komen. Je weet maar nooit, misschien helpt het.' Ik weet dat ik een sussende toon heb.

Haar mond verstrakt. 'Grace, zo moedig je haar alleen maar aan. Ze moet daar juist van af, van al die ideeën, in plaats van er dieper in weg te zakken.'

'Maar dat heb ik geprobeerd, ik heb geprobeerd het te negeren...'

Even blijft ze stil. Ze kijkt me niet aan. 'Moet je horen, ik heb er over nagedacht,' zegt ze dan. Haar stem klinkt tactvol, omzichtig: ze plaatst de woorden als kleine steentjes tussen ons in. 'Je denkt toch niet dat het een soort wensdroom van haar is?'

'Ik begrijp niet wat je bedoelt.'

'Grace, eerlijk gezegd weet ik niet precies hoe ik dit moet zeggen, maar je bént alleen, en misschien is dat niet zo makkelijk voor Sylvie. Misschien verzint ze wel een kindertijd waarin ze wel een vader heeft.'

'Maar dat is helemaal niet zo'n punt,' zeg ik tegen haar. 'Volgens mij accepteert ze dat gewoon, dat haar vader geen deel uitmaakt van haar leven. Het is nooit anders geweest...'

'Grace, ik weet dat je je best doet voor Sylvie. Ik bedoel, jezus, ik zou niet weten wat ik moest in mijn eentje. Ik zou een rampzalige moeder zijn zonder Leo. En Fiona zei ook al na het Halloweenfeestje: wat doet Grace het toch goed in haar eentje, hoe krijgt ze het voor elkaar?'

Ik herinner me de vrouw met de puntige kristallen oorbellen die er zo bezorgd over was dat Sylvie geen mamma tegen me zei. Het idee dat mensen over me praten boezemt me afkeer in, het geeft me een heet, beschaamd gevoel.

'Maar ik meen het, Grace, laten we eerlijk zijn,' vervolgt ze. 'Haar leven ís niet compleet. Ik bedoel, het is niet volmaakt. Het is niet iets waar je voor hebt gekozen...'

Er is een boekwinkel om de hoek bij Jonas en de Wallevis. Nadat ik die maandag stokbroodjes bij Just-A-Crust heb gehaald, ga ik er in mijn lunchpauze met de foto in mijn tas naartoe. Het is een stille, enigszins plechtstatige winkel. De eigenaar zit achter de toonbank, verdiept in een lijvige biografie. Hij draagt zijn lange grijze haar in een staartje en lacht me vermoeid toe.

'Ik zou graag bij de reisboeken willen kijken,' zeg ik tegen hem.

Hij wijst naar het achterste gedeelte van de winkel. 'Heeft u nog een bepaalde streek op het oog?'

'Nee, niet echt. Ik wil alleen maar even rondkijken.'

Ik pak boeken met kleurenfoto's over Schotland, Ierland en Bretagne uit de kast en bekijk alle illustraties. Er zijn veel plaatsen die een beetje aan Sylvies foto doen denken, maar geen enkele foto komt helemaal overeen. Fotogenieke plaatsen aan de kust lijken allemaal wel een beetje op elkaar. Ik blader door een Franse reisgids en even word ik afgeleid door de herinnering aan mijn enige buitenlandse reis: het schooluitje naar Parijs waarvoor mijn moeder krom had gelegen. Ik herinner me hoe fantastisch ik het er vond: de mysterieuze duisternis in de kerken met hun flakkerende offerkaarsen, de markten met hun geurende nectarines en sterk ruikende geitenkaas en wijnen. En ik weet nog dat ik overmand werd door een verlangen naar een ander leven, dat ik een van die vrouwen wilde zijn die op terrasjes aan hun koffie zaten te nippen met hun glanzende, naar achter gekamde haar en de dunne gouden kettinkjes om hun hals. Ik wilde ook elegant zijn en bestaansrecht hebben.

Ik zet de reisgids terug op de plank. Hier kom ik niet verder. Ik bedank de boekhandelaar en loop naar buiten.

Naast de banketbakker is een reisbureau. Ik kijk naar binnen. Er is niemand, er zit alleen een vrouw achter de balie. Ze is gekleed in een keurig blauw uniform, als een stewardess, en haar haar heeft een dure kleurspoeling ondergaan in allerlei tinten blond. Ze tuurt in het spiegeltje van haar make-uptasje en werkt haar lippen bij.

Ik ga naar binnen en haal de foto tevoorschijn. Ze knipt haar tasje dicht. Haar lach is glad en beheerst.

'Dit klinkt denk ik een beetje raar,' zeg ik, 'maar ik vroeg me af of u misschien weet waar dit is.'

Ze neemt de foto van me aan. 'Nee, ik zou het niet weten,' zegt ze. 'Nou ja, het gaat duidelijk om een kustlocatie... Hé, u werkt toch in de bloemenwinkel, is het niet?'

'Ja,' antwoord ik.

'Dat vind ik toch zo'n mooie winkel,' zegt ze. 'Hoewel ik niet begrijp waarom jullie al die roestige spullen verkopen...' Ze kijkt weer naar de foto. 'Eerlijk gezegd zijn onze klanten meestal op zoek naar de zon. Dit lijkt me meer een noordelijk...'

'Ja, dat dacht ik ook al.'

'Misschien ergens in Schotland?' zegt ze. 'Niet dat ik daar ooit geweest ben. Leuke vent trouwens. Mooie regenjas ook... Nou, ik zou niet weten wie u kan helpen. Ik zou het de anderen even voor kunnen leggen als ze klaar zijn met lunchen. Maar die foto zegt niet zoveel. Zal ik hem hier houden en even bellen als ik iets weet?'

'Nee, dat hoeft niet.' Ik zeg het te nadrukkelijk, bang als ik ben om hem kwijt te raken.

'Wilt u er soms heen?' vraagt ze.

Ik knik, het lijkt me het makkelijkste antwoord.

'Laat me eens kijken wat ik voor u heb,' zegt ze tegen me. 'Wat er het dichtst bij in de buurt komt.'

Ze geeft me een brochure over Schotland. Verblijf op het kasteel van Inverlochy en bezoek een whiskydistilleerderij. Beleefd stop ik de brochure in mijn tas.

De middag kruipt voorbij. Het is een donkere, zware dag met zo nu en dan wat koude regen en overal de stank van rook en benzinedamp, het soort dag waarop Londen een grauwe, vuile stad is en je ineens ziet hoeveel afval er op straat ligt. Ik weet niet wat ik nu nog zou kunnen proberen. Misschien moet ik de fabrikant van de regenjas bellen, maar het lijkt me onwaarschijnlijk dat ze me zullen helpen, aangezien er niets aan te verdienen valt.

We hebben weinig klanten. Ik kijk naar het druipende web van vocht dat de regen op het raam achterlaat, en voel hoe de teleurstelling zich als een vlek in mij uitbreidt. Wat ben ik toch naïef en goedgelovig geweest dat ik me zo heb laten meeslepen door de dingen die Sylvie zegt. Karen had gelijk: het is een wensdroom van Sylvie, een fantasie over een kindertijd in een compleet gezin. Ik vond het vreselijk dat ze dat zei, want het gaf me het gevoel dat ik tekortschoot als moeder, maar ik weet dat er iets in zit. Ik besluit dit alles achter me te laten, het artikel te vergeten en dat hele rare gedoe over vorige levens uit mijn hoofd te zetten. Er daalt een vlak, afgestompt gevoel op me neer nu ik dit heb besloten, maar tegelijkertijd voel ik weer grond onder mijn voeten, ik ben weer terug in de werkelijkheid van alledag.

Om halfvier ga ik naar achteren om koffie te drinken. Ik haal de foto uit mijn tas en leg hem voor me op tafel als ik mijn koffie drink.

Lavinia komt binnen, op zoek naar een sigaret. Ze tikt er een uit het pakje, om buiten op te roken. Dan ziet ze mij zitten, met mijn hoofd in mijn handen en de foto uitgevouwen voor me.

'Hé, Gracie, wat is er met je? Je ziet er wat moedeloos uit. Gaat alles wel goed?'

Ze komt naar me toe en slaat een arm om me heen. Het gebaar is troostend en geeft me een gekoesterd gevoel. Ze draagt haar sjaal uit Gujarat met de gouden draad, en de zijden franje strijkt langs mijn gezicht. Ik leun licht met mijn hoofd tegen haar aan. Haar blik valt op het knipsel.

'O,' zegt ze. 'Coldharbour.'

Ik kijk naar haar op en staar haar aan.

'Kén je het? Kén je die plek?'

Ze knikt. 'Jazeker.'

'Iedereen heb ik het gevraagd,' zeg ik. 'Ik kwam er maar niet achter waar het was. Niemand leek het te weten.'

'Het is in Ierland, in Connemara. Een vissersplaatsje.'

De kamer lijkt om me heen in beweging te komen. Mijn hart dreunt. Het gevoel is anders dan ik had verwacht. Ik ben geschokt – dat dit plaatsje echt bestaat, dat het een tastbaar iets is, net zo tastbaar als Lavinia en ik, de winkel, het Londense verkeer. Dat het écht is.

'Ben je er geweest?' herhaal ik dommig. 'Je herkent het?'

Ze lacht omdat ik zo aandring. 'Ik heb er een tijdje in een commune gewoond – althans, een stukje verderop aan die kust. Teresa's familie komt daarvandaan. Maar Gracie, dat was jaren geleden. Toen mensen nog zulke dingen deden...'

'Een commune? Ging je met iedereen naar bed?'

Ze grinnikt. 'Nou ja, dat gebeurde ook wel, maar het was meer linzen eten en mediteren wat de klok sloeg. Ik ben er niet lang gebleven. Het was allemaal reuze waardevol, maar ik kreeg er genoeg van om de plees schoon te maken. Bovendien hunkerde ik naar een bepaalde lippenstift die je daar niet kon krijgen en naar fatsoenlijke cappuccino... Ja hoor, dat is Coldharbour. Je ziet de boten van de kreeftenvissers... Vanwaar die interesse?'

'Ik vond deze foto in een tijdschrift, en toen raakte Sylvie er helemaal opgewonden over, alsof ze het herkende.'

Ze kijkt me peinzend aan, maar het lijkt haar niet te verontrusten wat ik zeg.

'Je hoort weleens van die verhalen,' zegt ze langzaam. 'Over kinderen die zich dingen herinneren die ze absoluut niet kunnen weten. Je weet nooit wat je daarvan moet denken... Eerlijk gezegd vroeg ik me al een tijdje af wat er aan de hand was. Al die hints die je gaf, en sommige dingen die je zei...'

Als ik haar vervolgens alles vertel wat Sylvie heeft gezegd, zit ze stil tegenover me te luisteren, haar heldere grijze ogen op mij gericht.

Ik ben opgewonden als ik Sylvie later bij De Beukennootjes ophaal. We rijden door de trage avondspits. Als het verkeer voor een rotonde tot stilstand komt, werp ik een steelse blik naar achteren. In de ambergele gloed van de straatlantaarns krijgt Sylvies huid iets doorzichtigs. Ze lijkt leeg, de dag heeft haar uitgeput. Mijn hart bonkt in mijn keel.

'Zeg liefje, die plaats op de foto die je zo mooi vindt...'

Ze reageert niet.

'Je weet wel, de foto die we op je klerenkast hebben geplakt...'

'Ja, Grace.'

Het verkeer komt weer op gang. De zware, rokerige lucht van de straat komt door mijn halfgeopende raam naar binnen. Ik kijk nog een keer naar haar via de binnenspiegel. Ze houdt haar Shaun het Schaap-rugzak tegen haar borst geklemd, alsof ze er warmte of troost aan ontleent. De rugzak lijkt veel te groot voor haar, alsof ze in de loop van de dag gekrompen is. De koplampen van tegenliggers werpen bleke lichtbanen over haar lichaam.

'Kun je me ook vertellen hoe het daar heet – dat plaatsje op jouw foto?' vraag ik.

Het lijkt alsof ze helemaal niet luistert. Ze staart uit het raam, waar een man met een grote Duitse herder op de stoep loopt. De hond heeft haar onverdeelde aandacht. Ik had een beter moment uit moeten kiezen om dit te vragen, een moment waarop ik haar gezicht goed had kunnen zien.

'Heeft die plaats op jouw foto ook een naam?' vraag ik nogmaals.

Misschien heeft ze me niet gehoord. Haar gezicht is verstild en kleurloos.

'Sylvie. Dat dorpje van jou, daar bij de zee. Weet je nog hoe het heet?'

Ik hoor dat ik dwingend begin te klinken. Misschien moet ik het hierbij laten, maar op de een of andere manier is het heel urgent geworden. Alsof er heel veel van haar antwoord afhangt. Alsof ik nog maar een paar seconden verwijderd ben van de oplossing van dit raadsel.

Maar Sylvie zegt niets.

Ik weet niet wat ik moet doen en frustratie maakt zich van mij meester. Ik snak wanhopig naar een soort reactie.

'Lavinia vertelde me dat ze het daar kent. Ze zegt dat het plaatsje Coldharbour heet, klopt dat?' vraag ik haar.

Onmiddellijk dringt het tot me door dat ik dat niet zo had moeten zeggen. Het verkeer vertraagt weer. Mijn polsslag wordt onregelmatig. Ik kijk naar haar in het spiegeltje. Ze glimlacht stilletjes en drukt haar rugzak tegen zich aan. Ze kijkt tevreden, alsof de naam haar bevalt.

'Ja, Grace. Coldharbour.' Ze spreekt het precies uit, zorgvuldig, met ruimte tussen de lettergrepen: alsof het iets nieuws voor haar is, alsof het een woord is dat ze net geleerd heeft. 'Leuke naam, hè?' zegt ze.

'Ja, schat.'

Maar ik kan mezelf wel wat doen. Ik heb de vraag verkeerd geformuleerd, ik had het niet voor moeten zeggen, ik zie nu in dat ik had moeten wachten tot zij de naam zou noemen.

'Ik heb daar gewoond, Grace,' zegt ze. 'En ik had een grot en een draak.'

Ik voel dat ze me ontglipt, als water glijdt ze door mijn handen heen: er is geen houvast, het sijpelt en druppelt weg.

15

Ik droom over Claudia. Ik dwaal rond in een antiekwinkel waar ik een vaas voor haar moet kopen. Het is heel belangrijk en betekenisvol. Maar ik kan de juiste vaas niet vinden: ze zijn allemaal versierd met strookjes en strikjes en kleine keramische bloemetjes, en ik weet dat ze daar niet van houdt. Zij is meer iemand voor iets sobers, iets elegants. In de droom ben ik zo zeker van wat Claudia nodig heeft. Ik stroop alle kasten met vazen af, maar ze worden alleen maar nog smakelozer: onder mijn ogen ontspruiten de tierelantijntjes met de heftigheid van uitbottende voorjaarsstruiken. Ik raak in paniek, ben verlamd, niet in staat een cadeau voor haar uit te kiezen.

Dan word ik wakker en merk dat het ochtend is en dat Sylvie de hele nacht heeft doorgeslapen. Mijn hoofd voelt schoon, als een zojuist gewassen laken. Ik schuif de gordijnen in de huiskamer open. De lucht is heel zacht blauw en de zon geeft een fris, helder licht af, het licht dat aan een schone lei doet denken. In mijn tuin begint het leven zich te roeren: de knoppen worden dikker en gaan open en onder de moerbei glinsteren een paar sneeuwklokjes die ik in de herfst heb geplant. In het heldere voorjaarslicht voelt de dagelijkse werkelijkheid zo stevig en compleet: de tafel die gedekt is voor het ontbijt, het verkeerslawaai in de straat, de weersvoorspelling op tv. Alles is zoals het moet zijn, ook Sylvie, die een witte snor heeft van de melk die ze drinkt en gevangen wordt in een zonnestraal die haar haar doet glanzen. Dit is de echte wereld, zeg ik tegen mezelf. Al die andere dingen – de dingen waar ik bijna in was gaan geloven – zijn niet meer dan een idiote fantasie. Zoals Karen al zei: kinderen zeggen de raarste dingen. Ik zal naar Karen luisteren en al mijn vreemde veronderstellingen laten voor wat ze zijn.

Ik kleed Sylvie aan voor de crèche. Ze heeft net geleerd om zelf de veters van haar gympen te strikken: het duurt wel even en ze bijt op haar lip en fronst haar voorhoofd, maar ze is apetrots als het gelukt is. Ze lijkt vandaag veel rustiger, en ik bedenk dat ik volgende week eindelijk het geld bij elkaar heb om dat poppenhuis voor haar te kopen, nog net op tijd voor haar verjaardag. Ik verheug me er al op dat haar gezicht zal oplichten als tot haar doordringt dat het eindelijk van haar is. Ik houd mezelf voor dat alles nu beter zal gaan, dat dit een nieuw begin is – de ongestoorde nacht, het geschenk van een stralende nieuwe dag.

We lopen naar de auto. De zon staat laag aan de hemel en onze schaduwen zijn lang als bomen met kleine hoofdjes en grote, lompe voeten.

'Kijk eens naar mijn schaduw,' zegt Sylvie. 'Ik ben een reus, Grace.'

In de hal van de crèche is Beth bezig een voorjaarscollage op de muur te prikken, met allerlei dieren en bloeiende bomen. De ruimte is vol met licht. Ik druk Sylvie tegen me aan.

'Heb een fijne dag, schat,' zeg ik tegen haar.

Ze geeft me een vluchtig, koel kusje waarbij haar lippen mijn wang even schampen. Ik kijk haar na als ze zonder aarzelen en vol zelfvertrouwen naar de tuinkamer loopt. Dan weet ik dat ze vandaag een goede dag zal hebben.

'Zo, mevrouw Reynolds.'

De schaduw van mevrouw Pace-Barden valt over me heen. Ik draai me om. Ze heeft een goed zittend broekpak aan en lacht naar me, maar haar ogen doen niet mee. Angst duikt op aan de randen van mijn bewustzijn.

'Ik wil u even spreken,' zegt ze.

Ik loop achter haar aan naar haar kantoor. Onder mijn oog begint een spiertje te trekken, als een kleine, onregelmatige polsslag.

Ze leunt over haar bureau naar me toe, haar handen zijn strak gevouwen waardoor de lila aderen zich als rivieren op een landkaart onder haar huid aftekenen. Maar haar stem klinkt kalm en verzoenend.

'Waar ik u over wilde spreken, mevrouw Reynolds, is dat we gisteravond tijdens een vergadering met de hele staf over Sylvie hebben gepraat.'

'Ja?'

De beweging onder mijn oog wordt heviger, ik ben me heel erg bewust van het nerveuze getril. Het obsedeert me. Ik ben bang dat mevrouw Pace-Barden kan zien dat ik een rare tic in mijn gezicht heb.

'We hebben er een lang en goed gesprek over gehad, en ik ben bang dat onze mening eensluidend is.'

Ik zeg niets.

'Het spijt me heel erg dat ik u dit moet zeggen, maar we moeten u vragen om Sylvie van de crèche te halen. We zijn overeengekomen dat we haar nog tot het eind van deze maand kunnen hebben.'

'O, nee, alstublieft. Zegt u dat niet!'

'Raakt u nou niet van streek, mevrouw Reynolds, alstublieft.' Ze kijkt me alert aan, op haar gezicht verschijnt een blos.

'Maar... waarom zo snel? Waarom kan ze niet tot Pasen blijven?'

'Om eerlijk te zijn, mevrouw Reynolds, is de veiligheid in het geding. Ik moet ook aan mijn personeel en aan de andere kinderen denken.'

'Maar we zijn bij dokter Strickland geweest...' Mijn stem klinkt scherp van verontwaardiging. 'Ik doe echt mijn best. Ik bedoel, ik doe wat ik kan.'

'Dat weet ik, mevrouw Reynolds,' zegt ze met haar zachte, omfloerste stem. 'En u moet me geloven, ik hoop echt dat u eruit komt, dat duidelijk zal worden waar Sylvies problemen vandaan komen.'

'Maar als ze hier niet gelukkig kan zijn, waar dan wel?'

'Het spijt me, mevrouw Reynolds, maar dat is niet mijn probleem. We zijn er hier eenvoudigweg niet op toegerust om kinderen op te vangen die zoveel aandacht nodig hebben als Sylvie.'

Ik kan nauwelijks nog een woord uitbrengen. Een zware last drukt op mijn borst.

Ze loopt met me mee naar de garderobe, waar Beth papieren konijntjes op haar voorjaarscollage prikt. Ik kijk naar Beth maar ze kijkt niet terug. Ze doet schichtig en beschaamd.

'Geloof me,' zegt mevrouw Pace-Barden in de deuropening, 'we hebben het beste met u voor. Het spijt me heel erg dat het hier niet gelukt is met haar.'

Ik draai me om en loop in de richting van mijn auto, zet uiterst geconcentreerd mijn ene voet voor de andere, alsof het plaveisel glad is en ik elk moment kan uitglijden.

16

Slaap is een deur die zich niet voor mij opent. Ik lig met open ogen in bed en staar in de sepiakleurige duisternis van mijn kamer naar de donkere plekken in de hoeken en de fijne goudgele lichtpuntjes waar het schijnsel van de straatlantaarns naar binnen sijpelt. Vragen buitelen door mijn hoofd. Zal ik op zo'n korte termijn een andere crèche kunnen vinden die haar aanneemt? En zelfs als dat lukt, zal dan niet hetzelfde gebeuren? Zal het zich steeds blijven herhalen? Wat voor soort leven gaan we tegemoet? Steeds weer komen deze vragen in me op, zonder dat ik er een antwoord op weet.

Tegen tweeën begint het verkeerslawaai af te nemen en treedt een voorlopige rust in – de gewapende, ongewisse stilte die de Londense nachten kenmerkt, een stilte die zo nu en dan openbarst door een abrupt geluid op straat: het gegil van een sirene, een eruptie van dronken gezang. Lichamelijk ben ik uitgeput maar mijn geest is buitengewoon helder. Ik denk aan alle praktische zaken die nu zo moeilijk zijn geworden. Zoals het poppenhuis dat ik hoopte voor Sylvies verjaardag te kunnen kopen. Ik was er zo opgetogen over, maar nu zal ik dat geld opzij moeten leggen voor boodschappen en schoenen. Voor het geval het me niet lukt een andere crèche voor haar te vinden, voor het geval ons leven een puinhoop wordt.

Ergens in de verte slaat een kerkklok drie keer, het holle geluid klinkt helder in de stilte. Ik lig op mijn rug en staar naar het plafond, waar schaduwen overheen glijden als een zuchtje wind mijn gordijnen in beweging brengt en er donkere lijnen langs het gekrulde stukwerk glijden. In mijn hoofd ga ik alle mensen langs die ik ken, op zoek naar iemand die me zou kunnen vertellen wat ik moet doen. Maar er is niemand.

Terwijl ik daar lig – onwetend, wanhopig – kruipt er een gedachte door mijn hoofd. De gedachte dat er wél iemand is naar wie ik toe kan gaan, iemand die me zou móéten helpen. Ik denk aan de vraag die dokter Strickland me stelde: *En haar vaders familie? Hoe zit het daarmee?* En ik herinner me de schaamte die ik voelde toen ik zei dat ik dat niet wist. Het dringt tot me door dat ik ga doen wat ik altijd gezworen heb nooit te zullen doen. Hij zou iets kunnen weten wat me in de juiste richting kan wijzen. Ik moet dit proberen, in het belang van Sylvie.

Nadat ik Sylvie bij De Beukennootjes heb afgezet en voor ik naar de bloemenwinkel ga, bel ik hem met mijn mobieltje. Ik ben haast misselijk van de zenuwen.

Er klinkt een vrouwenstem die ik niet ken, waarschijnlijk heeft hij een nieuwe assistente.

'Ik wil Dominic Runcie even spreken,' zeg ik tegen haar.

'En u bent?'

'Mijn naam is Grace Reynolds. Hij weet wie ik ben.'

'Ik zal even kijken of hij tijd heeft.'

Het blijft een moment stil. Ik hoor het bonken van mijn hart.

'Ik verbind u door,' klinkt het opgewekt. Er gaat een schok door me heen: dat het zo makkelijk is, dat hij daar is, aan de andere kant van de lijn.

'Grace. Wat een verrassing.' Zijn stem gaat door me heen.

'Ja, hè?' zeg ik onnozel.

'Het gaat toch wel goed met je?' vraagt hij.

'Ja hoor, dank je wel. En met jou?' Ik ben heel beleefd en omzichtig.

'Kon niet beter,' zegt hij. 'Ja, het gaat heel goed. Nou, wat kan ik voor je doen, Grace?'

Ik hoor aan zijn stem dat hij op zijn hoede is en ik weet dat ik hem gerust moet stellen.

'Ik vroeg me af of we een afspraak zouden kunnen maken. Een halfuurtje of zo. Er is iets wat ik met je moet bespreken. Ik zal je niet te lang ophouden, dat beloof ik.'

Dominic zegt niets. Ik moet denken aan de tijd waarin we nog van elkaar hielden. Als we elkaar dan aan de telefoon hadden, zeiden we soms even helemaal niets en dan hoorde ik hem ademen – ik vond het altijd heerlijk om te horen hoe zijn verlangen naar mij zijn ademhaling deed versnellen. Maar nu is er slechts stilte tussen ons, een stilte als een afwezigheid.

Ik probeer het nog een keer. 'Is dat mogelijk, denk je? Ik zou je erg dankbaar zijn.'

Hij schraapt zijn keel. 'Waarom niet,' zegt hij. 'Als we het kort kunnen houden.'

'Bedankt.'

Er stroomt een geluksgevoel door me heen. Dat ik hem zal zien, dat hij zo dichtbij zal zijn dat ik mijn hand maar hoef uit te steken om hem aan te raken. Even is dat gevoel allesoverheersend.

'Er is een café vlak bij de bloemenwinkel,' zeg ik tegen hem. 'Of heb jij een andere suggestie?'

'Nee hoor, dat lijkt me prima,' zegt hij. 'Morgen heb ik een gaatje, morgenochtend om halftwaalf.'

Ik zeg dat dat perfect is, dat het echt helemaal ideaal is.

De hele dag straalt de wereld me tegemoet. De winkel staat vol met voorjaarsbloemen en hun kleuren winden me op en doen me duizelen: tulpen zo rood als speelgoedsoldaatjes, een mand vol campanula's zo blauw als stukjes van een onbewolkte hemel. Een oude man die zo mager is als een langpootmug kiest rozen uit voor zijn vrouw: de bloemen moeten allemaal perfect zijn en ik ben geroerd door de liefde die daaruit spreekt. In mijn achterhoofd wenkt een vage gedachte, ze probeert me te verleiden, maar ik probeer die gedachte niet toe te laten. Ik duw haar weg maar ze blijft maar lachen, zoetgeurig en zwaaiend met haar sluiers. De gedachte dat dit misschien zo heeft moeten zijn, dat dit allemaal gebeurd is om ons weer bij elkaar te brengen. Ergens weet ik dat het onzin is, dat ik over mijn toeren ben. Maar toch kan ik de gedachte niet uitbannen.

Aan het eind van de dag haal ik Sylvie op. Ze heeft vijf tekeningen gemaakt, allemaal met hetzelfde huis: een dak, een deur, vier ramen en een blauwe rand eromheen. Ze geeft ze aan mij.

'Ze had een goeie dag,' zegt Beth tegen mij.

Natuurlijk had ze dat, zeg ik tegen mezelf. Ik houd mezelf voor dat alles nu goed komt, dat Dominic uitkomst zal brengen. Dominic heeft de sleutel, de verklaring. Alles wordt anders. Hij gaf me altijd al het gevoel dat hij alles op kon lossen. Althans, tot het misging – maar daar denk ik nu even niet aan.

'Je zingt, Grace,' zegt Sylvie als we naar de auto lopen in de vallende duisternis die vanavond naar stuifmeel en naar veranderend weer geurt.

'O ja? Dat heb ik niet gemerkt.'

Ik ben al de hele dag bezig geweest te bedenken wat ik vanavond moet doen – kijken of mijn mooiste kleren schoon zijn, en ik moet mijn haar fatsoeneren...

'Waarom zing je?' vraagt ze.

'Ik ben vandaag gewoon gelukkig, denk ik,' zeg ik. 'Mensen zingen als ze gelukkig zijn, toch? Jij neuriet ook weleens, en soms weet je niet dat je dat doet...'

'Je zingt niet vaak, Grace,' zegt ze.

17

Ik ben er veel te vroeg en kies een tafeltje bij het raam uit. Het heeft eindeloos geduurd voor ik zover was: ik heb een heleboel mascara opgedaan en mijn diepblauwe vest en een heel kort fluwelen rokje aangetrokken, maar nu ben ik bang dat ik het heb overdreven en een te gretige indruk maak. De lucht is betrokken en er valt regen, het druppelen op het trottoir bij het raam klinkt als haastige voetstappen.

Als ik hem binnen zie komen begint mijn hart te bonzen. Ik probeer te glimlachen maar mijn mond wil niet. Hij komt meteen op mijn tafeltje af, lacht en kust me op mijn hoofd. Zijn geur roept verlangen in mij wakker.

'Grace. Hoe gaat het met je? Je ziet er goed uit.'

'Goed,' zeg ik. 'Nou ja, het gaat.'

Hij gaat zitten en leunt licht mijn kant op. Het is lang geleden dat ik hem van zo dichtbij heb gezien. Ik zie dat de jaren hun sporen hebben achtergelaten: zijn haar is bleker en dunner geworden, er zijn meer rimpeltjes rond zijn ogen.

'Fijn dat je wilde komen,' zeg ik.

Hij knikt. Zijn ogen speuren mijn gezicht af en ik vraag me af wat hij ziet.

De serveerster komt. Ze heeft een bekoorlijk Frans accent en draagt puntige laarsjes met een luipaardmotief. Hij lacht haar op exact dezelfde manier toe als toen hij mij begroette: ontspannen, een beetje flirterig. Zonder het eerst aan mij te vragen bestelt hij een cappuccino en een chocoladebroodje voor me, en daaraan merk ik dat hij het nog steeds leuk vindt dat hij dingen van mij weet, dat hij weet wat ik lekker vind.

'Er was iets waar je met mij over wilde praten,' zegt hij vervolgens.

'Ja, over Sylvie, mijn dochter.' Ik schraap mijn keel. 'Ónze dochter. Ze heet Sylvie...' Even ben ik in verwarring, want ik weet niet of haar naam vermeld staat op het formulier van de kinderbijslag dat hij moet invullen. Ik weet niet eens of hij haar naam weet. De geur van zijn lotion maakt het moeilijk om helder na te denken.

Hij knikt behoedzaam.

'Weet je wat, ik zal je haar laten zien,' zeg ik.

Ik haal haar foto uit mijn tas. Het is er een waar ik erg van hou: ze heeft dat flauwe lachje en haar pony valt over haar ogen.

Hij slikt en ik zie zijn adamsappel bewegen. Ik merk dat hij op zijn hoede is en dat dit een moeilijk moment voor hem is.

Hij steekt zijn hand uit en pakt de foto aan. Ik zie hoe hij ernaar kijkt, naar deze afbeelding van ons kind. Een ondoorgrondelijke emotie glijdt over zijn gezicht. Het duurt lang voor hij zijn blik van de foto losmaakt. Dan kucht hij.

'Ze moet nu... hoe oud zijn, drie?' vraagt hij met een enigszins gedempte stem.

'Ze is bijna vier,' antwoord ik.

'De tijd vliegt,' zegt hij.

Hij geeft de foto terug en ik stop hem in mijn tas. De serveerster komt met de koffie en het gebak.

'Nou, vertel me wat je op je hart hebt,' zegt hij.

Ik neem een slokje koffie. Hij is heet, ik brand mijn tong.

Wat heb ik vaak over dit moment gefantaseerd: het moment waarop we elkaar na al die tijd weer zouden zien. Ik heb het me tot in detail voorgesteld hoe hij mij en Sylvie in een groene, feeërieke omgeving tegen het lijf zou lopen, in mijn meest gelukzalige fantasie is dat een prachtig park in Parijs. Sylvie ziet er allerliefst uit, ik loop op mijn hoogste hakken en ons wapperende haar glanst in het zonlicht. Hij wordt weer verliefd als hij beseft wat hij gemist heeft, en is helemaal weg van ons. Zo heb ik het me voorgesteld. Maar nu zit ik hier en laat ik mezelf aan hem zien in al mijn kwetsbaarheid. Ik laat hem zien dat zowel moeder als dochter verre van volmaakt is. Wat vind ik dit vreselijk.

'Ze is een fantastisch kind en ik hou heel veel van haar,' zeg ik tegen hem.

'Natuurlijk doe je dat, Grace,' zegt hij.

'Maar echt mákkelijk is ze niet. Ze heeft wel problemen,' zeg ik.

Dan vertel ik hem over haar fobieën, haar driftbuien en nachtmerries. De vreemde dingen die ze zegt houd ik voor me – voorlopig.

Hij luistert met een bezorgde uitdrukking op zijn gezicht. Als ik mijn verhaal heb gedaan legt hij zijn hand op de mijne. Ik voel de opwinding die zijn aanraking vroeger ook altijd in mij ontketende, waarbij ik me helemaal voor hem opende. Maar er is een ondertoon van matheid, sterker nog: van verdriet. Alsof ik op een en hetzelfde moment de hunkering onderga om met hem te vrijen en de verlatenheid die ik zou voelen als ik dat gedaan had.

'Lieverd,' zegt hij. Ik vind het fijn dat hij me zo noemt, en dat weet hij. 'Lieverd, je was ook nog zo jong toen je haar kreeg.'

Alsof hij er niets mee te maken had.

Ik zeg niets.

'Je moet je niet zoveel zorgen maken,' zegt hij. 'Ik bedoel, laten we eerlijk zijn, je bent altijd een piekeraar geweest... Kinderen hebben nu eenmaal hun ups en downs. Het is waarschijnlijk gewoon een fase.'

'Nee,' zeg ik. 'Er is echt iets ernstigers aan de hand.'

'Nou, misschien lijkt dat zo, Grace. Maar moeders zijn soms een beetje... overbezorgd. Je weet wel, ze blazen dingen op terwijl het eigenlijk allemaal goed gaat. Claudia bijvoorbeeld, dat geloof je niet...' Hij glimlacht: de gedachte amuseert hem. 'Ook zo'n piekeraar. Die kan echt door iets geobsedeerd raken.'

Ik ben hier niet gekomen om over Claudia te praten.

'De crèche wil haar niet meer hebben,' zeg ik tegen hem. 'Ze is pas drie, en nu is ze al van school getrapt...'

Hij fronst. Ik voel de verschuiving in hem: het moment waarop het tot hem doordringt dat er meer aan de hand is dan hij dacht.

'Jezus,' zegt hij. 'Arme schat.' Ik hoor de warmte in zijn stem en zou haar als een deken om me heen willen wikkelen. 'Wat moet dat zwaar voor je zijn.'

'Ja, dat is het ook,' antwoord ik.

'Als het echt zo erg is, moet je hulp hebben,' zegt hij. 'Zoek iemand die dit kan oplossen. Dat is beter dan hopen dat het vanzelf overgaat. Dat kan niet als het echt zo zwaar voor je is.'

'We zijn bij iemand geweest,' zeg ik tegen hem. 'Bij een kinderpsychiater in de Arbourskliniek.'

'Heel goed. Konden ze iets voor je doen?' vraagt hij.

Ik lepel het schuim van mijn koffie. 'Daarom wilde ik je zien. Hij vroeg me iets waar ik je over wilde spreken, namelijk of er aan haar vaders kant van de familie ook ziektes voorkwamen – je weet wel, iets genetisch of zo – die dit zouden kunnen verklaren. Misschien iemand die vreemde symptomen had. Natuurlijk wist ik dat niet want ik weet helemaal niets van jouw familie...'

Het is gênant om zoiets te vragen. Maar Dominic barst in lachen uit, alsof hij enorm opgelucht is nu blijkt dat dit alles is wat ik van hem wil.

'Nou, ma had ze niet helemaal meer op een rijtje voor ze stierf, die arme schat,' zegt hij tegen me. 'Maar afgezien daarvan zijn we een tamelijk saai zootje. Niet één kleurrijk personage. Geen interessante afwijkingen of perverse neigingen – zelfs geen voet-fetisjist.'

Hij lacht naar me, het is een plotselinge, overrompelend oprechte lach: Sylvies lach.

'Ik hoop dat je het niet erg vindt dat ik het je vroeg,' zeg ik.

Hij schudt lichtjes zijn hoofd. 'Jezus, Grace, ik vind het alleen maar rot dat ik je niet beter kan helpen. Dat ik niet een of andere lamstraal van een voorouder heb gehad die al het familiekapitaal heeft vergokt of zoiets...'

'Het leek me zinnig het je te vragen,' zeg ik.

Hij fronst. 'Misschien is die man van de Arbourskliniek niet de juiste persoon voor dit probleem,' zegt hij.

Ineens merk ik dat ik dwangmatig bezig ben alles wat tussen ons in op de tafel staat op een rij te zetten, zoals kinderen alles op een bepaalde manier neerzetten of bij het lopen de voegen tussen de stenen vermijden, in een poging rampen te voorkomen.

'Ik heb eigenlijk niks aan hem gehad,' zeg ik. 'Hij wilde Sylvie niet in behandeling nemen, hij zei dat ze het niet nodig had...'

'Dan moet je naar iemand anders gaan. Lieverd, je moet dit uit laten zoeken. Je moet de juiste persoon zien te vinden.'

Er valt een korte stilte. Ik neem kleine slokjes van mijn koffie en lik de cacaopoeder van mijn lippen. Buiten begint het te waaien, de wind slingert regendruppels als een handvol kiezels tegen het raam.

'Er is wel iemand die ik overwogen heb,' zeg ik tegen hem. Ik vind het belangrijk om te laten zien dat ik er alles aan gedaan heb, want ik moet er niet aan denken dat Dominic mij een onverantwoordelijke moeder vindt. 'Ik heb een artikel over deze man gelezen. Hij werkt op de universiteit, op de Psychologische Faculteit. Maar hij is wel onorthodox...'

Ik neem een hap van mijn chocoladebroodje maar het blijft aan mijn verhemelte kleven. Ik slik moeizaam.

Hij drinkt zijn koffie en houdt zijn ogen op mij gericht.

'Nou, als jij denkt dat hij je kan helpen, dan moet je erachteraan gaan, achter die onorthodoxe psycholoog van jou. Waarom niet? Onorthodox kan heel goed zijn,' zegt hij.

'Deze man – Adam Winters heet hij – werkt op het Parapsychologisch Instituut, zo heet dat. Hij onderzoekt paranormale verschijnselen. Volgens hem is het mogelijk dat kinderen als Sylvie zich iets herinneren – iets uit een vorig leven.'

Dominics ogen worden groot.

'O, dan neem ik het terug,' zegt hij gedecideerd. 'Die vent is een kwakzalver. Kan niet anders.'

Dat denk ik zelf ook, meestal althans. Maar nu merk ik dat ik Adam Winters wil verdedigen.

'Maar het is wel min of meer wetenschappelijk, hoor,' zeg ik.

'Grace, ik zou hier heel voorzichtig mee zijn.' Weer strekt hij zijn arm naar me uit. Hij legt zijn hand op mijn pols en schuift zijn warme vinger een klein stukje onder mijn mouw. 'Je bent zo teerhartig,' zegt hij. 'Je hebt altijd zo'n positieve kijk op mensen, maar je moet niet vergeten dat er een heleboel rare snuiters rondlopen. Ik zou het heel naar vinden als iemand misbruik van je maakt...'

'Hij is een echte psycholoog,' zeg ik. 'Hij voert experimenten uit. Het is allemaal heel zorgvuldig opgezet...'

Maar hij schudt zijn hoofd terwijl ik dit zeg, alsof hij niet kan geloven dat ik het meen.

'Hoor eens, ik weet dat je dit allemaal heel raar vindt, en meestal vind ik dat ook,' zeg ik tegen hem, want ik wil zo graag tot hem doordringen, zodat hij het begrijpt. 'Maar Sylvie zegt zulke vreemde dingen. Ze is geobsedeerd door een dorp in Ierland. Ik ben erachter gekomen waar het is, het heet Coldharbour.'

'Grace, ze is nog zo klein. Dat heeft ze waarschijnlijk op tv gezien. *Balamory* of zoiets. Of is dat in Schotland?' vraagt hij.

Ik schuif mijn chocoladebroodje opzij. De chocola ruikt heerlijk, bitterzoet, en smelt bijna, maar ik kan er niet van eten. Ik heb er zo naar verlangd om hier in dit café te zitten, ik heb zo vaak staan watertanden bij de taartjes in de etalage, en nu ben ik hier en krijg ik geen hap door mijn keel.

'Ik wilde je nog iets anders vragen. Of jij – je familie, bedoel ik – iets met Ierland hebt. Heb je daar misschien familie?'

'We zijn weleens naar een wake geweest in Ierland,' zegt hij. 'In Dublin. Een van Claudia's angstwekkende tantes had het loodje gelegd. Nou, zoiets kun je rustig aan de Ieren overlaten. Er werd daar stevig gedronken kan ik je zeggen. Maar meer kan ik niet bedenken – we hebben verder niets met Ierland.'

Hij bekijkt me aandachtig maar zijn blik is vaderlijk, en sceptisch – zo kijkt een vader naar een kind dat enigszins van het rechte pad is afgeweken. Zo wil ik niet dat hij naar mij kijkt.

'Ik kan je niet helpen, het spijt me, Grace.'

Ik wou dat ik er niet over begonnen was.

Er valt weer een stilte tussen ons.

'Hoe is het eigenlijk op je werk?' vraagt hij vervolgens op een gemakkelijke, ongedwongen toon. 'Werk je nog steeds voor die vrouw die eruitziet alsof ze net naar Woodstock is geweest?'

'Voorlopig nog wel, maar waarschijnlijk raak ik mijn baan kwijt,' antwoord ik. 'Omdat Sylvie niet meer naar de crèche kan.'

'Arme Grace,' zegt hij. 'Het klinkt allemaal ontzettend gecompliceerd.'

'Ja, dat is het ook.'

Hij schuift heen en weer op zijn stoel. Zijn houding heeft iets ongemakkelijks.

'Ik wou dat ik meer voor je kon doen,' zegt hij. 'Maar we zitten eerlijk gezegd een beetje krap op het moment. Het schoolgeld is zo hoog, dat geloof je gewoon niet...'

Ik staar hem aan, maar hij bedoelt dit niet ironisch.

Hij haalt een envelop uit zijn zak. 'Meer heb ik niet,' zegt hij.

Ik zie dat hij snel een blik om zich heen werpt om te zien of er iemand kijkt. Dan schuift hij de envelop over de tafel naar me toe. Ik zie dat er een stapeltje bankbiljetten in zit. Hij drukt de envelop in mijn hand en vouwt mijn vingers eromheen.

Plotseling laait er woede in me op, een enorme, allesomvattende woede die niet alleen op hem is gericht, maar op alles wat ertoe heeft bijgedragen dat ik me nu in deze situatie bevind. Ik wil de envelop over de tafel terugschuiven, ik wil tegen hem zeggen dat ik hem niet aanneem. Maar ik kan het geld heel goed gebruiken.

'Dankjewel,' zeg ik. Ik stop de envelop in mijn tas.

Door het geld is de sfeer ongemakkelijk geworden. Ik voel me zo beschaamd, en misschien schaamt hij zich ook. Ik heb geen idee hoe we nu verder moeten.

'Maar met jullie gaat alles goed?' vraag ik aan hem. 'Ik bedoel, met Charlie en Maud?'

Hij knikt en glimlacht. Meteen ontspant hij, nu hij over zijn andere kinderen kan praten.

'Maud heeft clavecimbelles. Ze zeggen dat ze nogal getalenteerd is en daar zijn wij natuurlijk opgetogen over...'

'Dat is geweldig,' zeg ik beleefd.

Hij drinkt zijn koffie op. 'Als er verder niets meer is, lieverd,' zegt hij. 'Dan moest ik maar weer eens gaan.'

'Nee, dit was alles,' zeg ik tegen hem.

Hij wenkt de serveerster en rekent af. 'Oké,' zegt hij.

Hij staat op en loopt naar mijn kant van de tafel. Met een vinger onder mijn kin draait hij mijn gezicht naar zich toe. Ik voel de warmte van zijn adem op mijn gezicht. Een golf van verlangen spoelt over me heen.

'Grace, wij samen,' zegt hij terwijl hij me diep in de ogen kijkt. 'We hebben mooie tijden beleefd, hè?'

Hij is de enige man van wie ik ooit heb gehouden, hij is de vader van mijn kind. Ik zou dat anders hebben geformuleerd.

Ik kijk hem na als hij wegloopt, de deur door, de straat op, waar het inmiddels hard is gaan regenen. Hij loopt nogal snel, alsof hij blij is zich uit de voeten te kunnen maken. Door de regen die langs het raam druipt wordt zijn gestalte wazig en vlekkerig, zoals alles wat je ziet wazig wordt wanneer je ogen zich vullen met tranen.

18

De hele dag voel ik me ontheemd op een manier die ik niet goed kan verklaren, alsof Dominic me iets dierbaars heeft afgenomen. Het komt in me op om Karen te bellen, maar ik weet dat ze met afschuw zou reageren. Ik hoor haar al zeggen: Grace, je gaat me toch níét vertellen dat je die rat weer gezien hebt... Ze zou me voor gek verklaren dat ik dit gedaan heb, dat ik me kwetsbaar heb opgesteld. En natuurlijk heeft ze gelijk, maar dat wil ik niet van haar horen. Ik vertel het haar nog wel een keer, maar nu nog niet.

We hebben weinig klanten. De hele middag stroomt het van de regen, waardoor alleen het meest doorgewinterde winkelpubliek zich op straat waagt. Ik houd mezelf bezig met opruimen en het op orde brengen van de planken waarop onze cadeau- en tuinartikelen staan uitgestald: zaadjes van wilde bloemen in bruine papieren zakjes, flesjes lavendelwater, kaarsen die naar vijgen of zoethout geuren. Ik heb een brok in mijn keel, zoals je die voelt wanneer je je best doet om niet te gaan huilen.

Zo nu en dan zie ik Lavinia peinzend naar me kijken. Als ze op het punt staat om met haar sigaretje naar buiten te gaan, komt ze naar me toe en legt haar hand op mijn arm.

'Gaat het wel goed, Gracie?' vraagt ze.

'Het gaat. Nou ja, ik heb iets stoms gedaan. Het leek eerst zo'n goed idee, maar het was echt heel stom.'

'Wil je erover praten?'

'Nee, niet echt. Sorry. Ik geloof niet dat ik dat kan.' Mijn gezicht is heet. Weer voel ik de schaamte die in het café over me kwam. 'Ik probeerde Sylvie te helpen – nou ja, dat maakte ik mezelf wijs. Maar misschien was het alleen maar een excuus...'

Ze laat haar kalme, grijze ogen op mij rusten. Ze heeft een wetende blik en ik voel dat ze al doorheeft wat ik gedaan heb. Maar ze dringt niet aan, en daar ben ik haar dankbaar voor.

Even drukt ze me dicht tegen zich aan.

'Soms is het leven kut,' zegt ze.

Ik klamp me nog even aan haar vast. Nu zou ik haar moeten vertellen dat we de plek bij de crèche kwijt zijn, maar ik kan het niet aan, niet vandaag.

Als ik aan het eind van de dag naar de auto loop, kijk ik hoeveel geld er in de envelop zit. Hij heeft me tweehonderd pond gegeven.

Op weg naar de crèche sla ik af in de richting van Tijger Tijger. Ik ga het poppenhuis kopen dat Sylvie wil hebben en dat ik me niet dacht te kunnen veroorloven nu onze toekomst zo onzeker is geworden. Maar het lijkt me wel een goede bestemming voor het geld, zo'n verwennerij, zo'n extravagant gebaar.

De verkoopster, een stijlvolle jonge vrouw met flitsende s m-laarzen, verpakt het poppenhuis met veel ruisend vloeipapier in een doos. Weer vraag ik me af waarom dit huis zo duidelijk Sylvies voorkeur heeft – zo'n eenvoudige witgepleisterde cottage – terwijl de winkel vol staat met mooiere, grotere exemplaren.

Ik koop een barbiepop voor Lennie, die zondag jarig is, twee dagen voor Sylvie, en nog wat poppen en meubeltjes voor het poppenhuis. Ik neem alles mee naar de toonbank. De marionetten hangen nog steeds aan het plafond: de prinses in haar wolk van zijde en de heks met haar spinnenwebbenhaar: ze draaien rond en lijken te huiveren als de lucht ze in beweging brengt.

De verkoopster glimlacht. 'Dit is zo'n fantastisch poppenhuis,' zegt ze. 'Daar zult u iemand heel gelukkig mee maken.'

De schaduwen van de marionetten glijden over haar handen als ze de doos dichtdoet. 'Het is voor mijn dochter,' zeg ik tegen haar. 'Ze wil hem al tijden hebben.'

'Nou, ze zal er blij mee zijn,' zegt de vrouw, en ze slaakt een nostalgische zucht.

'Ik was helemaal wég van mijn poppenhuis toen ik klein was.

Het was mijn lievelingsspeelgoed. Je kunt er uren en uren mee spelen...'

Ondanks mezelf welt er vreugde in me op als ik eraan denk hoe blij Sylvie zal zijn.

Na het eten, als Sylvie in haar kamer gaat spelen, pak ik het poppenhuis uit en zet het op de grond.

'Sylvie! Ik heb iets voor je...'

Ze komt terug naar de huiskamer en kijkt naar het poppenhuis. Er verschijnt een vergenoegd lachje op haar gezicht. Dan kijkt ze me een beetje verbouwereerd aan.

'Maar ik ben nog niet jarig,' zegt ze. 'Ik ben dinsdag pas jarig.'

'Je krijgt je cadeau wat eerder dit jaar,' zeg ik.

'Waarom, Grace?'

'Daarom. Omdat je het altijd al wilde hebben. Omdat je het zo ontzettend graag wilde hebben.'

'Dankjewel,' zegt ze, een beetje formeel.

Ik ga op mijn knieën zitten en omhels haar.

Ze wacht tot ik mijn armen terugtrek en gaat dan het huis bekijken. Ze laat een vinger langs het dak glijden en doet dat met een heel subtiele beweging, alsof het van eierschaal gemaakt is.

'Het is mijn huis, hè, Grace?' zegt ze. Maar ze zegt het nu een beetje aarzelend, op de een of andere manier klinkt ze minder zeker dan toen we er in de etalage van Tijger Tijger naar keken.

'Ja. Het is het huis dat je wilde hebben. Vind je het niet mooi?'

'Ja,' zegt ze.

Maar ze klinkt een beetje verbluft.

Ik haal de poppetjes en meubeltjes tevoorschijn die ik voor haar heb gekocht. De hele avond speelt ze met het poppenhuis en laat ze de poppen door de kamers lopen. Ze lijkt er wel blij mee te zijn, maar toch had ik me haar reactie anders voorgesteld. Er is iets terughoudends in haar spel, alsof het haar toch niet helemaal bevredigt, alsof het niet is wat ze had verwacht. In de etalage van Tijger Tijger was de voorkant dicht. Misschien was het toen werkelijker voor haar, toen ze er nog niet in kon kijken. Misschien had ze ze zich anders voorgesteld, deze keurige lege kamertjes met hun triplex wandjes en het geblokte behang op de muren.

Ik heb een triest, onaf gevoel. Ik had zo naar dit moment uitgekeken, al maandenlang. Maar nu heb ik een vaag gevoel van spijt dat mijn gebaar niet het verwachte effect heeft gehad, dat ik geld eraan heb uitgegeven dat ik eigenlijk opzij had moeten leggen. De gedachte komt in me op dat ik het poppenhuis voor de verkeerde persoon heb gekocht, dat ik het evenzeer voor mezelf heb gekocht als voor Sylvie, alsof ik door haar een plezier te doen iets van mijn eigen misère hoopte te verzachten.

19

De volgende dag ga ik tijdens mijn lunchpauze naar huis. Onderweg eet ik mijn stokbroodje op. Ik heb tegen Lavinia gezegd dat ik boodschappen ga doen.

Mijn flat krijgt iets hols als Sylvie er niet is. Ze is meestal een heel rustig kind, maar haar aanwezigheid is altijd voelbaar, alsof de atmosfeer op een heel subtiele manier verandert als zij er is. Het is zo vreemd om hier nu alleen te zijn, alsof ik verboden gebied betreed.

Aan tafel in de huiskamer zoek ik crèches op in het telefoonboek. Het zijn er geruststellend veel. Ik beperk me tot tien locaties die gemakkelijk bereikbaar voor me zijn. Als het me vandaag lukt een geschikte plek te vinden, hoeft Lavinia nooit te weten wat er bij De Beukennootjes is gebeurd.

Ik bel de eerste crèche op mijn lijstje. 'Ik vroeg me af of jullie nog plaats hebben. Het is maar voor een jaar, tot mijn dochter naar school gaat.'

'Ik vrees dat we helemaal vol zitten,' zegt de receptioniste kordaat. 'Hupsakee is erg in trek. We kunnen haar wel op de wachtlijst zetten, maar ik zie haar eerlijk gezegd niet aan de beurt komen voor ze naar school gaat...'

Ik werk het hele lijstje af. Overal hetzelfde verhaal: nergens is plaats voor haar.

De receptioniste van Haasje-Over probeert met me mee te denken.

'Bent u hier soms pas komen wonen?'

'Nou, nee, dat niet.'

'Want in deze buurt moeten kinderen heel vroeg worden aangemeld,' zegt ze. Ze klinkt verstandig, lispelt een beetje en spreekt de woorden langzaam uit. 'We hebben hier ouders die dat meteen na de geboorte al doen. Sommigen zelfs nog eerder, na de eerste echo. Er is nogal een run op plaatsen, je moet echt lang van tevoren plannen.'

'Soms is dat niet mogelijk. Soms gebeuren er dingen die niet zouden moeten gebeuren,' zeg ik.

'Maar dat is precíes waarom het zo belangrijk is om vooruit te denken!' Ze klinkt ietwat triomfantelijk, alsof mijn opmerking haar gelijk bevestigt.

De laatste crèche op mijn lijstje heet Het Moerbeibosje. Ik kijk naar buiten, naar mijn verregende tuin en de kronkelige moerbeiboom met zijn piepkleine, strakke, donkere knobbels waar de nieuwe knoppen zich aandienen. Ik maak mezelf wijs dat deze naam een goed voorteken is.

De receptioniste klinkt overdreven vriendelijk.

'We hebben vast nog wel plek,' zegt ze.

Mijn hart gaat sneller kloppen.

'Laat me even kijken. Ja, hier heb ik het...' Ze klinkt vergenoegd, alsof ze bezig is iemand een geschenk aan te bieden. 'Uw dochtertje kan hier op dinsdag- en donderdagmiddag terecht.'

'Nee, het spijt me,' zeg ik. 'Nee, dat is niet wat ik zoek.'

Ik blijf nog even zitten en staar naar de tuin. Overal kale takjes, alles dof en sluimerend. De rozenstruiken zijn knoestig en uitgegroeid, en op het gras liggen wat doorweekte bladeren, donker als leer. Mijn sneeuwklokjes hebben hun beste tijd gehad en de primula's die ik heb geplant zijn door de vorst beschadigd en hebben verwelkte, zwarte blaadjes. Voor mijn ogen sluipt een vos over het gras: hij loopt mank, waarschijnlijk heeft hij zijn poot bezeerd. Het lijkt wel of alles kapot is.

Ik weet niet wat ik nu moet doen. Misschien kan ik een oppas vinden, maar hoe lang zou dat goed gaan als zo iemand erachter kwam hoe Sylvie kan zijn? Of ik zou een crèche moeten nemen die veel verder weg is, maar waarom zou daar wel plaats zijn als alle crèches hier in de buurt vol zijn? En hoe lang zouden ze het daar met haar uithouden? Mijn hoofd zit vol gedachten die nergens toe leiden.

Ik blader door het telefoonboek. Dan realiseer ik me dat ik

heel terloops, gewoon om te kijken of het er in staat, op zoek ben naar het nummer van de universiteit. Ik heb het zo gevonden, en dat wekt een vage, onnozele verbazing in me op: dat het zo makkelijk is, dat iedereen de universiteit kan bellen.

Terwijl ik mezelf van een afstandje gadesla, draai ik het nummer. Omdat ik niet weet welk toestelnummer ik moet hebben, wacht ik tot ik de telefoniste aan de lijn krijg. Ik hoor Vivaldi's *Vier Jaargetijden* waarvan steeds hetzelfde stukje klinkt. Ik kan niet geloven dat ik dit doe. Zo nu en dan vertelt een vrouwenstem mij dat het gesprek dat ik aanvraag ertoe doet. In mijn hoofd oefen ik alvast wat ik wil vragen. *Ik zou Adam Winters graag willen spreken. Hij werkt op het Parapsychologisch Instituut...* Maar stel dat ik hem aan de lijn krijg, wat moet ik dan in hemelsnaam zeggen? Ik kan me er niets bij voorstellen.

De muziek begint weer opnieuw – onverstoorbaar, opgewekt, onpersoonlijk. *Het gesprek dat u aanvraagt is belangrijk voor ons.* Ik zeg bij mezelf dat dit krankzinnig is en verbreek de verbinding.

20

We zijn op Lennies verjaarspartijtje. Onder een fonkelende feestslinger met de tekst HARTELIJK GEFELICITEERD zitten de kinderen vlijtig aan de keukentafel te eten terwijl de moeders met een glaasje pinot grigio in de hand eromheen staan te kletsen. De ruimte is prachtig versierd, met overal kleuren, glans en glitters, en ik denk, zoals ik zo vaak doe, dat Karen bevoorrecht is om in zo'n prachtig huis te wonen, met al die ruimte die het mogelijk maakt om gastvrij te zijn. Ik vraag me af of Sylvie het erg vindt dat ik geen partijtjes voor haar organiseer, maar als we het er weleens over hebben lijkt het haar niet veel te kunnen schelen.

Sylvie ziet er vandaag gelukkig uit. Giechelend zit ze naast Lennie en samen blazen ze door gebogen rietjes belletjes in hun druivensap. Het maakt een vreselijk slurpend geluid en ik vraag me af of ik Sylvie moet zeggen dat ze ermee op moet houden en of Karen dat misschien van mij verwacht, maar ik geniet ervan om Sylvie zo te zien spelen, precies zoals normale kinderen doen.

Michaela komt naar me toe om een praatje te maken. Ze heeft een vestje aan met een luipaardmotief dat voor de helft openstaat, waardoor de diepe gleuf tussen haar borsten zichtbaar is.

'Grace, wat ik je nog wilde vertellen: we hebben een plaats bij De Beukennootjes. We zijn zo blij!'

'Dat is geweldig,' zeg ik tegen haar. 'Ik weet zeker dat jullie daar geen spijt van zullen krijgen.'

'Heeft Sylvie het er nog steeds naar haar zin?' vraagt ze.

'O ja, heel erg,' antwoord ik.

Ik kan het niet over mijn lippen krijgen dat Sylvie de wacht is aangezegd, ik kan het gewoon niet aan. Alleen al hoe ze dan zal kijken: geschokt, bezorgd, een beetje afstandelijk misschien. Niet meer zo happig op een gesprek met mij.

'Wat is die tuinkamer daar toch heerlijk,' zegt ze. 'En mevrouw Pace-Barden heeft het helemaal in de vingers hoe ze met de kinderen om moet gaan.'

'Ja, hè, dat vind ik ook.'

Met angst en beven zie ik haar volgende vraag tegemoet, maar dan gaat alle aandacht naar Fiona, die staat te vertellen dat hun kat de hamster heeft opgegeten. Ze dachten dat hij een sok in zijn bek had, maar toen hoorden ze een vreselijk geknars. Daarna was er alleen maar een plukje bruine vacht over. Het kon de kinderen niet zo veel schelen, maar Fiona had geestelijke bijstand nodig... Iedereen hangt aan haar lippen, en ik ben blij met de afleiding.

Ik werp een blik op Sylvie en Lennie. Ze hebben hun stoelen tegen elkaar aan geschoven om samen uit hetzelfde papieren bekertje te kunnen drinken. Als ze aan hun rietjes zitten te zuigen raken hun hoofden elkaar bijna. Dan presenteert Karen haar zelfgebakken biscuitjes met snoepjes erop, en Sylvie voert Lennie een paar Smarties die ze van haar koekje heeft afgehaald. Glimlachend kijk ik naar ze: Sylvie heeft de bekommerde aandacht van een moeder die haar kind voedt.

Na de maaltijd haalt Karen de taart tevoorschijn, die ze zelf heeft gebakken. Het is een barbiekasteel dat weelderig voorzien is van allerlei torentjes en kantelen van suiker. Ze draagt hem naar de huiskamer en zet hem op de salontafel. De kinderen en de moeders lopen achter haar aan. Sylvie komt naar me toe en pakt mijn hand.

'Heb je het fijn, schat?' vraag ik.

'Ja, Grace. We hebben grote bellen geblazen.'

Haar adem ruikt naar chocola en haar lippen zijn rood van de druivensap. Ik geef haar een kus op haar hoofd.

We kijken toe hoe Karen de kaarsjes aansteekt. Dan doet Leo de lampen uit, zodat alleen de taart nog verlicht is. We zingen Happy Birthday. Ik hou altijd van dit moment: de flakkerende kaarsjes en de plechtige sfeer.

Happy birthday dear Lennie
Happy birthday to you

Dan valt er een gespannen, verwachtingsvolle stilte als Lennie inademt om de kaarsjes uit te blazen.

Sylvie trekt me aan mijn hand naar beneden. Ze legt haar hand om mijn oor en begint luid te fluisteren: elke lettergreep krijgt nadruk en klinkt als een klok in de stilte.

'Ze mogen dat niet zingen, Grace,' zegt ze.

'Sst,' zeg ik. 'Sst.'

'Ze mogen dat niet. Zij is Lennie niet, Grace.' Ze klinkt een beetje ongeduldig omdat ik het niet begrijp. 'Ze is niet de échte Lennie,' zegt ze.

Om ons heen is een soort leemte ontstaan – haar woorden vallen er als een handvol stenen in. Iedereen kijkt naar ons. Fronsend, in opperste concentratie, kijkt Lennie naar haar taart – ik hoop met heel mijn hart dat ze er zo door in beslag wordt genomen dat ze het niet heeft gehoord. Mijn gezicht gloeit.

'Sylvie, hou daarmee op,' sis ik in haar oor.

Ze wendt haar gezicht van me af.

'Je spuugt, Grace,' zegt ze.

Lennie blaast en we beginnen allemaal te klappen. De kamer wordt weer rumoerig en ik laat de geluiden dankbaar over me heen komen. De kinderen drommen samen en Sylvie glipt weg. Karen neemt de taart mee naar de keuken om hem in stukken te snijden.

Leo vult onze glazen bij. Hij heeft zijn prettige, sociale lachje en draagt een knipperende vlinderdas. Hij kijkt me onderzoekend aan en ik ben bang dat hij een opmerking zal maken over wat Sylvie gezegd heeft.

'Grace, ik wilde je nog even spreken. Ben je nog achter de naam van dat plaatsje gekomen waar je het laatst over had? Dat mooie stukje kust?'

Ik haal opgelucht adem dat dat alles is wat hij wil weten.

'Ja, ik denk het wel,' antwoord ik. 'Het is een dorp in Ierland, geloof ik.'

'Én?'

'Een vissersplaatsje. Gewoon een plaatsje dat Sylvie er leuk vindt uitzien.'

De knipperende vlinderdas brengt me van de wijs.

'O, kom nou, Grace, er is toch wel iets meer aan de hand?' Plagerig raakt hij mijn blote arm aan. 'Laat me nou niet in de steek, Gracie, ik had zulke hoge verwachtingen van jou. Je gaat me nu toch niet teleurstellen?'

'Je weet hoe kinderen zijn als ze eenmaal iets in hun hoofd hebben...'

Leo fronst een beetje.

'Waarom doe je zo geheimzinnig? Ik bedoel, ik was ervan overtuigd dat jij en Karen iets zaten te bekokstoven. Jullie maakten zo'n samenzweerderige indruk. Maar zij wilde me er niets over vertellen.' Hij kijkt me onderzoekend aan. 'En jij ook niet, hè?'

Ik lach naar hem. Ik weet niet wat ik moet zeggen.

Hij strijkt nogmaals met een warme vinger over mijn arm.

'Ik moet Karen toch nog maar eens bewerken,' zegt hij. 'Duimschroeven helpen misschien.' Hij loopt weg en vult Fiona's glas bij.

Michaela heeft het over de renovatie van haar huis. Voor haar eetkamer is ze rolgordijnen aan het maken van stof die gebruikt wordt voor Hongaarse huifkarren, en degene die de verbouwing doet is een voormalige marineman met schitterende buikspieren. 'Werkelijk. Haast architectonisch. Om een moord voor te doen...'

Ik luister maar met één oor. Een vaag onlustgevoel bekruipt me. Ik kijk de kamer rond en zie dat Lennie haar moeder roept. Haar gezicht is rood en haar ogen glinsteren van de tranen. Sylvie staat naast haar en ziet er kalm en ingetogen uit. Misschien wel té kalm. Ik schuifel door de kluwen van kinderen naar ze toe.

'Mám!'

Lennie schreeuwt, het klinkt dwingend. Maar Karen is in de keuken de taart aan het snijden. Lennies stem wordt scherper.

'Mám! Ze heeft het weer gezegd. Ze zei het weer. Mám!'

Ik haast me naar hen toe, maar het gebeurt allemaal zo snel. Sylvie zegt iets tegen Lennie, maar ik kan niet horen wat. Lennie draait zich abrupt om en stompt haar hard tegen de borst. Sylvie reageert eerst niet, gaat niet huilen, er gebeurt niets. Ik wacht op een schreeuw die niet komt. Dan buigt ze naar voren en zet haar tanden in Lennies arm.

Bij Sylvie aangekomen trek ik haar weg. Lennie kijkt verbijsterd naar de rode afdruk op haar huid. Een moment blijft het stil, dan ademt ze in en begint woedend en vol afgrijzen te huilen. Karen komt de kamer binnen en gaat naar haar toe.

Ik hoor hoe ze haar probeert te troosten, haar stem klinkt nogal luid.

'Dat had ze niet mogen zeggen. Maar zo is Sylvie nu eenmaal, lieverd, dat weet je. Ze zegt vreselijke dingen. Nee, natuurlijk had ze dat niet mogen zeggen...'

Ik trek Sylvie mee de gang op en pak haar gezicht stevig vast, dwing haar naar me te kijken. Haar huid voelt koud aan tegen de mijne.

'Sylvie, je mag nóóit, nóóit iemand bijten. Alleen baby's doen dat...'

Haar gezicht is roerloos en gesloten. Mijn woorden klinken hol en betekenisloos en lijken hun doel totaal te missen. Ik doe dit eigenlijk voor mezelf, omdat de andere moeders van mij verwachten dat ik haar apart neem en een standje geef. Maar ik weet dat het niets zal veranderen: ik weet dat ik haar niet kan bereiken.

'Ze sloeg me, dus toen beet ik haar,' zegt ze heel rustig, als de constatering van een feit.

'Ze sloeg je omdat jij haar van streek maakte,' zeg ik. 'Als jij dat niet gedaan had was dit allemaal niet gebeurd.'

Hier reageert ze niet op. Ze knijpt haar ogen stijf dicht, zodat ze mijn gezicht niet kan zien.

'Waarom heb je het gedaan? Waarom zeg je dat soort dingen? Waarom moet je haar zo van streek maken? Ze is járig, Sylvie.'

'Ze had me niet moeten slaan,' zegt ze.

Ik neem haar mee terug naar de huiskamer.

'Het spijt me,' mime ik naar Karen. Maar ze kijkt niet echt mijn kant op en misschien heeft ze het niet gezien. Ze heeft haar arm om Lennie geslagen, die nog steeds hard staat te schreeuwen terwijl ze met een soort trots naar haar zeer zichtbare verwonding kijkt. Je kunt de tanden in haar huid zien staan. Ik weet zeker dat Karen boos is, op mij en op Sylvie. Dat zou iedereen zijn.

Fiona komt naar me toe met een uitgestreken gezicht waar een voorzichtig soort medeleven uit spreekt.

'Arme ziel,' zegt ze. 'Het is vreselijk als ze zo doen.' Ze schudt een beetje met haar hoofd, waarbij haar oorbellen een harde, metalige glans afgeven. 'Wat voel je je dan verschrikkelijk, hè? Het is zo moeilijk om te weten hoe je zoiets moet aanpakken...'

Ik knik, neem een grote slok wijn en hou mezelf voor dat ze het aardig bedoelt. Toch voel ik het op een bepaalde manier als een beschuldiging.

'Die Alex van mij was een bijter,' zegt ze. 'Toen hij kleiner was natuurlijk, een heel stuk jonger dan Sylvie nu is. Een keer ontstond er een vechtpartij tussen een hele groep jongetjes – het leek meer op rugby eigenlijk, en hij springt gewoon midden in het strijdgewoel en neemt de eerste de beste hand en bijt erin. Ik zal nooit vergeten hoe hij keek toen hij besefte dat het zijn eigen hand was... Hij was natuurlijk pas twee toen...'

'Ze heeft nog nooit zoiets gedaan,' zeg ik.

Fiona kijkt sceptisch. Ik zie aan haar gezicht dat ze me niet gelooft.

'Ik weet dat het een beetje ouderwets klinkt,' zegt ze, 'maar naar mijn idee gaat er niets boven een ferme tik. Er zijn gewoon momenten waarop dat het enige is wat tot ze doordringt. Soms is er geen andere taal die ze begrijpen...'

Ik mompel iets, maak me uit de voeten en ga naar de keuken om mijn glas bij te vullen.

Ik blijf een moment bij het raam staan en kijk naar de tuin. Het is inmiddels bijna donker, alleen aan de westelijke hemel zijn nog een paar flarden zachtoranje licht te zien. Het glas weerspiegelt de feestelijke kamer: de ballonnen, het stralende licht en de lachende mensen. De vormen tekenen zich echter broos en vergankelijk af tegen de zich verdichtende duisternis, alsof alleen het donker substantie heeft.

Karen komt naar me toe. Daar ben ik blij om want ik heb iemand nodig om mijn droevige stemming te verdrijven.

'Grace, ik wil even met je praten,' zegt ze.

Ze klinkt ernstig, wat me een onbehaaglijk gevoel geeft.

Ik wacht tot ze verdergaat. Het is duidelijk dat ze boos is. Haar lippen zijn dun en hard.

'Hoor eens, Grace, ik weet niet hoe ik je dit moet zeggen, maar om eerlijk te zijn denk ik niet dat dit zo door kan gaan, wat vind jij?'

Ik staar haar sprakeloos aan. Ik geloof mijn oren niet.

'Sylvie en Lennie,' zegt ze. 'Hun vriendschap.' Over haar gezicht verspreidt zich een rode gloed. Ze schuift een lok achter haar oor. 'Ik weet gewoon niet of we hiermee door moeten gaan. Ik weet niet of het goed voor ze is. Voor hen allebei...'

Het voelt alsof ik een dreun krijg.

'Maar... ze zijn zo dol op elkaar.' Mijn stem klinkt hoog en trillerig en lijkt heel ergens anders vandaan te komen. 'Ik bedoel: Sylvie adoreert Lennie, en meestal spelen ze zo leuk samen...'

Ze schudt lichtjes haar hoofd. 'Het lijkt me beter om er even mee te stoppen,' zegt ze. 'Gewoon even een pauze in te lassen.'

Ik voel een lichte paniek in me opkomen.

'Dus... ik zie jou dan ook niet meer?'

Even blijft het stil, alsof ze hier nog helemaal niet aan heeft gedacht.

'Misschien kunnen wij met zijn tweeën ergens een borrel gaan drinken,' zegt ze.

'Je weet dat dat niet kan, ik heb geen oppas.'

'Natuurlijk, wat stom van mij. Maar maak je geen zorgen, we verzinnen wel iets,' zegt ze, en loopt weg.

21

We zijn druk aan het werk in de bloemenwinkel. We verkopen tulpen en narcissen en mandjes met pepperwhites die ondefini-eerbaar kruidig geuren, het soort bloemen dat in een opwelling gekocht wordt, vooral op een dag als vandaag met een zachte, heldere hemel, zingende vogels en een briesje dat naar groei en bloei ruikt. Het is goed om druk bezig te zijn, het leidt me af van mijn gekwetste zelf.

Ik merk dat Lavinia naar me kijkt met een intense, nieuwsgie-rige blik – een blik als een vraag. Als er even niemand in de win-kel is, vertel ik haar over Karen.

'O, Grace, wat naar voor je, wat moeilijk,' zegt ze. 'Maar vriend-schappen tussen moeders hebben hun hoogte- en dieptepunten. Kinderen drijven soms een wig tussen volwassenen...'

'Ja, dat zal wel.'

Ik kan haar niet vertellen hoe ik me echt voel, dat ik het ge-voel heb dat het leven zoals ik het tot nu toe heb geleid – met de feestjes en verjaardagen met de andere moeders en kinderen, het koffiedrinken in de keuken van Karen en alle veilige, intieme ri-tuelen die horen bij het leven met een klein kind – dat dit alles me ontglipt.

'Ik weet zeker dat jullie er samen uitkomen,' zegt Lavinia. 'Ik bedoel, jullie zijn al eeuwen bevriend. Er moet toch een sterke band tussen jullie bestaan...'

Een moment voel ik me getroost. Tenslotte was Karens af-wijzing niet op mij gericht, maar ging het om Sylvie. Maar dan zie ik haar gezicht weer voor me toen ze zei dat ze niet wist of we ermee door moesten gaan. Die harde, gesloten uitdruk-king.

Die middag moet ik naar de tandarts. Mijn kies is weer pijn

gaan doen en ik weet dat hij getrokken moet worden. Om half-drie stap ik in de auto. De helderheid van de ochtend is door wolken verdreven en de lucht ziet er vlekkerig uit, als een vuil raam. Doordat er weinig verkeer is ben ik vroeg. Ik ga naast het aquarium zitten, adem de lucht van ontsmettingsmiddelen in en kijk de stapel tijdschriften door, op zoek naar de *Twickenham Times* waar dat artikel in stond. Het ligt er niet meer bij: oude kranten bewaren ze natuurlijk niet. Ik voel opluchting maar ben ook een beetje teleurgesteld.

De tandarts verdooft me grondig en kletst tegen me terwijl mijn kaak gevoelloos begint te worden. Hij heeft veel te klagen: over het openbaar vervoer, het vuil op straat. Alles gaat achteruit. Zijn stem klinkt somber, maar zijn ogen twinkelen: hij geniet van dit soort gesprekken. Mijn repliek komt er steeds moeizamer uit.

Dan pakt hij iets wat op een tang lijkt en begint aan mijn kies te sjorren. Ik moet mijn mond heel wijd openhouden want de kies zit achterin. Het voelt alsof hij me doormidden splijt, alsof mijn mond niet zo ver open kan. Hij trekt hard en ik hoor hem moeizaam ademhalen. Er komt geen beweging in. Hij schudt zijn hoofd.

'Die kies is erg aan u gehecht,' zegt hij.

Hij pakt een ander tangetje. Ik voel niets, ben geheel verdoofd, maar ik hoor wel het geknars en gekraak in mijn mond. Hij trekt een stukje van de kies los, ik zie het bloedig en verwrongen in de tang zitten. Dan komt er nog een stukje uit, en dan weer een. Hij legt ze op een papieren schaaltje. Even komt het in me op dat hiermee magie kan worden bedreven, dat er mensen zijn die een bezwering over je kunnen uitspreken als ze een stukje van je lichaam hebben – een haar, een nagel of een stukje van een kies. Mijn mond zit vol met bloed, dat een wrange, metalige smaak heeft.

'Hebt u nog veel te doen vandaag, mevrouw Reynolds?'

'Ik ga zo terug naar mijn werk,' antwoord ik.

Ik spoel met het groene ontsmettingsmiddel en zie een bloedige krul in het putje van het witte fonteintje wegdraaien.

'U zou nu eigenlijk even vrij moeten nemen, om hiervan bij te komen,' zegt hij.

'Ik red me wel,' zeg ik tegen hem.

'Nou, let wel een beetje op uzelf, hè? Een ingreep als deze is een aanslag op het gestel.'

Ik verzeker hem dat ik voorzichtig zal zijn en ga naar de balie om te betalen.

'En hoe gaat het met de kleine meid?' vraagt de receptioniste.

Tot mijn verbazing heb ik zomaar ineens de behoefte om in tranen uit te barsten en mijn hart bij haar uit te storten. Ik druk het gevoel de kop in.

'O, Sylvie maakt het goed hoor,' zeg ik, zoals ik altijd doe.

Bij mijn auto aangekomen besef ik dat de tandarts gelijk had: ik voel me aangeslagen. De verdoving begint al weg te ebben en mijn kaak schrijnt, wat betekent dat de pijn in aantocht is. Ik werp een blik in de binnenspiegel en zie dat ik er verschrikkelijk uitzie. Mijn lippen zijn vampierachtig roodomrand, en door de verdoving is de vorm van mijn gezicht veranderd: aan de linkerkant sluiten mijn lippen niet meer goed en een van mijn oogleden hangt wat naar beneden. Zo zal ik eruitzien als ik oud ben.

Ik voel me nog niet in staat om auto te rijden en zet de radio aan. Terwijl ik wacht tot ik me wat beter voel, luister ik naar een nummer van Dido en kijk naar buiten, naar de trottoirs en alle mensen die langslopen. Een vrouw met strak achterovergekamd haar duwt een buggy voort met een kind erin. Ze heeft paarse wallen van vermoeidheid onder haar ogen. Een jongeman praat in zijn mobieltje. Ik heb het raampje op een kier staan en hoor hem met iets van dreiging in zijn stem zeggen: 'Wat je er ook van vindt, wat je standpunt ook is, het maakt mij niet uit. Oké? Oké?' Een bejaarde vrouw met heel veel lippenstift op haar tandeloze mond. Twee bleke jongens met capuchons op, die weinig te doen lijken te hebben en een hongerige, onrustige indruk maken.

En dan zie ik ze op de stoep aan de overkant met kwieke tred aan komen lopen: Claudia, Charlie, Maud. *Verdomme.* Ik zak onderuit op mijn stoel tot ik niet meer te zien ben.

De kinderen dragen hun schooluniform: een kraakheldere grijze blazer met een donkergroene bies. Nu herinner ik me dat hun school om de hoek is. Claudia's BMW staat ongeveer ter hoogte van mijn auto aan de overkant geparkeerd. Als ze bij de auto zijn doet ze de achterbak open en gooien de kinderen hun spullen erin: schooltassen, sporttassen, hockeysticks. Maud geeft Charlie een speelse stomp, hij struikelt en grijpt haar bij haar jasje. Ze gieren het uit. Ik ben zo dichtbij dat ik hun gebaren en de uitdrukking op hun gezichten goed kan zien. Ze hebben zo veel van Dominic: Maud heeft zijn gelaatskleur en zijn vanzelf-sprekende zelfvertrouwen, Charlie heeft net als Sylvie zijn spon-tane lach geërfd. Claudia draait zich naar hen om. Met een van ergernis vertrokken gezicht roept ze de kinderen tot de orde. Ze heeft een strakke rok aan die tot op haar kuiten hangt en hoog-gehakte schoenen van reptielleer.

Ik staar naar haar over het stuur, ten prooi vallend aan de complexe emoties die zij altijd in mij oproept. Ik weet nog dat ik toen ik met hem was soms haar parfum op hem rook: een vrou-wenluchtje dat zich onderscheidde van het geurtje dat hij altijd op had: een lentegeur, fris als een hyacint, een geur die ik zelf had kunnen kiezen. Soms vraag ik me af of we misschien een beetje op elkaar lijken, want ooit was zij ook verliefd op hem en misschien viel ze wel op dezelfde dingen als ik: zijn zekerheid, de stevigheid van zijn lijf. De oude afgunst steekt de kop op: af-gunst vanwege het comfortabele, zijdezachte leven dat ze leidt en alle dingen die ze haar kinderen kan geven en die Sylvie nooit zal hebben: dure scholen, clavecimbelles en fluwelige sportvel-den. Wat zou ik haar graag willen zijn, zodat ik al deze dingen zou kunnen hebben en Dominic elke nacht naast me in bed zou liggen.

Ze stappen in de auto en Claudia rijdt weg. Ik ga weer recht-op zitten, vouw mijn armen op het stuur en laat mijn hoofd er-op rusten. Had ik haar maar niet gezien. Het voelt als een slecht voorteken dat dat nou juist vandaag gebeurt, terwijl mijn hele leven op instorten staat. Ik heb het gevoel dat er een vloek op me rust, alsof dit allemaal opzet is, gepland, alsof iemand een stukje van mijn kies gestolen heeft en er een duistere vloek over heeft uitgesproken om mij in de val te laten lopen. De jaloezie raast door me heen en dreigt me te verzwelgen. Ik weet niet hoe lang ik hier al zit, in haar hete, onverbiddelijke greep: misschien pas een paar minuten, misschien een hele tijd. Ik weet het niet.

Het is iets heel kleins wat me uiteindelijk weer in beweging zet: de zon komt van achter een wolk tevoorschijn en het licht valt door de voorruit en verwarmt mijn gezicht. Dankbaar voor de plotselinge warmte keer ik me naar de zon. De woorden die zich in mijn hoofd vormen lijken nergens vandaan te komen, althans niet uit mijn binnenste. Ze gaan fluisterend door me heen, als een gebed. *Help me.* Ik prevel de woorden in mezelf om ze even later hardop uit te spreken in de stilte van mijn auto, alsof ik me tot iemand richt. Zo kan ik niet doorgaan, met dit bittere, troosteloze leven waarin ik steeds terugkijk, steeds verlang naar wat ik niet kan hebben, naar waar ik geen recht op heb. Steeds maar die behoefte om het verleden terug te halen. *Help me, help me alsjeblieft.*

Misschien is het alleen maar de behoefte om in actie te komen, wat voor actie dan ook, zolang het maar betekent dat ik de verkeerde patronen met mijn wil kan doorbreken. Maar zonder er ook maar een moment over na te denken begin ik in mijn tas naar mijn telefoon te zoeken.

'Lavinia, ik voel me verschrikkelijk, ik moet denk ik mijn bed in. Het spijt me heel erg.'

'Natuurlijk, Grace. Was het erg?'

'Tamelijk.'

'Zorg maar goed voor jezelf. Maak het jezelf maar gemakkelijk en kijk wat onzinnige series op tv. Tandartsen deugen niet. Breek me de bek niet open...'

Ik start de auto. Bij het keren vergis ik me in de versnelling en daardoor houd ik het verkeer op. Een vrachtwagenchauffeur scheldt me uit voor stom kutwijf, maar ik negeer hem. Ergens in mij prevelt een zwak stemmetje dat ik me vreemd gedraag, dat ik mezelf niet ben, dat er iets in mij is losgeslagen door de schok van de tandartsbehandeling en dat ik me misschien niet zomaar in iets moet storten... Maar ik schenk geen aandacht aan dat stemmetje. Met een noodgang rij ik de heuvel op, weg van huis.

22

Er is nergens parkeergelegenheid. Als ik een plek denk te hebben gevonden, blijkt die gereserveerd te zijn voor een of ander belangrijk iemand – een faculteitshoofd of een rector of zo. Er staan bordjes met de waarschuwing dat foutgeparkeerde auto's een wielklem krijgen en worden weggesleept. Uiteindelijk vind ik achter een paar vuilnisbakken een plekje waar iedereen kennelijk voorbij is gereden.

Ik loop over een gazon met kersenbomen die een waas van witte bloesem om zich heen hebben en ga door een zijdeur naar binnen. Hoewel er een bordje staat met de mededeling dat alle bezoekers zich bij de balie moeten melden, loop ik door. Ik kom in een hal en zie pijltjes die naar de afdeling psychologie wijzen. Als ik ze begin te volgen loop ik door een galmende gang waar het naar een bijtend schoonmaakmiddel ruikt, zo'n lucht die op je keel slaat. Er hangen prikborden die overladen zijn met aankondigingen en mededelingen: door de tocht wapperen de papiertjes omhoog, als zwaaiende handen die je aandacht vragen. Er lopen groepjes studenten voorbij: jongens in leren jacks en zwoele meisjes in spijkerbroek die steeds hun haar naar achteren strijken. Niemand keurt mij een blik waardig. Door het glas in een deur zie ik een werkcollege dat aan de gang is: net als vroeger op school staan er rijen tafeltjes met een bord ervoor. Het enige verschil is dat alle studenten aandachtig zitten te luisteren en dat de docente een piercing in haar neus heeft.

Aan het eind van de gang stuit ik op een T-splitsing zonder pijltje. Ik sla linksaf en blijf doorlopen, maar ik weet dat ik verdwaald ben. Ik moet een pijltje hebben gemist, want er zijn geen bordjes meer die naar de afdeling psychologie wijzen. Ik voel me een indringer zoals ik hier ronddool in deze labyrintische gangen. Een vrouw komt me tegemoet – ze is een beetje te oud om nog student te kunnen zijn, misschien is ze een docent. Ze draagt nauwsluitende jeans en heeft slordige, vuilblonde, enigszins warrige krullen. Ze kijkt me verwonderd aan en ik ben bang dat ze me gaat vragen wat ik hier doe. Ik ontwijk haar blik en loop door.

En dan, als ik bijna de hoop heb opgegeven, kom ik bij klapdeuren waar Faculteit Psychologie boven staat. Ik duw ze open.

Er zit een receptioniste aan een balie: ze heeft een zuidelijk uiterlijk, met vlekkerige donkere kohl rond haar ogen, en zit heel geanimeerd te bellen. Naast haar staat een rij stoelen tegen de wand, een paar dossierkasten en er is een fonteintje met een houder met papieren handdoekjes.

Me afvragend waar ik moet zijn kijk ik om me heen. Dan valt mijn oog op een deur rechts van mij waar de naam Adam Winters op staat. Ik loop erheen en klop aan. Ik doe het gewoon, zonder erover na te denken. Er komt geen reactie.

'Pardon?' de stem van de receptioniste klinkt scherp. 'Kan ik iets voor u doen?'

Ik draai me naar haar om. 'Ik moet Adam Winters spreken.'

Mijn mond is nog stijf van de verdoving – het kost me moeite om de woorden uit te spreken.

'Oké.' Ze schuift wat papieren heen en weer. 'Hoe laat had u een afspraak?'

'Ik heb geen afspraak. Ik dacht, ik ga gewoon even bij hem langs.'

Terwijl ik praat houd ik mijn hand voor mijn gezicht. Ik weet dat ik er heel raar uitzie.

'Ik ben bang dat het niet mogelijk is om dokter Winters te spreken als u geen afspraak hebt,' zegt ze.

'Nou, misschien kan hij dan een afspraak met me maken als ik hem spreek.'

'Nee, zo werkt dat niet.'

De ruimte begint te draaien. Omdat ik bang ben dat ik flauwval ga ik op een stoel zitten. De receptioniste heeft grote vochtige ogen waardoor ze doet denken aan een zorgelijk, ernstig kind.

'Ik moet hem echt spreken,' zeg ik nogmaals. 'Ik moet hem iets vragen over mijn dochter. Ik bedoel, ik moet hem eerst spreken om te weten of ik een afspraak met hem moet maken...'

Ze tuit haar lippen.

'Eerst moet ik het pasje zien dat u van de beveiliging heeft gekregen,' zegt ze.

'Het spijt me maar ik heb geen pasje. Ze hebben me er geen gegeven.'

'Dan mag u hier eigenlijk helemaal niet zijn,' zegt ze. 'Iedereen moet een pasje hebben, daar zijn ze hier heel streng in. Ik ben bang dat ik u moet vragen weg te gaan.'

'Maakt u zich niet druk,' zeg ik. 'Ik wacht hier gewoon even, ik beloof dat ik geen overlast zal bezorgen.'

Maar ze draait zich om en zegt iets door de telefoon. Vrijwel onmiddellijk denderen twee veiligheidsbeambten door de klapdeuren. Ze dragen een grijs uniform en zien er streng uit, heel breed en stevig. Ze gaan elk aan een kant van mij staan en een van hen legt zijn hand op mijn arm.

'Mevrouw, gaat u maar met ons mee,' zegt hij tegen mij.

Ik heb geen keus en sta op. Dan klinken er stemmen uit de gang. Het zijn twee mannen die heftig met elkaar in gesprek zijn. Ik heb de indruk dat ze van mening verschillen, maar ik kan niet verstaan wat ze zeggen. De klapdeuren barsten open als een van de mannen, die in elke hand een plastic bekertje met koffie heeft, ze met zijn schouder openduwt. Je ziet meteen dat het fout zal gaan. Hij blijft abrupt staan als hij mij ziet met de twee veiligheidsbeambten naast me. De deuren klappen terug en raken zijn pols waardoor de koffie over zijn arm en zijn mouw gutst.

'Kút.'

Het is gek om hem in kleur te zien: hij is morsiger dan op de foto, zijn hemdsmouwen zijn opgerold, zijn overhemd hangt uit zijn broek en over zijn kin ligt de schaduw van een stoppelbaard. Hij zet de twee bekertjes op een dossierkast en trekt een paar handdoekjes uit de houder. De andere man zet de klapdeur op een haakje. Hij draagt een strak gesneden blazer en kijkt vol afgrijzen naar de troep.

Ik richt me tot de eerste man. 'Adam Winters?' zeg ik.

Hij draait zich naar me om, neemt me snel op en dan gaat zijn blik naar de veiligheidsbeambten en weer terug naar mij. Zijn ogen worden groot.

'Ik wil met u praten over mijn dochter,' zeg ik tegen hem.

Werktuigelijk wrijft hij met de papieren doekjes over zijn pols zonder ook maar een moment zijn blik van mij af te wenden. Er hangt een sterke geur van gemorste koffie.

'Je wilt míj zien?' zegt hij.

'Ja.'

'O, mijn god.' Hij kijkt verdwaasd.

De man met de blazer trekt lichtjes één wenkbrauw omhoog.

'Sommige mensen hebben altijd geluk,' zegt hij. 'Misschien moet ik me in iets anders gaan specialiseren.' Hij loopt een van de werkkamers binnen.

Adam Winters richt zich tot de veiligheidsbeambten. 'Het is goed,' zegt hij. 'Zij gaat met mij mee.'

Ze verroeren zich niet.

'Ga nou maar. Heus. Het is in orde,' zegt hij tegen hen. 'Geloof me.'

Met tegenzin druipen ze af, nog over hun schouder naar mij kijkend alsof ik een of ander wild beest ben. Adam Winters gooit de handdoekjes min of meer in de richting van de prullenbak en zet een van de bekertjes koffie op de balie van de receptioniste.

'Alsjeblieft Carla,' zegt hij. 'Ik ben in mijn kamer met...'

Hij kijkt mij met een opgetrokken wenkbrauw vragend aan.

'Grace Reynolds,' zeg ik tegen hem.

'Ik ben met Grace Reynolds in mijn kamer,' zegt hij. 'Als ik op de alarmknop druk moet je onmiddellijk komen.'

Ze fronst. 'Maar je hebt toch geen alarmknop?'

'Klopt.' Opeens verschijnt er een scheve grijns op zijn gezicht. 'Doe dus maar een schietgebedje voor me.'

Met een knikje maakt hij duidelijk dat ik hem moet volgen.

Ik begrijp nu waarom de verslaggever van de *Twickenham Times* zijn kamer 'prozaïsch' noemde. Er heerst een wilde wanorde, met overal papieren en ordners met onleesbare etiketten op de rug. Hij maakt een stoel voor mij vrij door er een stapel boeken af te nemen. Ik ga zitten en bedek meteen de zijkant van mijn gezicht met mijn hand.

'Wat zie je er vreselijk uit,' zegt hij. 'Naar de tandarts geweest?'
Ik knik.

'Het komt door mijn grote intuïtie,' zegt hij. 'Maar die enorme zwelling helpt ook. Jezus, wat hebben ze met je uitgehaald?'

'Er is een kies getrokken,' antwoord ik.

'Wat naar voor je,' zegt hij.

Hij is achter zijn bureau blijven staan en nipt aan zijn koffie terwijl hij naar mij kijkt. Het valt me op dat zijn vingers, die hij om het bekertje heeft gelegd, lang en slank zijn.

'Je moet iets drinken,' zegt hij. 'Maar niet iets heets, lijkt me.'

Hij trekt een la van zijn bureau open en haalt een fles cola tevoorschijn. Zijn bewegingen hebben iets onrustigs, zijn gebaren zijn abrupt en nogal onhandig: ik vraag me af of hij een jogger is, zo'n man die altijd actief moet zijn om een of andere innerlijke duivel te bedwingen. Er staan bekers op de vensterbank. Hij kiest er een uit, en nadat hij er met een twijfelachtige frons in heeft gekeken schenkt hij hem vol.

'Bedankt.' Dankbaar drink ik de cola. De suiker geeft me een kick en dat helpt: ik voel me niet meer zo vreemd.

Ik kijk om me heen. Er is nauwelijks iets persoonlijks te bekennen: geen planten of posters. De enige afbeelding is een foto op zijn bureau. Er staat iemand op die op hem lijkt, maar dan een veel jongere versie: een jongen in een smerige overall die aan een auto zit te sleutelen. Door het raam kan ik de grasvelden en de kersenbomen zien.

Hij observeert me terwijl hij zijn hand door zijn bruine warrige haar haalt. Het gaat rechtovereind staan, waardoor hij er verbaasd uitziet.

'Waarom wilde je mij spreken?' vraagt hij.

'Het gaat over mijn dochtertje Sylvie. Ze is nogal moeilijk. Soms zegt ze bizarre dingen... En toen las ik dat artikel over u...'

Hij knikt maar zegt niets en wacht tot ik verderga.

'Mijn dochter heeft veel weg van het kind in dat artikel, en

140

toen dacht ik... zou ze zich iets herinneren? Ik bedoel, denkt u dat dat mogelijk is? Ik had er eigenlijk nog nooit van gehoord, en daarom wilde ik er met u over praten...'

Hij trekt de stoel die achter zijn bureau staat naar achteren en gaat zitten. Dan spreidt hij zijn handen uit in een gebaar van aanvaarding of aanmoediging. Daar waar zijn mouwen zijn opgestroopt zie ik de fijne donkere haartjes op zijn armen.

'Oké. Praat maar. Maar zeg alsjeblieft jij tegen me.'

Ik steek van wal. Over Sylvies slechte nachten, haar angst voor water, dat ze altijd dezelfde tekening maakt en zegt dat Lennie Lennie niet is, en ik vertel hem over de plaats die ze lijkt te herkennen. Het stroomt er allemaal uit: ik moet er al mee bezig zijn geweest voordat ik hiernaartoe kwam, waarschijnlijk liep ik in mijn hoofd al tegen hem te praten ook al hadden we elkaar nog nooit ontmoet.

Maar één keer onderbreekt hij mij.

'Die plaats op de foto,' zegt hij. 'Heb je enig idee waar dat is?'

'Ja, daar ben ik achter gekomen. Het is een dorp in Ierland, Coldharbour heet het.'

Hij knikt. Hij ziet er opgewonden uit. Zijn ogen zijn ineens heel groot geworden.

'Goed zo. Dat is geweldig. Daar hebben we echt iets aan,' zegt hij.

Het geeft me een goed gevoel over mezelf dat ik dat heb ontdekt.

Ik neem een kleine pauze om mijn cola te drinken. De verdoving raakt uitgewerkt. Mijn mond schrijnt, ik voel een doffe, versuffende pijn.

'Grace, ben je alleen?' vraagt hij dan. 'Je hebt het niet over een partner gehad.'

'Ja, ik ben een alleenstaande moeder.'

'Het zal niet makkelijk zijn om met al deze problemen alleen om te moeten gaan.'

Dan vertel ik hem over mevrouw Pace-Barden en dat Sylvie niet meer welkom is op de crèche en mijn paniekgevoel over onze toekomst – en dat had ik allemaal niet in mijn hoofd voor ik kwam, dat was ik helemaal niet van plan om te gaan zeggen. Hij leunt naar voren met zijn ellebogen op zijn knieën en kijkt aandachtig. De hele tijd dat ik aan het woord ben heeft hij zijn koffie niet aangeraakt.

Als ik ben uitgepraat blijft hij naar me kijken en haalt hij zijn hand weer door zijn haar.

'Nou, wat vind je ervan?' vraag ik. 'Kun je ons helpen?'

Dan neemt hij een slokje koffie, met zijn lange dunne vingers om het bekertje geklemd. Ik hoor het plastic piepen.

'Wat we hier proberen te doen,' zegt hij, 'is dat we onverklaarbare verschijnselen onderzoeken. We proberen het paranormale op een wetenschappelijke manier te bekijken.'

'Maar hoe is dat mogelijk?' vraag ik. 'Met de dingen die Sylvie zegt?'

'Je zou haar verhaal na kunnen trekken,' zegt hij. 'Je wilt natuurlijk geheel objectief zijn, dus daarom kijk je of er geen besmetting mogelijk is, zoals dat heet. Zou ze haar verhaal ergens anders vandaan kunnen hebben? Zou het iets kunnen zijn wat ze in een boek heeft gelezen of op televisie heeft gezien?'

'Nee,' zeg ik tegen hem.

'Ze kan het niet gezien hebben?'

'Nee. Om te beginnen is het niet mogelijk dat ze daar ooit geweest is. Ze is nooit ergens zonder mij geweest en ik ben nog nooit in Ierland geweest.'

'En een boek, zou dat niet kunnen?'

'Ik zou niet weten hoe,' antwoord ik. 'Zeker niet thuis, en op de crèche hebben ze alleen maar kinderboeken. Wat televisie betreft ben ik niet helemaal zeker. Om eerlijk te zijn weet ik niet altijd waar ze naar kijkt. Ik zet haar gewoon voor de tv als ik veel te doen heb.'

'Oké, dus televisie is mogelijk maar lijkt je onwaarschijnlijk.'

'Maar wat doe je als je weet dat er geen besmetting is?' vraag ik.

Hij zwijgt een moment. Ik ben hoopvol gestemd: misschien weet hij een therapie die haar van al deze obsessies af zou kunnen helpen. Of misschien gebruikt hij hypnose, zoals in dat artikel stond. Ik vraag me af hoe ik dat zou vinden en besluit dat ik bereid ben het te proberen, dat ik hem alles zal laten proberen als het ertoe kan leiden dat ze een gelukkiger kind wordt.

Hij zet zijn bekertje neer en buigt zich naar me toe. 'Als het overtuigend is,' zegt hij, 'dan zou je er met het kind heen kunnen gaan.'

Ik staar hem aan. Alles om me heen begint te verschuiven. Ik voel een kilte op mijn huid.

'Je bedoelt dat je kinderen terugbrengt naar de plek die ze zich lijken te herinneren?'

Ik geloof mijn oren niet, ben geschokt en zelfs een beetje verontwaardigd.

'Ja,' zegt hij.

Ik zie voor me hoe Sylvie naar de foto kijkt, met die hunkering op haar gezicht, en hoe ze er soms mee onder haar kussen slaapt.

'Maar maakt dat alles niet juist erger? Dat denk ik namelijk wel, ik weet het haast zeker.'

'Ik begrijp dat je dat denkt, maar het is voor deze kinderen vaak heel heilzaam. Alsof ze door er te zijn geweest kunnen beginnen met loslaten en vergeten. En dat is wat we uiteindelijk willen, dat ze het vergeten...'

'Ik begrijp het gewoon niet,' zeg ik tegen hem, en hoor hoe verontwaardigd ik klink. 'Hoe kan dat nou heilzaam zijn als wat je wilt juist is dat ze het vergeten? Dan wordt het voor hen toch alleen maar echter?'

'Het blijkt te werken,' zegt hij. 'Er zijn gevallen bekend waarbij het kind er echt door geholpen werd.'

Ik merk dat ik met mijn hoofd zit te schudden.

Ik kan dit niet, denk ik. Het zou helemaal niet goed zijn voor Sylvie. Als ze een waterspelletje op de crèche al niet aankan, hoe zou ze hier dan mee om moeten gaan? Ik voel dat ik me terugtrek. Hij begrijpt het niet, hij weet niet hoe ernstig de situatie is, en hoe zou hij dat ook moeten weten? Het is me een raadsel waarom ik hier gekomen ben. Ik hoor hier niet thuis, bij deze slimme, al te gretige man met zijn beangstigende theorieën. Het is te bizar voor mij.

'Ik denk gewoon niet dat die benadering goed zou zijn voor Sylvie,' zeg ik. 'Ik kan me dat niet voorstellen.'

'Nee, dat begrijp ik,' zegt hij. Er zitten kleine, scherpe rimpeltjes tussen zijn wenkbrauwen, en ik krijg het gevoel dat ik hem heb teleurgesteld. Misschien ben ik te dwingend geweest. Er is een broos gevoel tussen ons ontstaan, alsof er iets kapot is gegaan.

'Nou...' Ik knoop mijn jas dicht.

Hij kijkt me licht fronsend aan en wrijft met zijn hand over zijn gezicht.

'Luister, ik zou je een paar sessies aan kunnen bieden, hier. Als je denkt dat ze daar iets aan heeft.'

Als hij me dat iets eerder had gevraagd had ik meteen ja gezegd. Nu weet ik het niet zo zeker.

'Wat ga je dan doen als we zouden komen?'

'Om te beginnen zou ik haar algehele cognitieve functioneren onderzoeken.'

'Je bedoelt dat je gaat kijken of ze normaal is.'

Hij glimlacht. 'Ja, min of meer. Dan zou ik met haar willen praten over wat ze zich herinnert, over de dingen die ze tegen jou heeft gezegd. De herinneringen die deze kinderen hebben zijn vaak heel verbrokkeld. Ze hebben het over bepaalde plaatsen, misschien over bepaalde mensen. Het is al heel wat als ze zich een naam herinneren, maar dat zal meestal niet het geval zijn. Ik zou benieuwd zijn naar wat ze zegt, en misschien zou ik haar vragen een tekening te maken...'

'Ik weet het niet,' zeg ik.

'Je zou voor een paar sessies kunnen komen, en dan kijken we hoe het jullie bevalt,' zegt hij.

Ik zeg niets.

'En je hoeft er natuurlijk niet voor te betalen,' zegt hij. 'We rekenen nooit iets voor de sessies die we hier houden.'

Hij probeert nonchalant te klinken, maar ik hoor aan zijn stem dat het belangrijk voor hem is. Ik merk dat hij dit heel graag wil doen.

'Ze kan heel gereserveerd zijn,' zeg ik tegen hem. 'Het kan zijn dat ze helemaal niets zegt.'

'Dat is ook best,' zegt hij. 'Heus.'

Hij leunt mijn kant op terwijl hij mij aankijkt. De intensiteit die hij uitstraalt maakt me onzeker. Ik voel dat ik in mijn schulp kruip.

Ik blijf nog even zitten, niet zeker van wat ik moet doen. Ik denk aan Lennies partijtje, hoe ik alleen bij dat raam naar het donker stond te staren, en ik herinner me wat Karen tegen me zei en hoe ver ik me verwijderd voelde van de andere moeders, dat ik het gevoel had dat mijn leven me door de vingers glipte.

'We zouden wel een paar keer kunnen komen, denk ik,' zeg ik langzaam.

'Dat is geweldig,' zegt hij.

Hij vraagt waar hij mij kan bereiken. Ik geef hem mijn beide nummers, het mobiele nummer en het nummer van mijn werk.

'Jonas en de Wallevis,' hij spreekt de woorden bedachtzaam uit, alsof ze een lekkere smaak hebben.

'Het is gewoon een bloemenwinkel,' zeg ik tegen hem.

Zoals eerder al gebeurde kijkt hij me net iets te lang aan.

'Dat vind ik leuk – dat jij in een bloemenwinkel werkt.'

Ik voel dat mijn gezicht rood wordt. Ik probeer te bepalen of het een compliment is.

Het gesprek is voorbij. Ik pak mijn tas. Toch is er nog iets wat ik heel graag aan hem wil vragen.

'Adam.' Mijn stem klinkt aarzelend, onzeker. 'Wat denk je? Denk je dat het waar kan zijn? Dat ze zich iets uit een vorig leven herinnert?'

Hij legt zijn pen neer. Zijn gezicht is ondoorgrondelijk.

'Ik heb ooit eens ergens gelezen dat bij de oude Grieken een scepticus iemand was die alle mogelijkheden openhield. Iemand die categorisch weigerde om een conclusie te trekken. Dat sprak me aan. Dus laten we zeggen dat ik sceptisch ben...'

Het klinkt als een voorgeprogrammeerd antwoord. Dit is een vraag die hem al veel te vaak gesteld is.

'Maar je zult toch wel een mening hebben?'

'Ik kan je vertellen wat ik vind van een bepaald geval,' antwoordt hij. 'In welke richting de bevindingen wijzen. Maar zelfs al zou elk onderzocht geval nep blijken te zijn, dan nog kun je de mogelijkheid niet uitsluiten dat zich in de toekomst nog eens een geval zal voordoen dat misschien wel overtuigend is...'

'Maar... als je niet zeker weet of je in dit soort verschijnselen gelooft, waarom doe je dit werk dan?'

Hij lacht zijn scheve lachje en denkt even na. Hoewel hij veel lacht, heeft hij naar mijn gevoel ook iets droevigs, alsof hij makkelijk gekwetst wordt.

'Goeie vraag,' zegt hij. 'Daar kunnen allerlei redenen voor zijn. Er is een vrouw in Schotland met wie ik contact heb. Zij is buiten haar lichaam getreden nadat ze magische paddenstoelen had gegeten, en wilde dat begrijpen...'

We weten allebei dat hij mijn vraag ontwijkt. Ik ben nieuwsgierig, maar dring niet verder aan. Hij bladert door zijn papieren.

'Wanneer kunnen jullie komen?'

'Ik werk de hele week. Op zaterdag ben ik vrij,' antwoord ik.

'Dan spreken we op een zaterdag af.'

'Is dat echt geen probleem?'

'Mijn vriendin is uiterst lankmoedig,' zegt hij.

Ik weet dat hij me dit niet zomaar vertelt, maar dat hij me iets duidelijk wil maken. Stom genoeg ben ik een beetje teleurgesteld.

'Werkt zij ook hier?' vraag ik.

Hij knikt. 'Ze is biofysica.'

Ik stel me haar voor, in strakke jeans en met bestudeerd slordig haar, een beetje zoals de vrouw die ik op de gang tegenkwam: slim, bevoorrecht en met werk dat veel van haar eist en hoog gewaardeerd wordt. En dan denk ik aan mijn eigen leven, aan het enige waar ik goed in ben: lobelia's planten en engeltjes maken van lapjes zijde.

Hij rommelt in zijn bakje met inkomende post. 'Hoe is dit nou mogelijk? Ik heb alle diploma's gehaald maar mijn agenda is voortdurend zoek.'

Maar de agenda komt boven water en we spreken af voor zaterdag over een week. Hij schrijft de datum voor me op een kaartje en noteert ook zijn mobiele nummer.

Ik pak mijn tas en maak aanstalten om te vertrekken. Zijn ogen rusten op mij: zijn gezicht is in duister gepeins verzonken.

'Het valt niet mee hè, Grace?' zegt hij.

Er klinkt zoveel warmte in zijn stem dat ik plotseling in tranen ben.

Het lijkt hem helemaal niet in verlegenheid te brengen. Hij geeft me wat papieren zakdoekjes en wacht rustig tot ik tot mezelf kom. Ik wrijf mijn ogen droog. De mascara geeft af op het zakdoekje en er komt ook een veeg helderrood bloed mee, uit mijn mond. Ik moet er niet aan denken hoe ik er nu uitzie, met dat vlekkerige, vertrokken gezicht.

'Het spijt me,' zeg ik tegen hem.

Hij leunt naar voren en kijkt me aan met die aandachtige blik van hem.

'Grace, waarom huil je nu?'

'Het is alsof... ze me ontglipt.' Ik kan het niet uitdrukken, worstel met de woorden. 'Soms als ze naar me kijkt is het net alsof ze me niet ziet, me niet herkent. Dan heeft ze zo'n gesloten gezicht... Ze is mijn dochter, ik bedoel, ik heb haar nota bene op de wereld gezet, maar op de een of andere idiote manier voelt het alsof ze mijn kind niet is.' Ik snuit mijn neus. 'Shit. Het spijt me.'

'En je weet niet wat je moet geloven.'

'Nee.'

'Grace, ik kan je niet garanderen dat ik dit voor je op kan lossen – ook voor mezelf kan ik dat niet. Het komt erop neer dat ik helemaal niets kan garanderen. Ik wou dat ik het kon, maar dat gaat niet.'

'Natuurlijk niet. Dat weet ik wel.'

Ik ga staan. Plotseling schaam ik me dat ik zo heb zitten huilen.

'Ik zal je even uitlaten,' zegt hij.

Als we langs de balie lopen grijnst hij naar Carla. 'Alles zit er nog aan, hoor,' zegt hij tegen haar.

Bij de klapdeuren blijft hij staan om afscheid te nemen. Hij strekt zijn hand naar me uit en legt hem een paar seconden heel licht op mijn mouw.

Terwijl ik wegloop door het labyrint van gangen denk ik aan hem, aan deze intense, rommelige, gretige man met zijn vreemde preoccupaties en de droefheid die in zijn lachje doorklinkt. *O, mijn god, wat heb ik gedaan?*

23

Die zaterdagavond komt Karen met een fles bordeaux bij me langs. Ik ben heel blij om haar te zien, maar de sfeer tussen ons voelt ongemakkelijk. Ze gedraagt zich anders, heeft iets afstandelijks, iets gereserveerds, alsof ze nog steeds boos op me is.

Ik vertel haar alles wat er gebeurd is: dat ik Dominic heb gezien – wat haar met afschuw vervult, zoals ik had verwacht – en dat we de plaats op de crèche kwijt zijn.

'Jezus, Grace,' zegt ze. 'Hoe ga je dat in godsnaam regelen?'

'Ik weet het niet,' antwoord ik.

Ze strijkt haar haar naar achteren. Op de een of andere manier ziet het er altijd ongerijmd uit als ze in haar chique zwarte kleren op mijn bank zit, met haar donkere, leren handtas met al die zakjes en ritsjes naast zich. Als Karen hier is, zie ik ineens hoe sjofel alles is: mijn nietige meubeltjes, de afbladderende verf. Ik heb de gashaard op de hoogste stand staan, maar de muren houden een kilte vast waar niet tegenop te stoken valt en ik maak me zorgen dat het te koud voor haar is.

'Je moet dit uitzoeken, Grace,' zegt ze tegen me. 'Dat móét echt.' Maar haar stem klinkt een beetje vermoeid, alsof ze niet gelooft dat ik dat ook zal doen.

'Ik doe mijn best,' zeg ik tegen haar. 'We gaan naar een nieuw iemand toe, Sylvie en ik.' Ik praat nogal zacht want ik ben bang dat Sylvie ons gesprek zal horen, de wanden van ons huis zijn zo dun. Maar misschien is ze diep in slaap: het is doodstil in haar kamer.

'Heb je een betere psychiater gevonden?' vraagt Karen hoopvol. 'Dat wilde ik je ook nog zeggen, dat je natuurlijk recht hebt op een second opinion. Het klikte duidelijk niet met die eerste dokter naar wie jullie toegingen...'

'Dit is geen dokter.' Ik neem een grote slok wijn. Ik weet dat ik te snel drink. 'Het is iemand op de universiteit, iemand van de psychologische faculteit.' Ik adem heel diep in, en weet even niet hoe ik verder moet gaan. 'Ik bedoel, ik weet het nog niet zeker maar het leek me de moeite waard om een poging te wagen.'

'Oké,' zegt ze, een beetje op haar hoede. Haar blik heeft iets vragends.

'Het is die man over wie ik gelezen heb – die onderzoek doet naar paranormale...'

'Néé, Grace.' Haar stem klinkt scherp.

'Het is niet wat je denkt, echt niet. Het is allemaal heel koosjer. Het is, je weet wel, nogal academisch. Ik weet niet eens zeker of hij er zelf wel in gelooft, hij doet er gewoon onderzoek naar.'

Karen staart me aan. 'Hoe kan een of andere weirdo die op spoken jaagt nou kóósjer zijn? En hoe kan Sylvie hier in godsnaam iets aan hebben?'

'Hij wil proberen haar te begrijpen – te begrijpen wat er aan de hand is.'

'En hoe stelt hij zich dat dan voor? Wat gaat hij dan doen?'

'Nou, met haar praten, een paar tests doen. En soms in dit soort gevallen – ik weet ook niet wat ik daarvan moet denken – gaan ze naar de plek die het kind zich lijkt te herinneren.'

Haar mond verstrakt. 'Dat vind ik gewoon walgelijk,' zegt ze resoluut. 'Hij gebruikt je, Grace. Hij heeft je gewoon nodig voor zijn onderzoek. Zo zijn academici.'

'Nou, sommige misschien,' zeg ik.

'Nee, geloof me nou maar, Grace. Dit is niet wat Sylvie nodig heeft. Wat ze nodig heeft is een therapeut. Iemand die haar juist helpt om alles los te laten in plaats van er dieper in weg te zinken.'

'Maar ze laat het gewoon niet los, wat ik ook doe. Ik heb geprobeerd het te negeren, er geen aandacht aan te schenken, maar het maakt niets uit wat ik doe. Dus ik dacht, ik geef dit een kans, misschien alleen maar een paar sessies, misschien zit er iets in. Ik bedoel, wat weten we nou eigenlijk van leven en dood en zo?'

Ik merk dat mijn spraakwaterval niet meer te stuiten is en dat komt door de wijn. 'We begrijpen ook niet écht hoe het allemaal werkt, toch? Niet echt. Hoe zou dat ook kunnen, met ons beperkte verstand...'

Karen leunt naar voren en staart me aan met een ongeruste, bezorgde blik.

'Grace.' Haar stem klinkt vriendelijk. 'Ze zegt dat ze een dráák had.'

Later die avond loop ik met haar mee naar haar auto. Ik ben eraan gewend om hier te wonen, maar ik weet dat deze buurt bedreigend op haar over moet komen. Er is een flinterdunne maansikkel en de plassen zijn bedekt met een dun laagje ijs. De prostitués staan op de hoek te roken en zachtjes te praten. Een van hen houdt haar hand voor haar gezicht om een sigaret aan te steken, waarna de vlam kortstondig oplicht als een rood, knipperend oog. Een oude zwerfster heeft zich met al haar uitpuilende plastic tassen in de steeg naast de supermarkt geïnstalleerd. Ze heeft zich in een smerig roze dekbed gewikkeld, en ik heb met haar te doen als ik eraan denk hoe koud ze het zal hebben. Ik vraag me af hoe Karen tegen dit alles aankijkt.

'Het was fijn om je te zien,' zeg ik tegen haar. 'We moeten dit gauw weer doen.'

'Ja, doen we,' zegt ze. 'Absoluut.'

Ze rijdt wel erg snel weg.

Heel langzaam, in de hoop dat het klikje van de deurknop niet te horen is, doe ik de deur van Sylvies kamer open om te kijken of ze nog steeds slaapt. Maar ze slaapt niet, ze zit rechtop in haar bed met de foto die aan de kast hing in haar hand. Als ik binnenkom kijkt ze op.

'Waar is Lennie, Grace?' vraagt ze. Ze kijkt me bevreemd en onthutst aan. Het schemerige licht van haar bedlampje lijkt de schaduwen te benadrukken: onder haar ogen zitten plekken zo donker als bloeduitstortingen.

Ze moet Karens stem gehoord hebben en zich hebben afgevraagd waarom Lennie er niet bij was. Ik wil haar de waarheid

niet vertellen, wil niet dat ze te weten komt wat Karen heeft gezegd, nu niet, en nooit niet.

'Lennie ligt vast in bed,' zeg ik opgewekt. 'En jij moet nu ook
gaan liggen.'

Ik loop op haar toe om haar in te stoppen.

Ze houdt me de foto voor. 'Mooi hè, Grace?'

'Ja, prachtig.'

'Coldharbour,' zegt ze, en ze spreekt het woord zo zorgvuldig uit dat het lijkt alsof het iets kostbaars is dat ze tussen ons in
legt.

'Ja, Coldharbour. Zal ik hem weer op je kast plakken?'

'Nee,' zegt ze. Ze schuift hem onder haar kussen en laat zich
omlaag glijden.

'Ik had een wit huisje toen ik in Coldharbour woonde, Grace.'
Haar stem klinkt rustig en beheerst. Het is erg koud in haar
slaapkamer. Ik trek mijn vest dichter om me heen.

'Hoe zag het eruit, jouw huisje?' vraag ik.

'Mooier dan dit huis,' antwoordt ze. Ik ben wazig door de
wijn, waardoor de klap iets minder hard aankomt

'Kun je er nog iets meer over vertellen?'

'Je kon de zee zien vanuit mijn huis.' Haar stem begint geeu-
werig te klinken, ze valt bijna in slaap.

'Schatje, is er verder nog iets wat je me erover kunt vertellen?
Ik bedoel, ik ben er nooit geweest, ik weet er niets van...'

'O nee?' zegt ze. Ze trekt het dekbed naar boven, tot aan haar
kin. Haar vlekkerige gezichtje wordt zacht van de slaap.

'Nee, schatje.' Ze gaapt uitvoerig.

'Er waren vissersboten op zee,' zegt ze. Ik denk aan de foto en
weet wat Karen zou zeggen. Jezus, Grace, er staan boten op die
foto...

'Ik keek altijd graag naar de boten,' zegt ze. 'Vroeger.' Ineens
slaapt ze, alsof er een deur is dichtgegaan.

24

Lavinia heeft een paar duiven meegebracht uit een kringloop-
winkel. Ze zijn van ijzer gemaakt, verweerd maar mooi, met hier
en daar wat roest die door de crèmekleurige verf heen komt.
De vrouw van het reisbureau zou ze zeker niet op prijs stellen.
We zetten ze buiten op de stoep naast een beeld van Ganesha
dat Lavinia uit Rajasthan heeft meegebracht, en ons gammele
smeedijzeren tafeltje waar vandaag alleen maar witte bloemen
op staan: orchideeën, sneeuwklokjes en krokussen. De orchidee-
en zien eruit als open monden.
  'Hoe gaat het met Sylvie, Grace?'
  Ik heb me er nog steeds niet toe kunnen zetten haar te vertellen dat we de plaats op de crèche kwijt zijn. Ik besluit ermee te
wachten tot na onze sessie met Adam Winters, aanstaande zaterdag. Misschien is alles dan anders.
  Ik vertel haar over hem. Ze hoort me aandachtig, met grote
ogen aan.
  'Wauw, Gracie,' zegt ze als ik klaar ben met mijn verhaal. 'Wat
waanzinnig boeiend. Heeft hij gezegd hoe hij het aan gaat pakken?'
  'Hij zei dat hij met haar wil praten, en haar misschien een tekening laat maken...'
  Ze knikt, terwijl ze een dood blaadje van een plant trekt. Op
de binnenkant van haar vingers is de kaneelkleurige aanslag te
zien.
  'Wat ik me afvroeg, Grace,' vraagt ze dan. 'Heb je dat zelf weleens gedaan, ik bedoel, heb je haar hier weleens directe vragen
over gesteld?'
  'Nou ja, soms wel, min of meer.'

'Heb je haar bijvoorbeeld weleens gevraagd waarom ze je nooit mamma noemt?'

Ik voel hoe vochtig mijn handschoenen zijn geworden. Ik stroop ze af en zal ze zo meteen op de hete buizen leggen. Via mijn handen verspreidt de kou zich door mijn lichaam.

'Als je haar vraagt waarom ze iets doet kan ze dat niet echt uitleggen,' antwoord ik.

'Ik dacht, misschien is het interessant om te kijken hoe ze reageert. Dat je het vanuit haar standpunt hoort.'

'Ja, misschien moet ik dat eens proberen.'

Ik vertel haar niet wat de werkelijke reden is. Dat ik bang ben voor wat er zou kunnen gebeuren. Dat ze me strak aankijkt met die koele blauwe ogen van haar, een klein fronsje op haar voorhoofd, en zal zeggen: *Maar jij bent mamma niet. Niet echt.* Heel feitelijk en kalm. *Jij bent mijn mamma niet, Grace.* Ik weet dat ik het niet aan zou kunnen als ze dat zou zeggen.

De bewakingsbeambte bij de receptie, die *The Sun* zit te lezen, geeft ons een pasje. Hij is een van de mannen die mij er de eerste keer dat ik hier kwam uit wilde gooien. Ik vind het gênant, maar hij is zich er niet van bewust, misschien doordat ik Sylvie bij me heb. Flarden muziek drijven ons tegemoet als we door de gangen lopen – een band, een zangeres: op zaterdag zijn hier repetities en muzieklessen. Maar verder is het gebouw grotendeels verlaten en heeft het iets kaals en galmends.

We kloppen aan maar er komt geen reactie, dus gaan we in de buurt van Adams deur zitten.

Uit de kamer ernaast komt de man naar buiten die ik de vorige keer ook heb gezien. Hij heeft zijn blazer weer aan, ziet er onberispelijk uit en maakt de indruk alles goed voor elkaar te hebben. Hij werpt een blik op ons, blijft staan en richt zich tot ons.

'Jullie zijn cliënten van Adam, is het niet?'

'Ja,' antwoord ik. 'Nou ja, ik ben eerder bij hem geweest, maar of we nu cliënten van hem zijn...'

'Hij heeft me er iets over verteld. Gaat het nu weer goed?'

'Ja. Bedankt.'

Hij plukt een onzichtbaar pluisje van zijn mouw.

'Hij is vrij uniek, Adam Winters,' zegt hij, en zijn toon klinkt ietwat afkeurend.

'Ja, die indruk heb ik ook,' zeg ik.

'Adam kan soms – hoe zal ik het zeggen – nogal *enthousiast* zijn,' zegt hij. Hij trekt de manchetten van zijn overhemd recht en zijn manchetknopen blinken in het licht. 'Vind je ook niet?'

Ik weet niet wat ik hierop moet zeggen.

'Ik begrijp denk ik wel wat je bedoelt,' zeg ik vaag.

'Je moet wel een beetje uitkijken,' zegt hij. 'Soms gaat wat hij doet wel erg de zweverige kant op, en ik zou het jammer vinden als je daardoor werd meegesleept...' Zijn toon is enigszins suggestief, maar misschien verbeeld ik me dat. 'Nou, veel succes in elk geval. Misschien komen we elkaar nog eens tegen.'

Dan loopt hij met ferme passen weg.

Adam komt door de klapdeuren binnen. Hij ziet er verkreukeld uit, lacht en lijkt heel blij om ons te zien. Hij begroet Sylvie en neemt ons mee naar zijn kamer, die er vandaag ordelijk en netjes uitziet. Midden in de kamer zet hij een laag kindertafeltje neer met een doos vol puzzels erop. Omdat het benauwd en heet is in het gebouw, heeft hij het raam een eindje opengezet en een licht briesje brengt de papieren in een ijzeren bakje dat op de vensterbank staat in beweging.

'We kwamen een collega van je tegen,' zeg ik tegen hem.

'Simon? Een vent met een blazer?'

'Hoe weet je dat?'

'Alleen Simon werkt op zaterdag.'

'Ik kreeg de indruk dat hij jouw belangstelling niet deelt.'

'Simon houdt zich bezig met cognitie. Zijn grote thema is het verval van het langetermijngeheugen,' zegt hij.

'O.'

'Ik neem aan dat hij niet de loftrompet over mij stak.'

'Nee, niet echt.'

Een treurig lachje glijdt over zijn gezicht.

'Hij vindt me een mislukkeling,' zegt hij. 'En hij is mijn baas, dus dat is erg jammer.' Hij schuift een paar stoelen bij en zet een kinderstoeltje bij het tafeltje. 'Psychologen zijn altijd zo verstándig, terwijl de wereld zo wíld is. Ik bedoel, dat benauwde, daar krijg ik iets van. Je kunt toch niet altijd alles maar opkroppen.'

Soms voel ik me ongemakkelijk bij hem: hij is zo nadrukkelijk, zoals hij voorover leunt alsof hij heel gespitst ergens naar luistert, en dan heel dwingend gaat praten terwijl hij zijn hand door zijn haar haalt. Alsof hij tot alles in staat is.

Hij neemt Sylvie mee naar het tafeltje. 'Sylvie, dit is wat we vandaag gaan doen: hier heb ik wat puzzels voor je. En Grace, kom jij hier maar zitten, achter ons.' Hij gebaart naar mijn stoel.

Dan gaat hij naast Sylvie bij het tafeltje zitten, bouwt een brug van houten blokken en vraagt haar om hetzelfde te doen. Ze bijt lichtjes op haar lip en fronst geconcentreerd. Hij noteert iets op een controleformulier. Daarna pakt hij een boek en moet Sylvie van een aantal plaatjes zeggen wat ze voorstellen: een veer, een schaar, een vis. Ik zie zijn slanke vingers over de pagina glijden en het valt me op dat hij zijn nagels heeft afgebeten. De laatste test is een knoppuzzel waarbij Sylvie de uitgesneden figuurtjes van een auto, een boom en twee kinderen in de juiste vakjes moet plaatsen.

'Goed, dat waren de puzzels. Bedankt, Sylvie,' zegt hij.

Hij ruimt de knoppuzzel niet op en Sylvie pakt de uitgesneden figuurtjes en legt ze voor zich neer. Dan pakt ze het autootje en duwt het, zachtjes in zichzelf neuriënd, over de tafel heen en weer.

Adam richt zich tot mij. 'Heb je de foto bij je?' vraagt hij. Ik geef hem de foto. Hoewel Sylvie nog steeds met het autootje aan het spelen is, zijn haar ogen op hem gericht. Ze ziet er kalm en verwachtingsvol uit.

'Sylvie, er is iets waar ik graag met je over wil praten,' zegt hij tegen haar.

Ze knikt.

'Mijn foto,' zegt ze.

'Ja. Grace heeft me verteld dat je hem bij je bed hebt opgehangen.'

'Ja.'

'Hou je van deze foto, Sylvie?'

'Ja.'

Hij houdt hem haar voor. Ze kijkt ernaar en glimlacht vergenoegd.

'Kun je me ook zeggen waarom je van deze foto houdt?' vraagt hij.

Ze kijkt even naar mij, alsof ze toestemming nodig heeft, en ik knik haar toe.

'Ik heb daar gewoond,' antwoordt ze. Ze praat zacht maar wat ze zegt klinkt zakelijk.

Ik kijk naar Adam en vraag me af of hij voelt wat ik voel: een kilte die over mijn huid trekt.

'Kun je er iets over vertellen, Sylvie?' Er klinkt een zweem van gretigheid in zijn stem door. 'Het maakt niet uit wat, alles wat je je maar kunt herinneren.'

Ik ben me zeer bewust van zijn woordkeus – dat hij het heeft over 'herinneren'. Ik weet niet of dat betekent dat hij haar gelooft of dat hij het haar gemakkelijk probeert te maken door zich in haar wereld te begeven.

'Wat dan ook, alles wat je me kunt vertellen,' zegt hij.

Het is stil in de kamer, afgezien van de wind die door het half-geopende raam naar binnen komt en als een hand door de papieren in het bakje op de vensterbank strijkt. Het is zo stil dat ik mijn hart kan horen bonzen.

Ze kijkt hem aan met haar koele, heldere, winterse blik.

'Ik vond het daar leuk,' zegt ze. 'Ik vind het hier niet leuk.'

Zoals altijd voel ik me een beetje gekwetst als ze dit zegt.

'Met wie woonde je daar, Sylvie?' vraagt hij.

Ik houd mijn adem in.

Eerst zegt ze niets, het lijkt alsof ze hem niet gehoord heeft. Ze duwt het autootje over het tafeltje en manoeuvreert het nauwgezet tussen de bakstenen en andere puzzelstukken door. Ze kijkt hem niet aan.

'Mensen wonen bij hun familie,' zegt ze dan. Haar stem klinkt koel, afstandelijk en een beetje beschuldigend. 'Heb jij geen familie?'

'Ja, ik heb familie,' antwoordt hij.

Er hapert iets in zijn stem. Als ik naar hem kijk zie ik dat er een schaduw over zijn gezicht is gegleden. Weer voel ik dat hij iets droevigs over zich heeft en ik vraag me af wat er achter zit.

'Kun je me vertellen wie jouw familie was, Sylvie?' vraagt hij.

Ze zegt niets.

'Hun namen misschien?' vraagt hij.

Ik voel dat hij te veel aandringt. Haar gezicht is uitdrukkingsloos, alsof zijn vraag geen betekenis voor haar heeft.

'Misschien kun je ze voor mij tekenen,' zegt hij.

Hij legt een vel papier en kleurkrijtjes voor haar neer.

'Dat zou fantastisch zijn, als je ze zou kunnen tekenen,' zegt hij. 'Laat Grace en mij maar eens zien hoe ze eruitzagen...'

Ze pakt een krijtje en begint te tekenen. Ik kijk intens nieuwsgierig toe. Maar het wordt zo'n plichtmatige, geroutineerde tekening met de poppetjes zoals ze ze geleerd heeft te tekenen: een moeder en een vader met twee kinderen tussen hen in. Hun handen raken elkaar of ze geven elkaar een hand. Een tekening die van elk kind zou kunnen zijn. De figuurtjes hebben niets eigens, niets waarmee ze zich van andere families onderscheiden. En dan komt in me op dat Karen toch gelijk had. Ze stelt zich een ander leven voor, waarin ze een vader en misschien nog een broertje of zusje heeft. Een leven in een compleet gezin. De gedachte deprimeert me.

'Bedankt, Sylvie,' zegt Adam. 'Dus dit is de familie die je je herinnert?'

Sylvie reageert niet. Ze pakt een ander krijtje en begint een blauwe strook om de figuurtjes heen te tekenen.

'Ik zie twee kinderen in jouw tekening,' zegt Adam.

Ze knikt flauwtjes.

'Ik vraag me af of het jongens of meisjes zijn,' zegt hij.

Ze antwoordt niet, ze is druk bezig de blauwe strook af te maken. Als ze weer bij het begin uitkomt, maakt ze de cirkel niet rond en moet ze het opengebleven stuk inkleuren.

'Zijn het jongens of meisjes, Sylvie?' vraagt hij.

Hij zet haar onder druk en ik wou dat hij dat niet deed. Zijn stem klinkt dwingend. Ik weet dat ze in haar schulp zal kruipen. Waarom ziet hij dat niet? denk ik. Waarom is hij niet iets fijngevoeliger?

'Jongens of meisjes, of van elk een?' vraagt hij.

Ze legt haar krijtje op tafel. Het maakt een droog tikgeluid. Het is heel stil in Adams kamer. Langs de randen van de stilte klinken verre geluiden: een schelle sirene, een fluit waarvan de heldere tonen door de ruimte buitelen. Je kunt de stilte van de lege gangen om je heen voelen.

'Als twee druppels water,' zegt ze.

Het klinkt vreemd en ouwelijk uit haar mond – ik vraag me af waar ze die uitdrukking vandaan heeft, misschien van mevrouw Pace-Barden.

Adam fronst verbaasd.

'Zien ze er hetzelfde uit, die twee? De kinderen in je tekening?'

'Ja, als twee druppels water.' Ze begint een beetje ongeduldig te klinken.

Ze staat op, pakt het autootje van de puzzel en gaat bij het raam staan. Ze heeft haar rug naar hem toegekeerd en schuift het autootje door de banen zonlicht die over de vensterbank vallen. In het vale, dunne licht is haar haar intens bleek. Aan haar getuite lippen en de witte, stijve knokkels van haar vingers, die het autootje vastgrijpen, zie ik hoe gespannen ze is. Ze fronst zorgelijk. Ze heeft zich afgesloten, hij zal haar niet meer kunnen bereiken.

Plotseling denk ik: dit is niet goed, dit moeten we niet doen, we moeten haar niet haar obsessies vast laten houden maar juist stimuleren om ze achter zich te laten. Karen heeft gelijk: hier helpen we Sylvie niet mee. Schuldgevoel welt in me op: dat ik dit heb laten gebeuren, al die druk, al die vragen. Ik kan er niet van uitgaan dat Adam haar geen kwaad zal doen. Ik wil nog maar één ding en dat is dat hij hiermee stopt.

'Adam, ik denk dat we het hierbij moeten laten.'

Mijn stem klinkt te luid in de stille kamer.

Hij kijkt naar me op, verrast door mijn dwingende toon.

'Ja, natuurlijk. Als jij dat wilt.' Hij komt snel overeind. 'Sylvie, bedankt dat je gekomen bent, je hebt het heel goed gedaan. Zou ik je tekening mogen houden?'

Ze knikt.

'Geef Adam zijn autootje eens terug,' zeg ik tegen haar.

Ze komt terug met het autootje en plaatst het in de puzzel.

'Heb ik de puzzels goed gedaan?' vraagt ze aan hem.

'Je hebt ze heel goed gedaan,' antwoordt hij.

Ze glimlacht. De afstandelijkheid is verdwenen: ze is weer een gewoon kind.

'We moeten een nieuwe afspraak maken,' zegt hij tegen mij. 'Ik zou aanstaande zaterdag kunnen, als dat je schikt.'

Ik voel dat ik bloos. 'Adam, ik weet het niet...' Ik wil nee tegen hem zeggen, maar ik weet niet hoe ik het moet brengen. 'Ik wil er nog even over denken, begrijp je, over hoe het nu verder moet.'

'Natuurlijk. Als je dat wilt,' zegt hij.

'Het spijt me,' zeg ik.

'Dat geeft niet,' zegt hij.

We praten tegelijkertijd en dat brengt ons in verlegenheid.

Hij ziet er teleurgesteld uit en ik heb het gevoel dat ik hem in de kou laat staan. Dan herinner ik me wat Simon tegen me zei, en ik prent mezelf in dat hij gelijk had en dat ik me niet moet laten meeslepen.

'Ik wil er gewoon nog even goed over nadenken,' zeg ik tegen hem.

'Tuurlijk,' zegt hij. 'Je hebt mijn nummer, je kunt me altijd bellen.'

Hij loopt met ons mee langs Carla's balie. In de verte speelt een band 'Steal away to Jesus' met veel te veel bas en zo vals als een kraai. Als we weglopen zwaai ik nog even naar hem. In het harde, blauwige licht van de tl-buizen ziet zijn gezicht er benig, haast grimmig uit.

Na de drukkende, verschaalde hitte in zijn kamer voelt het buiten koud aan. We lopen terug naar de auto, langs de bloeiende kersenbomen die in het zonlicht staan te stralen en witte netten over hun zwarte takken hebben hangen. Sylvies hand voelt plakkerig aan van het krijt. Ik heb een incompleet gevoel, alsof er iets niet gebeurd is wat wel had moeten gebeuren.

26

Als Sylvie in bed ligt installeer ik me op de bank met mijn dekbed om me heen omdat het zo koud is in huis, en zap langs de zenders. Op Channel 5 is zo'n make-overprogramma waarin een huis onder handen wordt genomen. De presentatrice moet aardig wat botox hebben gebruikt want haar gezicht is veel te strak. Het programma gaat over een stel dat niet tevreden is met hun huis. Ze laten een kleurenadviseur en een medium komen om advies te geven. Het medium draagt oorbellen als kroonluchters en heeft een nadrukkelijke, sappige manier van praten. Ze zegt dat ze een aanwezigheid voelt in de bijkeuken en dat ze wat salie zal branden om de geest ertoe te brengen het pand te verlaten. Ik zap vlug naar een ander kanaal.

Ik hoor een zacht geluid in Sylvies kamer en ga kijken. Ze ligt boven op haar dekbed; eerst denk ik dat ze slaapt, dat ze zo plotseling in slaap is gevallen dat ze geen kans meer heeft gezien om in bed te kruipen. Maar dan beweegt ze haar hoofd en zie ik dat ze wakker is. Ze huilt geluidloos: haar natte gezicht glanst in het licht van de lamp. Ze houdt de foto van Coldharbour tegen zich aan gedrukt.

Ik ga naar haar toe en neem haar in mijn armen. Ze leunt met haar hoofd tegen me aan. Haar huilen is zacht en wanhopig en haar verdriet gaat me door merg en been. Ik ben zo kwaad dat ik me door Adam heb laten inpakken en hem alles heb laten oprakelen.

'Liefje, wat is er met je? Is het iets wat Adam heeft gezegd?'
Ze schudt haar hoofd.
'Ik wil ze terug,' zegt ze door haar tranen heen.
'Wie wil je terug, liefje?'
'Ik wil mijn familie terug,' zegt ze.

'Maar dit is je familie, Sylvie. Wij samen.'

Ik weet niet zeker of ze hoort wat ik zeg.

'Ik wil mijn huis en mijn familie. Dat wil ik, Grace.'

Ik voel een doffe pijn in mijn hart, maar ik wil haar zo ontzettend graag troosten.

'We vinden wel een oplossing, liefje,' zeg ik terwijl ik haar zachtjes tegen me aan houd en wieg. 'Hoe dan ook, we vinden een oplossing. We vinden er wat op, hoe dan ook...'

Ze lijkt heel ver van me verwijderd. Ze blijft geluidloos huilen en haar gezicht is intens verdrietig.

Later die avond, als Sylvie zichzelf in slaap heeft gehuild, bel ik Adam. Ik weet dat ik er voor eens en voor altijd een punt achter moet zetten, achter deze kortstondige flirt met een onmogelijke theorie.

Hij neemt meteen op.

'Grace, hallo. Wat goed dat je belt. We zouden nog een afspraak maken...'

Op de achtergrond hoor ik een piano die lome jazz speelt. Ik vraag me af wat voor leven hij leidt, een leven waar ik niets van weet. Misschien is hij wel bij zijn vriendin, de verleidelijke biofysica.

'Nou, eerlijk gezegd ben ik er niet meer zo zeker van... of het wel goed is voor Sylvie. Ik bedoel, deze hele aanpak. Ik weet niet zeker of ze er iets aan heeft...'

Even blijft het stil.

'Je moet doen wat jij denkt dat goed is,' zegt hij.

Hij is teleurgesteld, dat voel ik. Ook al doet hij zijn best om redelijk te klinken, ik hoor aan zijn stembuiging dat hij het jammer vindt. Ik zie hem weer voor me zoals hij in de gang stond toen wij wegliepen – zijn lange gestalte met die sombere uitstraling. Ik heb er geen goed gevoel over dat ik zo ondankbaar ben.

'Het spijt me echt,' zeg ik.

'Je moet er niet mee zitten,' zegt hij, een beetje te snel. 'Ik geef toe dat ik graag met haar had willen werken, maar het is hoe dan ook heel leuk om jullie ontmoet te hebben.'

'Ja, vond ik ook,' zeg ik vaag.

Door een opening in de gordijnen staar ik naar buiten, naar mijn donkere tuin waar het licht uit de kamer via de terrasdeuren over het gazon valt en de twijgen van de moerbeiboom zilver kleurt. Ik heb het gevoel dat ik geen kant op kan, en weet niet hoe ik dit gesprek moet beëindigen. Nu ik zijn stem hoor, en de warmte die hij uitstraalt, vloeit al mijn boosheid uit me weg en bedenk ik dat ik ons contact niet zo abrupt moet afbreken met dit snelle, beschaamde telefoongesprek, terwijl hij zo aardig voor ons is geweest. Het is eigenlijk heel onbeleefd. Hij heeft dit niet verdiend.

Ik schraap mijn keel.

'Ik vroeg me af... zou ik misschien een keer langs kunnen komen? Ik zou het graag uit willen leggen zonder dat Sylvie erbij is. Misschien tijdens mijn lunchpauze of zo?'

Dat was dus helemaal niet wat ik had willen zeggen.

'Maar natuurlijk,' antwoordt hij.

Hij klinkt verrast. Ik zie hem voor me, zijn hand door zijn haar halend zodat het rechtovereind gaat staan en hij er verbaasd uitziet, alsof alles hem constant versteld doet staan.

27

Zondag is het een prachtige dag. De lucht is helemaal open en het licht is zo sprankelend dat de hele wereld in verregaand detail verlicht lijkt te worden.

Ik ben de hele ochtend met Sylvie in de tuin bezig. Het ruikt anders buiten en je kunt zoveel verder kijken dan een tijdje geleden. In de bomen op de parkeerplaats van de supermarkt kwetteren en sissen spreeuwen die er met een hele zwerm zijn neergestreken. Ze zijn net zo donker als de natte takken en hebben groenige snavels en kopjes die glanzend trillen. Ik snoei de verwilderde rozen terug en bind de uitgebloeide sneeuwklokjes samen met raffia die ik uit de winkel heb meegenomen. Sylvie heeft een miniharkje waarmee ze de bladeren op het gazon bij elkaar harkt.

'Ik vind het leuk om in de tuin te werken,' zegt ze. Ze kijkt stralend uit haar ogen en is een beetje buiten adem.

'Dat weet ik, en je helpt me ook altijd zo goed. Toen we hier net woonden was dat al zo, en toen was je pas twee. Je hebt me altijd zo goed geholpen...'

'Zelfs toen ik nog heel klein was?'

'Ja, zelfs toen,' zeg ik tegen haar. 'Hoewel ik toen wel goed op je moest letten... Ik weet nog dat ik een keer met mijn rug naar je toe stond en dat je ineens heel stil werd. Toen ik omkeek was je een handje aarde aan het eten.'

'Smaakte dat lekker, Grace?'

'Dat weet ik niet, schat. Je vond van wel, geloof ik.'

'Echt?'

'Ja, echt.'

Het beeld van haar jongere, stoutere zelf lijkt haar te bevallen.

'Dat zou ik nou niet meer doen,' zegt ze.

'Nee.'

'Hoe was ik toen ik klein was?' zegt ze.

'Je had zulke piepkleine vingertjes... kijk, zo klein.'

Ik laat het haar zien door haar pols heel zacht met mijn vingertop aan te raken. Maar ik ben op mijn hoede, heb geen idee waar dit gesprek naartoe gaat, dit teruggaan in de tijd. Het gebeurt altijd zo snel, van het ene moment op het andere kan de meest onschuldige opmerking alles ondermijnen en haar weghalen uit het hier en nu, weg van mij en ons leven samen.

De spreeuwen vliegen als een grote wervelende massa op, en als ze overvliegen wordt het donker in de tuin, alsof de zon is weggekropen. Ik wacht op Sylvies reactie.

Maar deze keer glimlacht ze alleen maar naar mij.

'Dat is wel héél klein, Grace,' zegt ze.

We zijn uitgenodigd voor een feestje bij Lavinia. Het is 's middags en er zal wijn zijn, en earlgreythee, wafels en muziek rond de witte piano in haar woonkamer.

Als we aankomen is het huis al vol met mensen. Het ruikt naar rode wijn, sigarettenrook en de zware geur van kaarsen die ze uit de winkel heeft meegenomen. Het licht dat door de kristallen die voor het raam hangen naar binnen valt zet de hele vloer in vuur en vlam.

Lavinia geeft me een glas wijn en wenkt naar de tienerdochter van een van haar gasten. Het meisje draagt een korte broek van spijkerstof, grote slappe laarzen en extreem paarse lippenstift, én ze is duidelijk dol op kleine kinderen. Ze vertelt me dat ze Tiffany heet en dat ze het enig zou vinden om Sylvie mee naar boven te nemen, naar de spelcomputer. Sylvie loopt vrolijk met haar mee.

Ik sta bij Lavinia's boeddhistische altaar en drink te snel van mijn wijn. Er komt een man naar me toe die me aanspreekt. Hij heeft sproeten en een innemende lach en ik vind hem meteen aardig. Maar als hij vertelt dat hij aan healing doet zinkt de moed me enigszins in de schoenen. Ik verlang zo naar gewone dingen: praten over de lokale verkiezingen, dat iedereen de ouderwetse rode dubbeldekker zo mist – het maakt niet uit waarover, zolang het maar concreet is en duidelijk en onmiskenbaar echt. Maar ik stel hem er een beleefde vraag over en dan vraagt hij of ik mijn hand wil uitsteken. Even komt het in me op dat dit misschien een soort versierpoging is, net als wanneer mannen je hand proberen te lezen, maar hij houdt alleen zijn hand vlak boven de mijne, zonder me aan te raken.

'Zo. Voel je het?' vraagt hij.

Maar ik voel niets.

'Voel je de vibraties niet?' vraagt hij. 'Als een soort speldenprikken?'

'Nee, het spijt me,' zeg ik.

Ik denk dat ik hem heb teleurgesteld. Misschien had ik moeten doen alsof.

Ik ben opgelucht als de muzikanten beginnen te spelen. We persen ons allemaal in de huiskamer om te luisteren. Ze zijn met zijn drieën: een klarinettist, saxofonist en pianist. Allemaal grijs en verkreukeld en op een nonchalante manier duizelingwekkend virtuoos. De muziek kapselt je in, lijkt deel van je te worden.

Sylvie en Tiffany komen naar beneden, aangetrokken door de muziek. Sylvie komt naar me toe en pakt mijn hand.

'Ging alles goed?' fluister ik tegen Tiffany.

'Tuurlijk, ze is fantastisch,' zegt ze. 'Je zat echt op je praatstoel, hè, engeltje?' Ze buigt zich voorover en strijkt Sylvies haren glad.

Ik ben zo blij dat alles goed is gegaan, dat Sylvie zich als een normaal kind heeft gedragen.

Tiffany gaat weer rechtop staan.

'Ik geloof wel dat ze jullie andere huis leuker vond, dat huis waar jullie eerst woonden,' zegt ze. 'Ze heeft me er alles over verteld, ze moet wel een heel goed geheugen hebben.'

Ik probeer te negeren wat ze zegt, doe alsof ik niets gehoord heb.

'Ja, inderdaad,' zeg ik vaag.

'Het is verbazingwekkend, als je bedenkt hoe klein ze nog is, dat ze zich dat allemaal nog zo goed herinnert. Je moet wel heel erg trots op haar zijn,' zegt ze.

'Nou, bedankt dat je op haar gepast hebt. Dat was heel fijn,' zeg ik.

De musici spelen 'Summertime'. Terwijl ik luister komt mijn hartslag tot rust. Sylvie kijkt omhoog en lacht naar me, ze glundert van plezier. Als stralende netten wordt de muziek over ons uitgespreid en ik probeer van dit moment te genieten en nergens anders aan te denken. Ik houd mezelf voor dat dit goed is, dat ik me niets meer kan wensen: ondergedompeld te zijn in de muziek, met Sylvies handje in de mijne.

We hebben het overwegend leuk bij Lavinia.

Maar 's nachts maakt ze me wakker. Ze staat naast mijn bed. Als ik de lamp aandoe verschijnt haar grote wazige schaduw op de muur. Ze is met schokkende bewegingen aan het snikken.

Ik neem haar in mijn armen en voel het schokken in mijn eigen lichaam, alsof we één zijn. De beweging lijkt te hevig voor haar lichaam.

'Lieverd, je bent hier, bij mij,' zeg ik tegen haar, zoals ik altijd doe. 'Je bent veilig. Wat het ook was: het is voorbij. Het was alleen maar een droom.'

Ze houdt niet meer op met huilen. Op haar gezicht laten de tranen glanzende sporen achter die glimmen in het licht van de lamp. Een paniekerig gevoel van hulpeloosheid komt over me: ik kan haar niet bereiken, kan haar niet troosten.

Ze wordt iets kalmer en dan zegt ze iets door haar tranen heen.

'*Nee nee nee nee.*'

Eerst denk ik dat ze me weg wil duwen, dat ze wil dat ik haar loslaat. Maar ze klemt zich aan mij vast, drukt zich tegen me aan.

'Lieverd, je bent veilig, ik ben bij je. Het was niet echt wat je zag.'

'*Nee nee nee nee.*'

Dan heb ik de vreemde gewaarwording dat het Sylvies stem helemaal niet is die ik hoor, op de een of andere manier klopt de intonatie niet. Alsof het niet echt haar woorden zijn, maar die van iemand anders. De haartjes in mijn nek gaan rechtovereind staan. De kamer lijkt te kantelen, wordt onveilig gebied.

Ik sla het dekbed open om haar bij me te laten komen. Ze klimt in bed en blijft stijf rechtop zitten. Het huilen is plotseling gestopt.

'Grace.' Haar stem klinkt hoog en schril. 'Ik krijg geen lucht meer. Ik krijg geen lucht meer.' Ze grijpt naar mijn arm en klauwt er met haar dunne vingertjes in. '*Grace.*'

Angst bevangt me. Ik weet niet hoe ik haar moet helpen.

Ik leg mijn handen op haar schouders en kijk haar aan.

'Je ademt, lieverd. Je ademt heel goed. Als je kan praten, kan je ook ademen...'

Ik probeer mijn stem gelijkmatig te laten klinken.

'Laten we samen ademen,' zeg ik tegen haar.

We ademen samen in hetzelfde ritme. Ze neemt grote, luidruchtige happen lucht. Haar paniek wordt minder en verdwijnt ten slotte. Ze gaat onder het dekbed liggen, haar ogen rollen naar boven en gaan dicht.

Maar ik lig nog uren wakker en in mijn gedachten hoor ik haar weer huilen. Ik ben nog steeds wakker als het eerste prille ochtendlicht onder mijn gordijnen door naar binnen glipt. Het is zo'n eenzaam gezicht.

28

Op maandag heb ik tijdens de lunchpauze mijn afspraak met Adam Winters. Ik ben laat, want het was moeilijk om een parkeerplaats te vinden. Het is een druilerige, kale dag, zo'n dag met galmend gekras van roeken en een lucht die zwaar en zacht is van het vocht. Als ik over de campus loop voel ik het vocht op mijn haar. Ik ga ervan uit dat het geen lang gesprek wordt. Ik zal zeggen wat ik te zeggen heb, hem bedanken en dan ben ik ervan af. In elk geval is er dan duidelijkheid en weet ik waar ik aan toe ben.

Hij staat bij de cafetaria van de campus op mij te wachten. Rond de deuren hangt de hete walm van frituurvet.

'Vind je dit echt goed?' vraagt hij. 'We kunnen ook iets rustigers opzoeken...'

'Nee, heus, dit is prima,' zeg ik tegen hem. 'Ik kan niet zo lang blijven, ik moet zo weer terug naar de winkel.'

'Ja, natuurlijk,' zegt hij.

Hij duwt de deuren open. Een golf van lawaai stort over ons heen. Misschien heeft hij gelijk en moeten we toch een wat rustiger plek opzoeken. Het wemelt hier van de studenten die allemaal met elkaar lachen en flirten, heel vlot, zelfverzekerd en zorgeloos. Ik benijd ze, zoals ik altijd doe.

We nemen stokbrood met tonijn en koffie en gaan bij het raam zitten. We kijken uit over een binnenplaats waar een sputterende fontein staat met een ondiep betonnen bassin eronder. Het tafeltje zit vol koffiekringen en op de houder waar de sausen in staan zit een droge, donkere korst van ketchup.

Hij kijkt me peinzend en bezorgd aan.

'Wat zie je er uitgeput uit, Grace,' zegt hij. 'Gaat het wel goed met je?'

Ik vertel hem hoe Sylvie vannacht wakker werd. Ik zeg er niet bij wat ze zei en hoe vreemd dat op me overkwam. Ik houd mezelf voor dat ik waarschijnlijk een beetje over mijn toeren was.

Hij mompelt iets meelevends. Was hij nou maar niet zo aardig, dat maakt het zoveel moeilijker om te zeggen wat ik te zeggen heb.

Ik schraap mijn keel.

'Het zit zo. Ik wilde je zien om je te vertellen waarom ik er niet mee door kan gaan. Het leek me eerlijker tegenover jou om je dat te zeggen als we elkaar zagen...'

De woorden komen er als lompe, zware dingen uit.

Maar hij glimlacht beleefd naar me.

'Wat goed van je,' zegt hij.

Ik begin mijn stokbroodje uit te pakken en het piepen van het cellofaan gaat me door merg en been. Mijn lijf voelt slap en onhandig, als een houten marionet waar ik geen controle over heb. Was ik maar niet gekomen.

'Ik ben bang dat het niet goed is voor Sylvie, dat het de verkeerde weg is. Dat het niet goed is om zo gefixeerd te zijn op de vreemde dingen die ze zegt.'

'Dat begrijp ik,' zegt hij tegen me. 'Ik snap waarom je er twijfels over hebt.'

We leunen over de tafel naar elkaar toe om elkaar te midden van al dat lawaai te kunnen verstaan. Zijn gezicht is iets te dicht bij het mijne: ik zie alle details – de kleine stoppeltjes van een beginnende baard op zijn kaaklijn, de donkere plekjes op de dunne huid onder zijn ogen. De koffie smaakt verbrand, maar hij is wel sterk en dat doet me goed.

'Ze was van streek nadat we bij je waren geweest,' zeg ik. Ik dwing mezelf ertoe eerlijk te zijn, ook al valt dat me zwaar. Ik heb het gevoel dat ik dat aan hem verplicht ben. 'Ik vond dat je haar te veel onder druk zette.'

Hij neemt kleine slokjes van zijn koffie terwijl hij mij blijft aankijken.

'Je vindt het niet prettig als haar directe vragen worden gesteld, hè? Niet de belangrijke vragen,' zegt hij. 'Dat is me opgevallen. En je vindt het vreselijk als ik haar onder druk zet...'

'Als je haar directe vragen stelt, zal ze die meestal toch niet kunnen beantwoorden,' zeg ik. Mijn stem klinkt een beetje schril. Ik schiet in de verdediging, probeer mezelf te rechtvaardigen.

'Ja,' zegt hij. 'Maar dat wil niet zeggen dat ze het niet wíl vertellen. Ze is nog maar klein, het is een worsteling voor haar om zich uit te drukken. Ze probeert te praten over iets waar ze geen woorden voor heeft.'

'Ik weet het niet. Misschien,' zeg ik.

Voorzichtig, alsof het gemakkelijk zou kunnen breken, zet hij zijn kopje op het schoteltje.

'Het is bijna alsof je haar niet helemaal vertrouwt,' zegt hij. 'Misschien moet je er meer op vertrouwen dat zij wel weet wat veilig is om te zeggen.'

Zijn stem klinkt vriendelijk, toch vind ik het niet prettig dat hij dit zegt. Ik wacht even voor ik weer het woord neem.

'Ik ben altijd zo bang om haar te kwetsen en alles erger te maken.'

'Grace, ze is al gekwetst.'

Hier weet ik niets op te zeggen.

We zitten een tijdje zwijgend tegenover elkaar. Dan leunt Adam over de tafel naar me toe en kijkt me met zijn gretige, dwingende blik aan.

'Hoor eens – ik weet dat het bizar overkomt wat ik doe,' zegt hij. 'Ik begrijp je twijfels heel goed. Toen ik me voor het eerst in het paranormale ging verdiepen, waren mijn collega's ontzet. Nou ja, dat kun je je vast wel voorstellen...'

'Je bedoelt Simon?' Ik zie hem weer voor me, met zijn blazer en die sceptische toon van hem. *Adam kan soms nogal... enthousiast zijn. Vind je ook niet?*

'Ja. Onder anderen.' Hij maakt een klein gebaar met zijn hand, alsof hij iets wegduwt. 'Volgens Simon bestaat de werkelijkheid uit datgene wat we kunnen horen en zien. Meer niet. En hij vindt de studie van het paranormale een belediging voor de wetenschap. Het gevoel dat sommige mensen hebben dat er dingen bestaan die niet zichtbaar zijn, is volgens hem een waan-idee.'

'Hij zei er wel iets over dat je een beetje zweverig bezig bent,' zeg ik tegen hem.

Adam pakt het papieren servetje dat bij het stokbrood hoort en begint er strookjes af te scheuren.

'Om eerlijk te zijn geloof ik dat hij me weg wil hebben van de faculteit,' zegt hij.

'Maar hoe zit het dan met dat openstaan voor alles?' vraag ik. 'Ik bedoel, je zei iets in de trant van dat een wetenschapper nooit mag zeggen dat iets onmogelijk is?'

'Simon heeft zo'n oneliner waar hij altijd mee op de proppen komt,' zegt hij. 'Alsof dat het antwoord op alles is. "Als je geest te open is, vallen je hersenen eruit..."'

Als hij dat zegt, verandert er iets in mij en krijg ik een heel ander beeld van zijn leven. Het leek altijd zo benijdenswaardig, met die prestigieuze baan van hem en al die bewonderende studenten. Het was niet in me opgekomen dat hij ook eenzaam zou kunnen zijn.

'Maar waarom doe je het dan?' vraag ik. 'Waarom is dit zo belangrijk voor je?'

Even blijft het stil. Dan probeer ik het nog een keer.

'Waarom hecht je er zoveel waarde aan?'

Ik verwacht niet echt dat hij me dit gaat vertellen. Ik verwacht dat hij met een paar bezielde maar abstracte volzinnen zal komen over dat psychologen minder in de verdediging moeten gaan en hun blik moeten verruimen en dat we niet zo bang moeten zijn voor dingen waar we geen woorden voor hebben. Het komt geen seconde in me op dat hij eerlijk zal antwoorden.

Hij zwijgt een moment, alsof hij nadenkt over wat hij zal gaan zeggen.

'Er is ooit iets gebeurd,' zegt hij.

Zijn stem klinkt anders, harder. Ik ben een en al oor.

'Wat dan?' vraag ik.

Hij kijkt mij niet aan.

'Mijn broer ging dood,' zegt hij.

Ik staar hem aan. Even denk ik dat ik hem niet goed heb verstaan.

'Je broer?' Ik herinner me de foto op zijn bureau, van een jongen in een met olie besmeurde overall. Hij leek op Adam maar het was hem niet. Er welt verdriet in me op, als een voorbode. 'Is – was dat die jongen van wie je een foto op je bureau hebt staan?'

Adam knikt.

'Dat is Jake,' zegt hij.

'Wanneer is het gebeurd?' vraag ik.

Hij denkt even na, telt de jaren.

'Jake was zeventien toen hij stierf. Hij was twee jaar ouder dan ik. Het is zestien jaar geleden. Hij is bij een auto-ongeluk omgekomen,' zegt hij.

Ik ben een beetje bang, ik weet niet zeker of ik dit wel wil horen.

'Maar – hoe dan? Wat is er dan gebeurd?' vraag ik.

'We stalen auto's toen we nog jong waren,' zegt hij tegen me.

'O.' Ik ben verbaasd – dat hij niet is zoals ik dacht dat hij was. 'Zo had ik me jouw jeugd helemaal niet voorgesteld,' zeg ik.

Ik voel dat ik begin te blozen, want hieruit zou hij kunnen opmaken dat ik veel aan hem gedacht heb. Hij kijkt me onderzoekend aan.

'Hoe had je je mijn jeugd dan voorgesteld?' vraagt hij.

'Ik dacht dat je uit een iets beter milieu kwam...'

Hij haalt lichtjes zijn schouders op.

'Ik ben opgegroeid in een arbeiderswijk in Newcastle,' vertelt hij. 'Nogal een ruige buurt, eigenlijk.' Hij begint een beetje anders te praten: ik hoor de tongval van de plaats waar hij zijn jeugd doorbracht. 'Dat deed je gewoon – dingen stelen. Auto's. Mijn broer en ik waren daar heel goed in.'

Ik denk aan waar hij vandaan komt en wat een strijd het geweest moet zijn om te komen waar hij nu is. Ik voel bewondering voor hem.

Hij zit in zijn koffie te staren. In het heldere licht dat door het raam naar binnen valt kan ik alle lijnen in zijn gezicht onderscheiden.

'Ik zat achter het stuur, die nacht dat het gebeurde,' vertelt hij. 'We hadden een oude aftandse Astra gestolen, een echte ruwe ouwe bak.'

Hij is heel zacht gaan praten. Ik leun over de tafel dichter naar hem toe.

'Ik reed te hard – hoorde dat de politie achter ons aan zat, ik kon de sirenes horen. Ik verloor de macht over het stuur. We raakten van de weg en botsten frontaal tegen een boom.'

'Goh, Adam.'

'Ik was een moment buiten westen.' Zijn gezicht is grauw, ik kan zien hoe vers het allemaal nog is. 'Toen ik bijkwam zat er bloed in mijn mond en op mijn gezicht. Ik wist dat het niet mijn bloed was. Jake stierf in mijn armen voor de ambulance er was.'

Hij zwijgt, maar niet lang.

'Ik had het gevoel dat het mijn schuld was, dat ik hem vermoord had.'

'Nee,' zeg ik, en mijn stem klinkt hoog van verontwaardiging. 'Jezus, Adam, natuurlijk heb je hem niet vermoord. Je hield van hem, je wilde niet dat hij dood zou gaan. Het was een ongeluk...'

'Zo voelde het niet,' zegt hij.

Hij zwijgt een moment en het lawaai van het café overspoelt ons. Het verdriet waarvan zijn verhaal doordrongen is bedrukt me. Ik voel hoe verschrikkelijk incompleet alles altijd is: er is zoveel dat ongezegd blijft, zoveel dat niet wordt afgemaakt en niet goed komt.

'Naderhand,' zegt hij, 'gebeurden er een paar rare dingen. Op een nacht werd ik wakker in de duisternis van het kamertje dat we gedeeld hadden en toen had ik zo'n sterk gevoel dat hij er was.'

Tot mijn verbazing gaat er een flits van jaloezie door me heen over het feit dat zoiets mij niet is overkomen na de dood van mijn moeder. Dat het wrange gevoel van haar afwezigheid alles was wat ik overhad.

'Hoe was dat?' vraag ik hem. 'Zag je iets? Hoorde je iets?'

'Die eerste keer voelde ik alleen zijn aanwezigheid. Zoals je kunt voelen dat er iemand is als je een huis binnenkomt. Maar later hoorde ik een keer zijn stem – niet in mijn hoofd, maar echt. Het geluid kwam van buitenaf. Hij noemde mijn naam. Het troostte me. Maar daarna is er niets meer gebeurd.'

Zijn stem verraadt een grote somberheid. Zijn handen liggen gevouwen op tafel, de knokkels zijn wit en de aderen lopen als draden onder zijn huid. Instinctief leg ik mijn hand op zijn pols. Met een ruk kijkt hij op: ik zie dat hij schrikt van mijn aanra-king. Ik voel een vlaag van opwinding en dat brengt me van mijn stuk want het lijkt clandestien, misplaatst. Ik trek mijn hand te-rug.

'Nou, dat is het. Zo is het gegaan. Je vroeg me waarom ik me zo bezighoud met deze materie, en ik wilde het je vertellen,' zegt hij. 'Ik wilde je vraag eerlijk beantwoorden. Sorry als het alle-maal wat morbide overkomt...'

'Nee, ik ben blij dat je het me verteld hebt... Nou ja, niet echt blij natuurlijk. Je weet wel wat ik bedoel...'

Hij knikt.

Het is me allemaal vreemd te moede – dat ik ineens zo'n per-soonlijk gesprek heb met een man die op het punt staat uit mijn leven te verdwijnen. Het klopt allemaal van geen kanten. Alles gebeurt in de verkeerde volgorde.

Hij begint de kopjes en borden te stapelen. Er verandert iets tussen ons: alsof er een draad is geknapt die ons net nog ver-bond.

'Je moet zo zeker terug naar de winkel,' zegt hij.

'Ja, dat denk ik wel.'

Hij loopt met me mee naar de ingang.

'Nou, heel veel sterkte met Sylvie.' Hij lacht zijn bekende, scheve lachje. 'Ik hoop dat het allemaal goed komt met jullie...'

'Dankjewel.'

Ik laat hem daar achter en loop weg, de druilerige, grijze dag en de krassende roeken tegemoet.

29

Aangeslagen door wat hij me verteld heeft rij ik langzaam terug naar de bloemenwinkel. Ik beleef het gesprek opnieuw, hoor het allemaal nog een keer in mijn hoofd. *Ik had het gevoel dat ik hem vermoord had.* Ik zie de gekwelde uitdrukking op zijn gezicht weer voor me en de duidelijk zichtbare aderen in zijn handen. Ik denk aan de last die hij met zich meedraagt en die hij zijn hele leven bij zich zal hebben. Ik heb heel erg met hem te doen.

Maar naarmate ik me verder van hem verwijder komt er ook iets harders in mij naar boven, en dat deel van mij is opgelucht. Alsof de juistheid van mijn beslissing door zijn verhaal bevestigd wordt. Hoe zou hij ooit objectief kunnen zijn als hij door zoiets verschrikkelijks gedreven wordt? Hij zal altijd blijven proberen zijn broer te bereiken, hij zal altijd op zoek zijn naar een soort teken, naar een bewijs dat hij nog ergens is, dat wat er toen gebeurd is niet zonder betekenis is geweest. Ik houd mezelf voor dat ik hem Sylvie niet zou toevertrouwen, dat het voor haar het beste is dat ik besloten heb niet meer terug te gaan.

Lavinia kijkt op en lacht naar me.

'Leuke lunch gehad, Gracie?' vraagt ze.

'Het gaat. Nou, ik weet het niet...'

Ze is bezig kievietsbloemen in een oude houten appelkist te planten. De bloemen zijn wazig paars en de blaadjes hebben een ingewikkelde tekening die aan een slangenhuid doet denken.

'Ik had een afspraak met die psycholoog over wie ik je verteld heb,' zeg ik.

Ze strijkt een lok uit haar gezicht. Ze heeft een ouderwetse ruiterjas aan, bootlaarzen van geolied leer en een speld met een zilveren papaverbol in haar haar.

'Wat leuk, Gracie,' zegt ze. 'Hoe gaat het daarmee?'

'Nou, niet echt goed. Ik denk niet dat hij ons kan helpen. Ik had met hem afgesproken om hem te vertellen dat we er niet mee doorgaan.'

Een bezorgde uitdrukking trekt over haar gezicht.

'O, Gracie, wat jammer voor je. En ik vond hem zo goed klinken,' zegt ze.

'Sylvie heeft gehuild na de sessie met hem.'

'Nou ja, het is natuurlijk ook moeilijk voor haar om zich open te stellen voor een vreemde.'

'Ik weet het niet, ik denk dat er meer aan de hand was. En nu net vertelde hij me over iets wat hem in zijn jeugd is overkomen. Ik ben er helemaal stuk van, eerlijk gezegd. Maar ik begrijp nu wel beter waarom hij dit soort onderzoek is gaan doen...'

Ik vertel haar zijn verhaal. Ze hoort me rustig aan.

'Arme jongen,' zegt ze. 'Wat vreselijk. Nou, kennelijk heeft hij je hoog zitten, Gracie, dat hij je zoiets toevertrouwt.'

'Maar hij kan toch nooit objectief zijn, na wat hij heeft meegemaakt? Dat kan toch niet, als hij wil bewijzen dat er nog iets is na dit leven – als hij nog steeds op zoek is naar zijn broer...'

Ze wrijft met haar hand over haar gezicht. Haar nagels zijn zwart van de aarde.

'Waarom doen we wat we doen – dat is een heel diepzinnige vraag, Gracie. Zou er iemand bestaan die helemaal objectief is? Ik bedoel, jezus, we zijn allemaal mensen. We hebben allemaal verborgen drijfveren...' Behendig drukt ze met haar handpalm de aarde aan. De beweging doet haar zilveren haarspeld glinsteren. 'Maar goed, ik hou mijn mond verder. Jij bent de enige die weet wat goed is voor Sylvie.'

'Dat dacht ik ook altijd,' zeg ik tegen haar. 'Maar nu weet ik het niet meer zo zeker...'

'Je moet jezelf wel vertrouwen,' zegt ze.

Ik wend me een beetje van haar af. Ik heb me voorgenomen haar vandaag over De Beukennootjes te vertellen. Ik weet dat ik het niet langer kan uitstellen, dat is niet eerlijk tegenover haar. Maar ik voel zo'n weerstand. Alsof ik mezelf, zolang ze het nog niet weet, wijs kan maken dat het niet zo is, alsof het pas werkelijk wordt als ik het haar vertel.

'Lavinia.' Plotseling is mijn keel dik.

Ze kijkt meteen op als ze de trilling in mijn stem hoort.

'Wat is er, Grace? Wat is er gebeurd?'

'We raken de plek op de crèche kwijt. Ze zeggen dat ze Sylvie niet meer kunnen hebben.'

'Jémig, Grace.'

Ze staart me aan.

'Het spijt me,' zeg ik. 'Ik had het je eerder moeten vertellen. Het spijt me echt.'

'Bedoel je dat ze haar hebben weggestuurd?'

'Zoiets, ja.'

'Maar ze is nog zo klein, wat bezíélt die mensen? Wat een rotlui, Gracie,' zegt ze.

'Ik probeer een andere plek voor haar te vinden,' zeg ik tegen haar. 'Maar er zijn overal lange wachtlijsten, dus het zal niet zomaar lukken.'

'Hoe lang heb je nog?' vraagt ze.

'Tot het eind van de maand,' antwoord ik. 'Het spijt me dat ik je hiermee overval...'

Ze ziet er verslagen uit.

'Niet langer dan dat? O, Gracie.'

Ze spreidt haar handen in een klein, wanhopig gebaar.

'Ik zal je zo verschrikkelijk missen,' zegt ze. 'Het was altijd zo fijn met je, hoe kan ik jou ooit vervangen?'

Ik schraap mijn keel.

'Je kunt mijn plek zeker niet nog even openhouden? Alleen maar voor een paar weken?' Mijn stem klinkt geforceerd en schril. 'Tot ik iets gevonden heb? Ik bedoel, misschien vind ik toch nog een crèche die haar wil hebben...'

Er valt een korte, ongemakkelijke stilte.

'Grace, het spijt me zo,' zegt ze dan. 'Als het zou kunnen, zou ik het doen, geloof me. Als het nou zomer was, dan zou ik misschien een student kunnen krijgen. Maar ik moet vastigheid hebben, want ik kan de winkel echt niet in mijn eentje runnen.'

Plotseling zie ik alles duidelijk voor me. Nu ze het zo onomwonden zegt, weet ik hoe het verder zal gaan en dat mijn baan hier definitief voorbij is. Ik zie gruwelijk gedetailleerd voor me hoe alles onttakeld wordt wat ik met zoveel zorg heb opgebouwd. Het is zo afmattend en zo bekend: het schipperen, het genoegen nemen met weinig, het lijkt zo op het leven van mijn moeder. De wrok, te moeten leven van de kinderbijslag, ons hele leven dat vastliep.

Ze komt naar me toe, slaat haar armen om me heen en houdt me dicht tegen zich aan.

Ik zeg niets. Als ik praat ga ik huilen.

Mijn laatste dagen bij Jonas en de Wallevis vliegen voorbij. Elke dag bel ik in mijn lunchpauze naar crèches en probeer ik in een steeds grotere cirkel een plek te vinden voor Sylvie, maar niemand kan me helpen, niet op zo korte termijn. Ik denk nog steeds dat er iets zal gebeuren, dat iemand me te hulp zal schieten, me zal redden. Maar er gebeurt niets, er komt niemand.

Lavinia heeft een jonge vrouw gevonden die mijn plaats zal innemen. Ze is een Poolse met een graad in de Engelse taal en perfect ontkruld blond haar. Ze is heel aardig en leergierig en past perfect bij Lavinia. Ik voel een steek van afgunst.

Op mijn laatste dag geeft Lavinia me een weelderige bos roze leliën.

'Beloof me dat je contact zult houden,' zegt ze. 'En laat me weten hoe het met Sylvie gaat.'

'Ik zal je zo missen,' zeg ik tegen haar. 'Jou, en het werken hier. Ik heb er zo van genoten.'

'Dat weet ik, Gracie,' zegt ze.

Ze omarmt me en de warme stevigheid van haar lijf is troostend. Toch voel ik, nu we afscheid nemen, dat het moeilijk zal zijn om contact te houden en dat onze vriendschap misschien wel oppervlakkiger zal blijken te zijn dan ik altijd gedacht heb. Deze gedachte maakt me verdrietig.

Bij De Beukennootjes heeft Beth Sylvies spullen – haar borstel, handdoek en rugzakje – op een stapeltje op de tafel bij de deur gelegd. Ze drukt Sylvie stevig tegen zich aan.

'Goed op jezelf passen, lieverd. Beloof je dat?'

Sylvie gaat op haar tenen staan en geeft Beth een kus op haar wang. Beth heeft grote, vochtige ogen. Ik bedank haar voor haar goede zorgen.

In het schemerdonker en het oranje licht van de straatlantaarns lopen we naar de auto.

'Waarom ga ik niet meer naar de crèche, Grace?' vraagt Sylvie.

'Mevrouw Pace-Barden dacht dat je thuis gelukkiger zou zijn,' antwoord ik. 'Je was toch niet zo heel gelukkig op de crèche? Je vond het er toch niet echt leuk?'

Ze laat dit even op zich inwerken.

'Soms wel en soms niet,' zegt ze.

30

Het is de eerste maandag dat we samen thuis zijn, het begin van ons nieuwe leven.

'Wat gaan we vandaag doen, Grace?' vraagt Sylvie.

Ik kijk om me heen. In het heldere voorjaarslicht ziet de huiskamer er morsig en stoffig uit.

'Eerst ga ik het huis schoonmaken en dan gaan we iets leuks doen,' antwoord ik.

'Ga je met mij spelen?'

'Ja. Zodra ik klaar ben met opruimen. We kunnen een picknick houden met al je barbiepoppen en Big Ted. Zou je dat leuk vinden?'

Ze glundert.

'Ja, Grace.'

Ik kniel bij haar neer en omhels haar. Haar zijdezachte haar strijkt langs mijn gezicht. Zij omhelst mij ook, met een klein glimlachje.

Ik zeg tegen mezelf dat ik er iets van ga maken. Ze zal mijn onverdeelde aandacht krijgen, en misschien wordt ze wel wat rustiger als ze de hele dag thuis is met mij. Misschien kwamen alle problemen wel voort uit stress en wordt ze nu veel gelukkiger. Ik ga er iets van maken, ik weet dat ik het kan.

Ik ga vlijtig aan de schoonmaak. De spinnen zijn druk bezig geweest: het lijstwerk ziet eruit als kant. Ik veeg het spinrag weg en zuig en stof overal terwijl Sylvie met haar poppenhuis speelt, de meubeltjes verplaatst en de kleine figuurtjes door de kamertjes met de geblokte muren laat lopen.

Als ik klaar ben kijk ik eens goed om me heen om het resultaat te bewonderen. Het ruikt naar was, alles glanst en de lijnen van de spullen zijn weer helder en niet meer zo smoezelig. Ik zet

Lavinia's leliën midden op de tafel. De knoppen beginnen open te gaan, in de bloemen zijn het roestkleurige stuifmeel en de bleke haartjes, die iets dierlijks hebben, goed te zien. De blinkende kamer beurt me op. Ik zet het raam op een kier. Er waait een frisse voorjaarswind door de tuin die een geur van aarde en groen met zich meebrengt en de randen van mijn katoenen gordijnen als handen doet zwaaien en wenken.

'Nou – dat begint er op te lijken, hè?' Ik praat half in mezelf. 'Zo ziet onze kamer er echt mooi uit.'

Sylvie kijkt op. Ze zegt nog niets, maar haar koele blik flitst door de kamer.

'Ik had vroeger een huis,' zegt ze. 'Toen ik mijn familie nog had. Het was mooier dan dit huis, Grace.'

Een golf van kwaadheid raast door me heen. Ik stik haast in de lelijke woorden die ik haar toe wil roepen, toe wil schreeuwen. *Ik doe zoveel moeite om een goed leven voor ons op te bouwen maar wat ik ook doe, het is nooit goed genoeg...* Ik klem mijn kiezen op elkaar.

Ik kniel bij haar neer en grijp haar bij de schouders.

'Sylvie, ophouden hiermee, oké? Je moet hiermee ophouden. Dít is jouw huis. Hier hoor je thuis. Dit is jouw familie: jij en ik samen. Dat moet je weten en accepteren. Meer is er niet, Sylvie – dit leven dat we hier samen hebben...'

Ze wordt heel stil. Mijn gezicht is dicht bij het hare: ze heeft haar ogen stijf dicht zodat ze niets kan zien.

'Je doet me pijn,' zegt ze.

Ik laat haar los en dwing mezelf bewust te ademen. Ik merk dat mijn handen trillen.

Een lange dag strekt zich voor me uit en ik weet niet hoe ik die tot een goed einde moet brengen met dit gevoel in mijn lijf, deze afschuwelijke boosheid die me verteert. We moeten het huis uit, de frisse wind om onze oren voelen zodat ik weer een beetje mezelf kan zijn. Al lopen we alleen maar even naar de supermarkt.

'Lieverd, we gaan naar de winkel. We moeten wat chocoladekoekjes kopen voor onze picknick.

Gehoorzaam staat ze op om haar jas en schoenen te pakken.

De supermarkt is nagenoeg leeg en de klanten die er zijn, zijn niet de mensen die ik altijd zie als ik op vrijdagavond boodschappen doe, het druk is en iedereen haast heeft en doelgericht bezig is. Ik loop langs een oude man die er mager en zwak uitziet, alsof hij bij de geringste aanraking omvalt, en een dame op leeftijd met een vage geur van mottenballen om zich heen en drie eenpersoonsmaaltijden in haar mandje. Misschien is dit bezoek aan de supermarkt wel het hoogtepunt van haar dag. Een van de vrouwen die ik soms op de hoek van mijn straat zie tippelen, koopt een pak Pampers en babymelk. Ze heeft een lubberend trainingspak aan en haar gezicht is rimpelig en afgetobd. Allemaal trieste, vermoeide mensen die in de periferie van hun leven terecht zijn gekomen. Net als ik, denk ik, en de gedachte vervult me met weerzin.

Er loopt een moeder met een klein jongetje. Ze vallen me meteen op omdat er iets vreemds met hen aan de hand is. De moeder heeft strak naar achteren gekamd haar, een waakzame, felle uitdrukking op haar gezicht en diepe denkrimpels in haar voorhoofd. Ik vermoed dat ze er veel ouder uitziet dan ze is. Het jongetje is iets jonger dan Sylvie en heeft een verstild, tamelijk mooi gezicht, maar zijn bewegingen zijn wild en ongecontroleerd. Terwijl ik naar hem kijk wappert hij vreemd met zijn handje vlak voor zijn ogen en dan dringt het tot me door dat hij autistisch is. Ik zeg tegen mezelf dat ik geluk heb, dat mijn problemen niets voorstellen vergeleken bij wat deze vrouw doormaakt.

Ze zijn bij de biscuitjes aangeland, waar ik op zoek ben naar de chocoladekoekjes. Met een beweging die uit het niets lijkt te komen zwiept het jongetje met zijn arm langs de koekjes en gooit tientallen blikken en pakjes op de grond. De moeder vloekt. Ze grijpt hem vast, zet hem hardhandig in het kinderzitje van haar winkelwagentje en snoert hem vast, hoewel hij daar eigenlijk te groot voor is. Hij worstelt om uit het tuigje te komen. Sylvie kijkt gefascineerd toe.

De vrouw begint de koekjes terug te leggen. Ik ga haar helpen.

'O, doet u geen moeite,' zegt ze.

'Het is geen moeite,' zeg ik tegen haar. 'Ik weet hoe het is...'

Een lok lusteloos haar valt over haar gezicht. Ze strijkt hem vermoeid uit haar ogen.

'Het spijt me zo,' zegt ze. 'Het spijt me. U hoeft dit echt niet te doen.'

Waarschijnlijk is ze zich voortdurend zo aan het verontschuldigen, terwijl ze in het kielzog van haar kind de chaos opruimt.

'Het geeft niet, echt niet,' zeg ik tegen haar.

We stapelen de pakken met koekjes op in het schap. Het jongetje begint te huilen met een hoog, schril geluid dat niet menselijk klinkt maar eerder aan een piepend vogeltje doet denken. De vrouw breekt een blikje cola uit een verpakking die in haar wagentje ligt en geeft het aan hem. Hij drinkt, het huilen stopt. Er loopt wat cola langs zijn kin, maar hij veegt het niet weg. Sylvie gaat dichterbij staan, ze kijkt met grote ogen en tuit haar lippen: ze ziet er een beetje zelfgenoegzaam uit.

Er zijn bijna geen chocoladekoekjes meer en ik kijk wat er nog achter in het schap ligt. We kunnen kiezen uit puur en melk en ik draai me om naar Sylvie om haar te vragen welke smaak ze wil. Ik zie – te laat – dat het jongetje wild met zijn blikje zwaait, bijna alsof het een ratel is, alsof hij niet weet waar het voor is. Het bruine vocht spuit in een boog uit het blikje.

Ik steek mijn hand uit en graai naar Sylvie. Het lijkt allemaal zo langzaam te gebeuren, ik kan haar niet bereiken, niet bij haar komen. Bruin vocht spat op haar gezicht. Even blijft ze doodstil staan, verstijfd, haar strakke gezicht een wit masker.

'Er is niets aan de hand, schat, het is alleen maar een beetje cola... Sylvie...'

Mijn woorden worden overstemd door haar gekrijs.

Ik pak haar vast maar ze verzet zich en slaat met haar vuisten op mijn borst. Het doet pijn, ze is zo woest. Rondom ons is alles stilgevallen, iedereen kijkt en luistert: er is nog maar één ding dat alles overheerst en dat is het gekrijs van Sylvie.

Er komt een manager aan, een jonge, slungelige man met puistjes en een van afschuw vertrokken gezicht.

'Mevrouw, gaat het wel goed met u?' vraagt hij aan mij.

'Nee, niet echt. We gaan maar weer eens,' zeg ik tegen hem.

Ik laat mijn mandje met boodschappen achter, trek Sylvie met me mee door de winkel tot we buiten op de stoep staan. De manager kijkt ons hulpeloos na, iedereen kijkt naar ons. Mijn lichaam voelt schamel en broos, alsof het elk moment uit elkaar kan vallen. Sylvie is nog steeds aan het krijsen.

Ik sleur haar de flat in en naar de huiskamer.

'Sylvie, hou op, hou op!' schreeuw ik tegen haar. Mijn stem klinkt hoog en scherp. Ik weet dat dit geen zin heeft maar ik kan het niet helpen.

Ze gaat nog harder krijsen.

Ik wil terugkrijsen, ben woedend omdat ik niet tot haar kan doordringen, haar niet kan bereiken. Omdat ze doet alsof ik niet besta. Ik moet zorgen dat ze notitie van mij neemt. De woede raast door me heen, verblindt me. Ik geef haar een harde klap in haar gezicht. Mijn hand maakt een hard geluid.

Ze stopt onmiddellijk met krijsen, alsof het geluid wordt afgeknepen. Waar ik haar geslagen heb is haar huid rood geworden. Ze legt haar hand op de zere plek, en draait zich naar me toe. Haar ogen zijn als speldenprikken en haar gezicht straalt een en al haat uit. Dan gaat haar mond open en begint ze opnieuw te krijsen.

Ik loop naar de keuken en smijt de deur achter me dicht.

Ik ga aan de keukentafel zitten en wrijf met mijn hand over mijn gezicht. Mijn hand wordt nat en ik realiseer me dat ik zit te huilen. Al mijn woede is verdwenen. Ik voel me zwak, moe, en schaam me diep. Weer hoor ik het geluid van mijn hand op haar gezicht en dat vervult me met afschuw. In mijn hoofd herhalen zich steeds dezelfde woorden: *Ik kan dit niet aan, ik kan dit niet aan, ik kan dit niet aan...* De woorden malen in mijn hoofd. *Ik kan dit niet aan...* Ik laat mijn tranen een hele tijd de vrije loop.

Uiteindelijk veeg ik mijn gezicht af met mijn mouw. Ik voel me licht in het hoofd, afstandelijk, gevoelloos. Ik blijf nog een poosje aan tafel zitten en staar door het raam naar buiten, naar de steeg en de huizen aan de overkant. Er staan vuilnisbakken en over de steeg is een telefoondraad gespannen. Erboven zie ik een klein streepje lucht waarin witte wolken haastig voorbijzeilen. Op de telefoondraad is een vogeltje neergestreken, een haveloos musje dat zich goed met zijn pootjes aan de draad heeft vastgeklemd en meedeint in de wind. Ik kijk ernaar. Het is zo klein en teer, zo verweerd, zoals het daar heen en weer geslingerd wordt door de wind. Ik ben een beetje bang, bang dat het eraf wordt geblazen, alsof ik vergeten ben dat vogels kunnen vliegen.

In de huiskamer achter mij is Sylvie nog steeds aan het krijsen. Ik doe de la van het keukenkastje open en pak het kaartje van Adam Winters.

Hij neemt meteen op.

'Adam Winters.' Het is de kordate toon die hij heeft als hij op zijn werk is.

'Adam, met Grace. Grace Reynolds, weet je nog wel?'

'Grace.' Hij klinkt verrast. 'Hoe is het met je? Hoe gaat het allemaal?'

Ik adem diep in.

'Niet zo goed. Sylvie is weg bij de crèche en vandaag doet ze niets dan krijsen...'

'Zoiets verwachtte ik al.' Zoals hij dat zegt, een beetje droog, geeft hij mij het gevoel dat een huilend kind misschien niet het einde van de wereld is.

'Ik ben van gedachten veranderd,' zeg ik tegen hem. 'Ik wil graag een afspraak maken. Ik wil je weer zien.'

'Goed.' Hij klinkt blij. 'Waar ben je nu, thuis?'

'Ja.'

'Ik zou naar je toe kunnen komen. Komt dat gelegen?'

'Hiernaartoe? Naar mijn huis?'

'Ja, geen probleem,' zegt hij.

Alles gaat ineens zo snel. Maar ik heb mijn besluit genomen.

'Oké.'

'Het is in Highfields, hè? Geef me een halfuur.'

Ik ga terug naar de huiskamer. Sylvie huilt nog steeds, maar zachter. Ik kniel bij haar neer en neem haar in mijn armen. Haar lijf voelt los en slap en ondanks al het huilen voelt haar huid koel aan.

'Het spijt me dat ik je geslagen heb,' zeg ik tegen haar. 'Dat had ik niet mogen doen.'

Ze zegt niets.

Ik wieg haar zachtjes, streel haar rug en voel haar langzame ademhaling.

'Wat voel je koud aan,' zeg ik tegen haar.

Ik draag haar naar haar kamer en stop haar in bed met Big Ted en een prentenboek waar haar favoriete versjes in staan – 'Blup, blup, zegt Tom', en 'Pim piraat', en 'Moeder, mag ik spelevaren...'

'Blijf maar hier tot je je wat beter voelt,' zeg ik. 'Blijf maar eventjes in bed met je boekjes.'

Werktuiglijk opent ze een boek, maar kijkt er nauwelijks naar.

De foto van Coldharbour is tegen de zijkant van haar kleren-kast geplakt. Hij is al een beetje beduimeld doordat ze hem soms onder haar kussen legt. Hij hangt scheef en de hoeken zijn ge-scheurd. Ik pak de lijm en hang de foto recht. Ze kijkt naar me met grote sombere ogen.

'Ik zal een glas melk voor je pakken,' zeg ik tegen haar.

'Ik heb honger,' zegt ze.

'Goed, dan neem ik ook een koekje voor je mee.'

Ik staar een moment naar de foto: de helderblauwe zee en de vissersboten. Het zou het andere eind van de wereld kunnen zijn, een plek die onnoemelijk ver weg is.

31

Ik hoor het geluid van een auto die tot stilstand komt en loop naar de voordeur om open te doen.

'Grace.'

Hij heeft een oeroud leren jack aan en moet zich hebben gehaast want hij is buiten adem.

'Ik hoop dat je het niet erg vindt dat ik zomaar belde, maar ik ben ten einde raad,' zeg ik tegen hem. 'Ik wist gewoon niet wat ik anders moest doen...'

Hij kijkt me aan en lacht zijn scheve lachje.

'Ik weet niet zeker of dat een compliment is,' zegt hij, en ondanks mezelf moet ik lachen. Als ik koffie heb gezet gaan we aan de eettafel zitten. Hij lijkt te lang voor mijn stoelen. Het is raar om hem hier te zien zitten, tussen mijn spullen. Alles is zo vrouwelijk in dit huis: de katoenen gordijnen, de geur van leliën.

Hij nipt van zijn koffie.

'Nou, vertel wat er gebeurd is.'

'Sylvie ligt in bed,' zeg ik tegen hem. 'Ze ging helemaal door het lint bij de supermarkt en toen heb ik haar geslagen. Ik schaam me zo.'

'Niet doen,' zegt hij. 'Je hoeft je nergens voor te schamen. Ik vind dat je ongelooflijk veel geduld met haar hebt.'

'Ik heb zo mijn best gedaan maar het lukt allemaal niet,' zeg ik tegen hem.

'Ja, ik weet hoe het is,' zegt hij.

Vanuit het niets heb ik ineens een geluksgevoel: dat hij hier is en ik dit met hem kan delen.

'Ik zou heel graag willen weten wat jouw indruk van haar is,' zeg ik tegen hem. 'Dat heb ik je eigenlijk nog niet gevraagd.'

Hij glimlacht.

'Ik ben een scepticus, weet je nog?'

'Je weigert conclusies te trekken.'

Hij knikt. 'Maar als ik alles op een rijtje zet – hoe ze zich gedraagt, de dingen die ze zegt – maakt dat me nieuwsgierig. De vraag is alleen hoe we het beste te werk kunnen gaan.'

'Je bedoelt, als ze geen antwoord op je vragen kan of wil geven?' vraag ik.

Hij knikt.

'Met oudere kinderen zou je hypnose kunnen overwegen, om te proberen ze in regressie te laten gaan,' zegt hij.

'Ze terug te laten gaan in hun herinnering?'

'Ja. Hoewel ik daar eerlijk gezegd niet zo'n voorstander van ben. En het biedt natuurlijk geen zekerheid. Het bewijst nog niets, wat iemand zegt die in trance is.'

'Het is niet wetenschappelijk?'

'Nee.'

Even blijft hij stil tegenover me zitten, over de tafel mijn kant op leunend. Zijn gezicht is zo dichtbij dat ik de lichte vlekjes in zijn ogen kan zien.

'Je weet wat ik zou willen doen,' zegt hij.

'Ja.' Mijn hart gaat tekeer.

'Er is maar één manier om een geval als dat van Sylvie te onderzoeken.'

Ik knik zwakjes.

Hij strekt zijn hand naar mij uit, het is een kort, incompleet gebaar. Mijn huid tintelt in afwachting van zijn aanraking.

'Grace, gaan jullie met mij mee naar Ierland?'

Ik zeg niets. Mijn hart bonst.

'Het is geen ingewikkelde reis,' zegt hij. 'We vliegen van Heathrow naar Shannon en huren daar een auto. Coldharbour is een klein plaatsje, maar er is wel een bed and breakfast...'

'Heb je dat al opgezocht?' Ik sta versteld.

'Natuurlijk.'

'Maar... hoe moet ik dat in godsnaam regelen? Ik bedoel, om te beginnen kan ik de reis niet betalen...'

Hij kijkt meteen hoopvol als ik dat zeg.

'Geen probleem, ik betaal voor jullie allebei – ik heb een beurs waarmee ik dit soort onderzoek kan bekostigen. Misschien vraag ik je toestemming om er in een tijdschrift over te publiceren. Dat krijg je dan natuurlijk van tevoren onder ogen...'

'En Simon dan, je baas? Wordt hij niet kwaad op je, als hij denkt dat wat je doet niet wetenschappelijk is?'

'Waarschijnlijk wel. Maar hij zoekt het maar uit,' antwoordt Adam.

Ik staar in mijn koffie, door twijfels bekropen. Ik hoor Karens stem in mijn hoofd, haar waarschuwingen en vermaningen.

'Maar stel nou dat Sylvie nog meer overstuur raakt. Ik bedoel, dat ze er nog meer in verstrikt raakt? Dat zou ik niet kunnen verdragen, ik zou me zo schuldig voelen.'

'Ja, dat risico is er,' zegt hij. 'Dus je moet er goed over nadenken. Ik zal niet ontkennen dat dit iets is wat ik heel graag wil doen. Maar het is aan jou om te bepalen wat voor haar het beste is.'

Stil zitten we tegenover elkaar. Buiten ragt de wind rond in het steegje en laat de deksels van de vuilnisbakken klepperen. Het klinkt te hard, alsof het hier in de kamer is.

Ik neem een slokje koffie en voel het effect van de cafeïne die in mijn bloedbaan komt.

'Het probleem is,' zeg ik, 'dat ik niet weet wat ik ervan moet denken. Ik bedoel, sóms geloof ik erin... dat er iets in zit, maar ik moet er ook steeds weer aan denken dat ze zei dat ze een grot en een draak had... Dat komt regelrecht uit een sprookjesboek.'

'Zou kunnen.'

'Misschien is het gewoon een spel dat ze speelt, een eigen wereld die ze voor zichzelf heeft gecreëerd.' Ik moet denken aan wat Karen zei. 'Een soort wensdroom.'

'Dat is heel goed mogelijk,' zegt hij. 'Misschien komen we daar aan en vinden we er niets, blijkt de plek geen enkele betekenis voor haar te hebben. Het kan dat het allemaal een hersenschim blijkt te zijn. Het is aan jou, Grace. Jij moet bepalen of je het de moeite waard vindt om dit te onderzoeken. Alleen jij kan die beslissing nemen.'

Ik stel me voor hoe het zou zijn om met hem naar Ierland te gaan. Een kiem van opwinding opent zich in mijn hart. *Het zal toch niet... of wel?*

'Ik zou er misschien over kunnen denken,' zeg ik. 'Ik bedoel, ik beloof niets...'

Ik verwacht een reactie van hem – geanimeerd wellicht, of misschien verrast. Ik verwacht dat hij met zijn hand door zijn haar woelt.

Hij zet zijn kopje neer en buigt zich naar me toe. Opeens is hij heel ernstig. Hij fronst en kijkt me met zijn slimme donkere ogen aan.

'Grace, er is iets wat je moet weten.' Hij klinkt zo plechtig dat het me van mijn stuk brengt. 'Als we inderdaad met Sylvie naar Coldharbour gaan, zijn we op zoek naar een dode – naar het verhaal van een dode.'

Ik huiver, alsof er een kille adem langs mijn huid strijkt. Op de een of andere manier was dit nog niet in me opgekomen.

'Je bedoelt... dat we dan op zoek zouden gaan naar de persoon die mijn dochter geweest is...' Om me heen lijkt de kamer in beweging te komen. Iets in mij verzet zich hevig tegen deze gedachte.

Hij knikt.

'Maar er is nog iets,' zegt hij. 'Volgens de studies die ik heb gelezen gaan de verhalen die deze kinderen vertellen vaak over een gewelddadige dood.'

Ik voel de kou door me heen gaan.

'Bedoel je een verschrikkelijk ongeluk? Of zelfs een moord?'

Hij knikt langzaam.

'Iets plotselings en schokkends.'

'Maar waarom? Waarom zou dat het soort dood zijn dat ze zich herinneren? Waarom niet gewoon een vredige dood?' Ik moet denken aan de man wiens begrafenisstoet Lavinia en ik in het najaar zagen – met de zwartgepluimde paarden en al die margrieten. 'Een mooie dood?'

'Het is alsof ze nog niet helemaal klaar zijn met doodgaan, alsof ze het nog niet los kunnen laten. Dus... een gewelddadige, plotselinge dood met alle ellende die dat teweegbrengt.'

Bij die woorden is de dood van Jake bij ons in de kamer aanwezig. Ik besef dat hij die ellende heel goed kent – al te goed. Weer vraag ik me af of dat er de reden van is dat Sylvies geval hem zo bezighoudt. Een poging om een manier te vinden om te leren leven met wat er gebeurd is. Een poging om te bewijzen dat er meer is, dat het niet eindigt met het sterven, en alle ellende die daaruit voortkomt.

'Ja, ik begrijp het,' zeg ik.

'Ik wil dat je daar een tijdje over nadenkt,' zegt hij tegen me.

Zijn blik brengt me in de war, de intensiteit ervan roept iets in me wakker. Er gaat een schok door me heen, een lustgevoel. Ik kijk de andere kant op.

'Mocht je besluiten om mee te gaan,' zegt hij, 'dan wil ik dat je je openstelt. Als Sylvie zich inderdaad iets herinnert, dan zal het geen... gelukkige geschiedenis zijn waar we op stuiten.'

'Nee, dat begrijp ik.'

Hij gaat zo voorzichtig met me om dat ik me afvraag hoe hij mij ziet, misschien kom ik breekbaar op hem over en voelt hij zich geroepen me met fluwelen handschoentjes aan te pakken.

We zitten een tijdje zwijgend tegenover elkaar. De wind rukt aan mijn raam. Op straat klinkt het geluid van iets wat kapotvalt, het plotselinge geluid van brekend glas. Als ik mijn kopje wil pakken, zie ik dat ik beef. De koffie trilt mee als ik het kopje naar mijn mond breng.

'Denk er maar over na,' zegt hij.

'Ja.'

'En praat erover met Sylvie,' zegt hij. 'Probeer erachter te komen of ze het leuk zou vinden om te gaan. Want het heeft geen enkele zin als Sylvie er niet zeker van is. Ze moet zin hebben om te gaan. Wil je dat voor me doen?'

Als Adam weg is, ga ik naar Sylvies kamer. Haar wangen hebben weer wat kleur gekregen. Ze is uit bed gekomen en zit stilletjes met haar barbiepoppen te spelen.

'Sylvie. Weet je wie hier net was? Adam, de man waar we samen geweest zijn, weet je nog wie dat is?'

'Ja,' antwoordt ze.

Ik hurk naast haar op de grond. Mijn hart bonst zo hevig dat mijn hele lichaam lijkt te trillen. Ik realiseer me dat ik niet weet hoe ik de vraag moet formuleren en dat ik me hier misschien even op had moeten voorbereiden.

'Adam en ik... we hadden het over die plaats waar jij zo weg van bent, de plaats op de foto, weet je wel?'

Plotseling kijkt Sylvie me roerloos aan. Haar koele, blauwe ogen zijn zo helder als een winterse lucht.

'We vroegen ons af of het een idee is om ernaartoe te gaan en er een kijkje te gaan nemen,' zeg ik. 'Jij en ik en Adam. Naar het plaatsje van jouw foto.'

'Coldharbour,' zegt ze. Ze spreekt het zo zorgvuldig uit, elke klank exact, alsof het een kostbaar, breekbaar object is dat ze heel voorzichtig neerzet.

'Ja, naar Coldharbour.'

'Wanneer, Grace? Wanneer gaan we?'

'Nou – we hebben nog niet besloten wanneer we gaan. Het is alleen nog maar een idee. Adam wilde graag weten wat jij ervan vond. Of jij er iets voor zou voelen...'

'Gaan we dan naar mijn familie? En mijn huis en de vissersboten?'

'We gaan alles bekijken wat er te bekijken is. Maar eerst moet ik zeker weten of je het echt wil, schat. Wil je er graag heen? Naar Coldharbour?'

'Ja,' zegt ze tegen me.

'Oké. Dan ga ik met Adam praten. Ik zal hem vertellen wat je tegen me gezegd hebt.'

'Wanneer gaan we?' vraagt ze nog een keer.

'Dat weet ik niet, schat,' antwoord ik. 'Daar moet ik het met Adam over hebben.'

Tussen de middag maak ik een tosti voor haar. Als ik terugga naar haar kamer om te zeggen dat de tosti klaar is, ligt haar Shaun het Schaap-rugzak op haar bed. Hij zit propvol. Ik zie dat

194

Big Ted en haar lievelingsboeken erin zitten, en wat kleren uit haar kast: een paar t-shirts, haar suède laarsjes en haar bloemetjesbroek.

'Je hebt al gepakt!' zeg ik.

'Ja, Grace. Ik ben zover.' Ze klinkt een beetje ongeduldig, alsof ze me maar traag vindt. 'Ben jíj dan nog niet klaar, Grace?'

32

We vliegen over de rand van het land. Sylvie zit bij het raam en als ik me over haar heen buig kan ik onder ons de Ierse Zee zien, de branding die als een witte rand langs de kustlijn loopt en van hier af een statische indruk maakt, roerloos als een tekening of een schilderij. Sylvie, die vandaag met volle teugen van alles heeft genoten – van de betovering van de luchthaven en de felgroene pakken en hoedjes van de stewardessen tot zelfs haar broodje kipsalade (nadat ze er de slablaadjes een voor een had afgehaald) – is uiteindelijk in slaap gevallen.

De krant die ik op het vliegveld heb gekocht ligt opengeslagen en ongelezen op mijn schoot. Ik leun naar achteren in mijn stoel, me zeer bewust van Adams arm die op de leuning tussen ons in ligt. Ik ben lichtelijk verbijsterd – dat dit nu echt gebeurt.

Adam leest evenmin.

'Vindt je vriendin...' zeg ik. 'Ik bedoel, ik weet niet hoe ze heet...'

'Tessa. Ze heet Tessa.'

'Vindt Tessa het niet vervelend dat je dit doet?'

Hij kijkt me niet-begrijpend aan.

'Nee. Waarom zou ze dat vervelend vinden?'

Het was misschien een stomme vraag van mij.

'Dat vroeg ik me gewoon af.'

'Zo'n soort relatie hebben we niet,' zegt hij.

Ik wil hem vragen wat hij bedoelt – wat voor soort relatie ze dan hebben.

Inmiddels vliegen we boven Ierland. Het land schuift onder ons weg: doorploegde paarse akkers, dichte bossen die zo'n donkere kleur hebben dat ze er verbrand uitzien, en een kronkelend zilveren riviertje. Wolken vliegen als rook langs ons heen.

'Kijk,' zeg ik.

Hij buigt zich voor me langs, zo dichtbij dat ik de warmte voel die van zijn lichaam afstraalt. We kijken net zo lang tot de grond door wolken aan ons zicht wordt onttrokken.

Sylvie begint te bewegen en opent haar ogen. Ze kijkt verward om zich heen en drukt Big Ted tegen zich aan.

'Grace,' zegt ze. Haar toon is vragend.

Ik strijk haar haar naar achteren.

'We zitten in het vliegtuig, schat, weet je nog wel? We zijn op weg naar de plaats die op jouw foto staat.'

Ze glimlacht.

Het geluid van de motor valt weg zodat het lijkt alsof het vliegtuig stil in de lucht hangt. De piloot kondigt aan dat we aan de afdaling gaan beginnen. Witte wolken drukken tegen de ramen.

Adam drinkt zijn koffie op en klapt zijn tafeltje weg.

'Ik zal Sylvie voorlezen,' zegt hij tegen mij. 'Dan kan jij even wat rust nemen.'

Ik pak *Rupsje Nooitgenoeg* uit mijn tas en we wisselen van plaats, zodat Adam naast Sylvie komt te zitten. Ik zet de rugleuning van mijn stoel naar achteren en strek mijn benen in het gangpad.

Hij begint te lezen. Zijn stem is expressief en hij is totaal onbevangen. Sylvie hangt aan zijn lippen: als hij aan het eind van het boek is gekomen wil ze het allemaal nog een keer horen. Ze kijkt naar de plaatjes en stopt haar vingers in de gaatjes waar de rups zich doorheen heeft gegeten. Ik doe mijn ogen dicht en dommel zo nu en dan in. Hij leest de prachtige lange opsomming voor van alles wat de rups gegeten heeft en de draad van zijn verhaal windt zich om mijn dromen. Eén plakje salami, één lolly, één stukje kersentaart...

Als we op Shannon Airport landen stroomt het van de regen. We eten in een restaurant dat is opgetrokken uit het meedogenloze beton van de jaren zestig en kijken uit op een langzaam stromende bruine rivier. Sylvie zegt dat haar met kaas bedekte aardappelen naar zweet smaken.

Op een nat, grijs parkeerterrein halen we onze huurauto op en laden we de bagage in.

'Ik wil best rijden, maar jij moet het maar zeggen,' zegt Adam.

Ik ben blij dat hij het me vraagt en niet als vanzelfsprekend achter het stuur gaat zitten.

Sylvie klautert de auto in. Er hangt een zilverkleurige christoffel aan de binnenspiegel en als ze over de stoelen naar voren leunt om hem aan te raken, begint het metalen plaatje te trillen en te fonkelen. Dan installeert ze zich met Big Ted in haar zitje en neemt een hap van haar koekje.

We rijden door een lieflijk landschap met grijze kerktorens en kleine boerderijen. Alles is net even anders dan in Engeland: de Iers-Gaelische woorden op de borden met hun verbazingwekkende opeenhopingen van medeklinkers, de palmen die de mensen in hun tuin hebben. Zelfs de hoogspanningsmasten lijken er anders uit te zien. Maar door de regen is alles druilerig.

Af en toe werp ik een blik op Sylvie. Duidelijk verkwikt doordat ze in het vliegtuig heeft geslapen, zit ze met een aandachtige, alerte blik naar buiten te kijken. Zo nu en dan wijst ze iets aan: een ezel die door een wei kuiert, twee zwarte vogels op een draad. Zoals elk kind doet dat ergens voor het eerst is.

Na Galway breekt de zon door. Tegen een achtergrond van heuvels zien we kleine witte huisjes te midden van velden vol stenen. Alles is overgoten met een zuiver, zilverwit licht. Na Oughterard wordt het landschap ruiger en eenzamer. We zijn omringd door bergen en stille zwarte meren die zijn dichtgeslibd met gras en riet. Een plotselinge regenvlaag geselt de auto. Je kunt precies zien waar de bui langs de bergen schuift, maar ver voor ons, aan de kust, is de hemel helder en stralend. Ik begin aan het weer te wennen, aan de grillige manier waarop het verandert, zelfs terwijl je ernaar kijkt, en tussen alle regenvlagen in is overal dat witte licht, als licht dat op water schijnt. We rijden eindeloos zonder ook maar een andere auto tegen te komen of een huis te zien of een teken van menselijk leven, afgezien van een herder met zijn schamele kudde en een kerkje met een blauw Mariabeeld dat haar armen uitspreidt naar de weg.

'Zijn we er nou nog niet?' vraagt Sylvie.

'Het duurt niet lang meer, schat. Het is niet zo ver meer,' zeg ik.

'Ik wil dat we er nú zijn,' zegt ze. 'Nú, Grace.'

Ten slotte begint de weg te dalen en bevinden we ons onder het heldere uitspansel dat we al eerder in de verte zagen. Als we een heuveltop bereiken, hoor ik mijn eigen adem stokken. Voor ons strekt zich plotseling de zee uit: onvoorstelbaar weids en glinsterend in het zilveren licht. We rijden de heuvel af en komen aan in Coldharbour. Een straatje met hoge, smalle huizen meandert naar de kust. De huizen zijn geschilderd in allerlei kleuren die aan fruit doen denken: appelgroen, citroengeel, kersenrood. We horen het gekrijs van meeuwen.

33

Adam parkeert de auto bij een roodgeverfd huis dat uitkijkt over de zee. Er hangt een bord waar st. vincent's hotel op staat.

'Hier is het,' zegt hij.

Ik stap uit en spreid mijn armen. De wind blaast de haren uit mijn hals. De ruimte, de lucht, de uitgestrektheid van de omgeving, de zee – alles werkt op mij in. Een ongelooflijke gewaarwording na de benauwenissen van Londen.

Sylvie komt de auto uit en gaat naast me staan.

'Vind je het mooi hier, Grace? Vind je het mooi?' vraagt ze.

'Ja, ik vind het prachtig,' antwoord ik.

Door de wind krijgt ze een blos op haar wangen. Haar ogen stralen.

Adam gaat ons voor, de treden op naar het hotel. Sylvie blijft echter met een lichte frons op haar voorhoofd op de onderste tree staan.

'Waarom gaan we hier naar binnen?' vraagt ze.

'Omdat we hier logeren, schat.'

'Gaan we dan niet naar míjn huis?' vraagt ze.

Ik hurk bij haar neer en neem haar gezicht in mijn handen.

'Sylvie, waar ís je huis dan, schat?'

Ze kijkt me aan met een onwezenlijke blik, alsof ze het niet kan uitleggen, alsof ze de vraag niet helemaal begrijpt.

'Dít is mijn huis niet,' zegt ze tegen me.

Haar frons verdiept zich. Ik ben bang dat ze gaat huilen en protesteren, maar ze laat het toe dat ik haar hand pak.

Er zit een vrouw bij de receptie. Ze is ongeveer net zo oud als Lavinia, heeft kort blond haar, een door de zonnebank gebruinde huid en een geroutineerd lachje op haar gezicht.

Ze vertelt dat ze Brigid heet, waarop Adam ons voorstelt.

'En wat ben jij een snoes!' zegt ze tegen Sylvie met een schorre, galmende stem. 'Wat is ze mooi!' zegt ze tegen mij. 'Maar laat me jullie even de weg wijzen...'

Aan de ene kant van de hal bevindt zich de lounge, met een staande klok die onregelmatig tikt en sofa's met een verschoten patroon van pioenrozen. Aan de andere kant is de ontbijtzaal, en ook een bar met een open haard.

'Op vrijdagavond hebben we hier muziek,' zegt Brigid. 'Dat mogen jullie niet missen, hoor.'

Ze neemt ons mee naar onze kamers. De kamer van Sylvie en mij heeft structuurbehang en nogal aftandse meubels. Glazen deuren geven toegang tot een balkon met een parasol, twee plastic stoelen en uitzicht op de zee.

Ik ga op het balkon staan. De zee is hier boven heel goed te horen en de helderheid van de weidse, blauwe lucht is duizelingwekkend: je hebt het gevoel dat je tot in het oneindige kunt kijken. Ik tuur naar beneden, naar het strand aan mijn rechterkant en een stenen steiger waar vissersboten aan zijn afgemeerd. Erachter reikt een strekdam van zwarte, verweerde stenen tot ver in zee. Recht voor me zie ik een strand met vlak, wit zand. Wat ik zie is Sylvies foto en dat geeft me een onwerkelijk, vervreemdend gevoel.

'Wat een prachtig strand,' zeg ik tegen Brigid.

Ze knikt.

'Dat is het ook, maar ik moet jullie wel waarschuwen: het is hier niet geschikt om te zwemmen. Er is een getijdenstroom waar je voor uit moet kijken. Maar ik neem niet aan dat jullie zin hebben om te zwemmen, in deze tijd van het jaar.'

Dan brengt ze Adam naar zijn kamer.

Ik begin uit te pakken. Sylvie kiest haar bed en legt al haar spullen op het nachtkastje: haar boeken, lego en beesten. Ze doet het met kleine, weloverwogen bewegingen, beheerst als een kat.

Wanneer ik er zeker van ben dat ze er wel even zoet mee is, ga ik met mijn telefoon naar het balkon en doe de deuren achter me dicht.

'Karen, met mij.'

Ik ben nog aan het dubben hoe ik het haar moet vertellen, maar ze hoort het meteen aan mijn stem.

'Waar bel je vandaan?' vraagt ze argwanend.

'Uit Connemara.'

'O, nee, Grace. Je gaat me niet vertellen dat je met die weirdo bent meegegaan...'

'Ik kan niet vrijuit spreken. Sylvie en ik zijn bezig onze koffers uit te pakken. Ik wilde je alleen even laten weten dat we hier zijn.'

'Dit kún je toch niet menen, Grace? Dat kán toch niet?'

'Het ging niet langer, er moest iets gebeuren.'

'Grace – dit kon weleens helemaal verkeerd uitpakken. Je weet niets van die man. Jezus, Grace, kom naar huis, alsjeblieft.'

'Ik voelde dat ik dit moest doen – ik moest het een kans geven,' zeg ik tegen haar.

'Grace, Sylvie is gewoon een kind met heel veel fantasie. Ik bedoel, neem me niet kwalijk, maar je gelooft toch niet echt dat ze een grot en een draak had?'

'Nee... maar er moest iets gebeuren...'

Mijn stem wordt zwak, ik hoor mijn twijfels erin doorklinken.

We nemen afscheid en ik ga terug naar de kamer. Ik voel me trillerig, alsof Karen me met haar scepsis heeft aangestoken.

Adam komt aan de deur, hij heeft zijn leren jack aangetrokken.

'Oké, dit is wat we gaan doen,' zegt hij. 'We maken een wandeling door het dorp en kijken wat het met Sylvie doet. Daarna, dacht ik, kunnen we een ritje maken door de omgeving, misschien herkent ze iets. Er is een pub in Ballykilleen waar we iets kunnen eten.'

Ik vind het fijn dat hij al een plan heeft gemaakt.

We lopen naar buiten, waar een koude wind waait en de meeuwen tekeergaan. De schaduwen beginnen al te lengen. Langs de zee loopt een boulevard met aan elk uiteinde een trap die naar het strand leidt en een paar winkeltjes waar regionale producten, ijs en ansichtkaarten worden verkocht. Ze zijn niet allemaal open, sommige hebben opgerolde markiezen die klapperen in de wind en de mistroostige sfeer uitstralen die badplaatsen buiten het seizoen vaak hebben. Maar er is ook een grotere winkel, Barry's genaamd, die zo te zien het hele jaar open is.

Sylvie rent voor ons uit, de aanlegsteiger op en langs de vissersboten. Ze lijkt volledig op haar gemak, zo hoog boven het water en met de stevige stenen muur aan één kant van haar. We lopen achter haar aan.

Sylvie draait zich naar me om. Haar gezicht is roze en ze heeft een brede lach.

'Dit is mijn steiger, Grace.'

Ik heb haar het woord 'steiger' nog nooit horen gebruiken en vraag me af waar ze het vandaan heeft.

Ze ziet er blozend en gelukkig uit, en zonder een greintje angst. Ze strekt haar armen uit alsof ze alles wat ze ziet wil omhelzen en in zich op wil nemen. De wind blaast haar haren recht naar achteren en op haar gezicht is niets dan vreugde te zien.

Ik ga naar de boten kijken. Ze zijn blauw of scharlakenrood geverfd en het water klotst nerveus om hun romp. Ik lees de namen – de *Ave Maria*, de *Endurance*.

'Voorzichtig,' zegt Sylvie. 'Kom niet te dicht bij de rand.'

Ik moet lachen: ze heeft precies de toon van een moeder die haar kind waarschuwt.

Er liggen stapels kreeftenkorven, doorweekt, in elkaar gedraaid touw en oranje boeien die als ballonnen zijn samengebonden. Twee mannen in oliepakken zijn bezig hun netten te ordenen, die, glinsterend als de zee, in een wolk van groen nylon tussen hen in liggen en er breekbaar uitzien. In een plastic krat ligt rotte vis: een chaos van grijs en zilver, afgehakte koppen met lege, starende ogen. We zijn omgeven door de scherpe, zilte lucht van de haven.

We komen langs een bord waar CURRAN CRUISES op staat en boottochten geboekt kunnen worden.

'Luister eens, Sylvie, als je de boten leuk vindt kunnen we een keer een eindje gaan varen,' zeg ik opgewekt, zonder na te denken. 'Misschien zijn er wel dolfijnen...'

Haar gezicht betrekt. Ik besef wat ik heb gedaan.

'Nee, Grace.'

'Nee, natuurlijk niet.' Ik kan mezelf wel slaan dat ik zo onhandig ben. Wat zou het haar bang maken om zo dicht bij het water te zijn en de druppels op haar gezicht te voelen spatten. 'Niet als je niet wil...'

We lopen terug over de boulevard. In de verte, waar de weg naar links afbuigt en de hoogte in gaat, zijn tussen de boulevard en het strand huizen gebouwd die aan de achterkant een prachtig uitzicht moeten hebben. We lopen langs een lange muur van afbrokkelende grijze stenen die overwoekerd is door een wirwar van kruipers en klimop. Dan maakt de muur plaats voor een officiële ingang met pilaren met stenen valken erop aan weerszijden van een hek. Op een van de pilaren hangt een bord met de naam Kinvara House. Tussen de pilaren begint een verharde oprijlaan die met een bocht uit het zicht verdwijnt. Er is een tuin met gazons en bloeiende struiken – rododendrons, azalea's – en royaal rondgestrooide sneeuwklokjes onder een knoestige boom. We lopen verder langs de muur en stuiten op een kleine, haveloze deur waarvan de verf door het zout is aangetast. Als ik door een gaatje kijk waar het hout is weggerot, vang ik door de bomen een glimp op van een imposant huis met een dubbele gevel en een zuilenrij.

Sylvie trekt aan mijn mouw.

'Waar is Lennie, Grace?'

Altijd als ze naar Lennie vraagt gaat er een huivering door me heen, omdat het het voorval bij Karen in mijn herinnering brengt.

'Lennie is in Londen, schat.'

Ze zwijgt een moment. Een schaduw glijdt over haar gezicht.

'Ik wil Lennie zien,' zegt ze tegen me.

Ik onderdruk de opwelling om te zeggen: *Nou, dan had je aardiger voor haar moeten zijn, denk je ook niet?* Ik kijk naar haar. Ze ziet er verward en een beetje verloren uit. Ik herinner me iets wat ik in een krantenartikel heb gelezen: dat kleine kinderen elke scheiding als definitief ervaren, dat ze niet kunnen geloven dat mensen er nog steeds zijn als je ze niet meer kunt zien.

'Hé, niet verdrietig zijn, schatje,' zeg ik.

Ik buig me voorover en omhels haar. Haar haren waaien in mijn mond: ze zijn nu al zoutig en futloos van de zeewind. Ik proef het zout op mijn tong.

Ze grijpt me bij mijn schouders vast en klauwt haar handen in mijn huid.

'Je moet Lennie voor me vinden. Dat móét, Grace.'

'Sylvie, wie is Lennie?' vraagt Adam.

Ze draait zich naar hem toe en er verschijnt een spontaan, open en licht neerbuigend lachje op haar gezicht, alsof ze wil zeggen: *Dat je het nou nog steeds niet doorhebt.*

'Mijn Lennie, natuurlijk. Dat heb ik je al gezegd, Adam,' antwoordt ze.

34

De pub die Adam heeft uitgezocht is een halfuurtje rijden van het hotel.

Aan de andere kant van het dorp nemen we de weg die door Coldharbour Bog voert. Het is een troosteloze omgeving, het land heeft een bleke of geelbruine tint en staat vol zilverkleurige grassen, platgeslagen door de wind, en nergens is een boom te bekennen, afgezien van een onvolgroeide meidoorn waarvan de takken met korstmossen zijn bedekt. Aan de zwarte strepen kun je zien waar het veen is afgegraven en er zijn overal plassen water waarin de heldere hemel weerkaatst wordt. Deze bruine, natte wildernis lijkt zich tot in het oneindige uit te strekken.

Ik draai mijn raampje een stukje open en adem een lucht van aarde en verrotting in. De wind gaat als een beest tekeer.

'Wat een grimmige plek,' zeg ik. 'Als hier iets gebeurt... ik bedoel, je bent kilometers van iedereen verwijderd.'

Als we het veenmoeras voorbij zijn begint de weg te stijgen. We rijden langs smalle velden met stenen en door stille dorpjes met hier en daar een paar kleine cottages. Een schonkige pony staart ons aan over een verbrokkelde muur.

Ik werp een blik naar achteren. Sylvie lacht naar me, ze ziet er nog steeds blozend en gelukkig uit.

'Zie je hier iets wat je eerder hebt gezien?' vraag ik aan haar.

'Ja, natuurlijk,' zegt ze. Ze wendt haar hoofd af en kijkt weer naar buiten.

Ik voel hoe ze me ontglipt.

De pub heet Joe Moloney's. Als we naar de bar gaan om te bestellen, staat er een man op met een ingevallen gezicht en een oude versleten jas. Hij kust mijn hand. De kastelein heeft snelle, wetende ogen en kijkt me aan met een monsterende blik.

'Nou, u heeft het getroffen,' zegt hij tegen Adam. 'Dat u zo'n mooie vrouw bij u heeft. Ik zou maar goed op haar passen als ik u was.'

'Dat doe ik zeker,' zegt Adam luchtig.

Ik voel dat mijn gezicht begint te gloeien.

We kiezen een tafeltje bij de haard. Witte as dwarrelt op het haardrooster en de brandende houtblokken geven een kruidige lucht af. Adam en ik drinken Guinness en we eten een rundvlees-pastei waar drie verschillende soorten aardappelen bij geserveerd worden. Sylvie doet me versteld staan door haar bord leeg te eten.

'Wat is het hier leuk, hè?' zegt ze tegen me.

Ik geniet ervan als ze zo gelukkig is.

Als we weer naar de auto lopen is de wind gaan liggen en gaat de zon in vurige roze en oranje tinten onder. We zetten koers naar Coldharbour. Achter ons zijn bergen die een dieppaarse kleur hebben. Er is geen levend wezen te bekennen, alleen zo nu en dan een dier: een roestkleurig paard dat zich langzaam door een veld met riet voortbeweegt en een onhandig schaap dat over de weg sjokt.

Ik werp een blik naar achteren. Sylvie kan haar ogen nauwelijks openhouden, nog even en dan valt ze in slaap. Het wordt met de minuut donkerder en het landschap om ons heen vult zich met schaduwen.

We komen bij een haveloze boerderij met een lawaaiige hond die aan de ketting ligt. Adam fronst zijn wenkbrauwen.

'Komt dit je bekend voor?' vraagt hij.

'Niet echt,' antwoord ik.

'O. Ik hoopte dat je iets anders zou zeggen.'

Hij remt en tuurt naar een wegwijzer.

'Ballykilleen? Hoe kunnen we nou op weg zijn naar Ballykilleen? Daar komen we toch juist vandaan?'

'We zouden door kunnen rijden tot de volgende kruising,' opper ik.

Adam bromt iets.

'Wat hebben we daar nou aan? Ik durf te wedden dat die weg-wijzer de verkeerde kant op is gedraaid.'

Maar hij rijdt door en gaat een zijweg in waar geen bord staat, maar die ongeveer de juiste richting uit lijkt te gaan. De weg gaat omhoog en dan bereiken we de top van de berg die achter Cold-harbour oprijst. Het uitzicht opent zich voor ons, als een cadeau dat we net hebben uitgepakt. In de diepte schittert de zee in de zonsondergang. Er loopt een streep roze licht langs de horizon, alsof er een stralende zijden doek over is uitgegooid. Aan de lin-kerkant is de weg beschut door een rij sparren en een berk. Iets van de weg af staan een paar kleine kleurloze huisjes.

'Grace! Grace! Kijk!'

Sylvies stem klinkt schril van opwinding.

'Kijk, Grace, kijk! Dat is míjn huis!'

Adam kijkt snel over zijn schouder naar haar. Hij mindert vaart en zet de auto in de berm.

Sylvie wijst naar het eerste huisje.

'Daar is het, Grace!'

Haar gezicht straalt.

Adam buigt zich voor me langs om te kijken, maar ik kan zijn gezichtsuitdrukking niet zien. Hij is stil, aandachtig en zijn irri-tatie is verdwenen. Tussen ons in wiegt de glanzende christoffel nog lang nadat de auto tot stilstand is gekomen zachtjes heen en weer.

Ik staar naar het huis. Het ziet er verwaarloosd uit. Er bran-den geen lichten en de meeste ramen zijn dichtgetimmerd. De witgepleisterde muren glimmen zwakjes in het avondlicht en het enige raam dat niet is dichtgetimmerd, weerkaatst het felle oranjegeel met roze van de ondergaande zon. In het schemer-duister is niet goed te zien wat voor kleur de voordeur heeft. Er is een klein gazon voor het huis waar de schaduw van de berg overheen valt. Het is duidelijk dat er niemand woont: het heeft de grimmige sfeer die verlaten huizen hebben.

Ik kan mijn ogen er niet van afhouden, van de ruwe witte mu-ren, het gedrongen, symmetrische silhouet, de leigrijze dakpan-nen bedekt met groen mos en korstmossen. Achter in mijn nek kriebelt het, alsof een klein koud handje mijn ruggengraat beroert.

'Grace, wat een goed huis, hè?'

Als ze zich naar mij omdraait wordt de heldere hemel in haar ogen weerspiegeld.

'Ja, het is een goed huis. Het lijkt op het huis dat we bij Tijger Tijger hebben gekocht.'

'Dat zei ik je toch al,' zegt ze.

Adam is gespannen en alert, ik hoor zijn lichte, snelle ademhaling.

Ik draai het raampje naar beneden en ruik munt en de frisse geur van stuifmeel. Hoewel de tuin rommelig en verwaarloosd is, moeten er nog bloemen en kruiden groeien. Het gras is vrijwel overal verwilderd, alleen langs de breedte van het huis heeft iemand gemaaid, maar de rest staat heel hoog, met hier en daar een paar narcissen die bleek oplichten in een zee van zwart. Het hek staat open en hangt aan één scharnier. Op een bordje staat FLAG COTTAGE. Een briesje ritselt door de bladeren van de berk.

Verwoed probeer ik me te herinneren in welke volgorde alles zojuist is gebeurd: wanneer begon Sylvie te roepen, voor of nadat ze het huis had gezien? Is ze zo opgewonden omdat het haar aan het poppenhuis herinnert? Of was ze al opgewonden voor ze het huis had gezien? Ik probeer het op een rijtje te zetten maar het lukt niet, ik weet het niet meer zeker. Ik ben kwaad op mezelf dat ik niet beter heb opgelet.

'Vind je het mooi, Grace?' vraagt ze.

'Ja, heel mooi.'

Haar gezicht straalt, maar ik voel hoe breekbaar ze is. Ik zal met de grootst mogelijke voorzichtigheid te werk moeten gaan.

'Gaan we niet binnen kijken?' vraagt ze.

Ik weet niet wat ik moet zeggen.

'Alsjeblíéft, Grace. Ik wil het zo graag.'

Ze maakt haar veiligheidsgordel los en buigt zich over mijn stoel naar me toe. Haar adem strijkt als een vlinder langs mijn gezicht en in haar ogen zijn nog steeds de kleuren van de avondhemel te zien.

Ik weet niet hoe ik hiermee om moet gaan en werp een blik op Adam, in de hoop dat hij raad weet.

'Het is al bijna donker, Sylvie,' zegt hij. 'Weet je wat we doen? We komen hier morgen terug. Morgenvroeg. Dan kunnen we alles goed zien.'

Ze is zorgelijk.

'Maar als we het nou niet meer kunnen vinden?'

'We vinden het, schat,' zeg ik tegen haar. 'Adam geeft het aan op de kaart. Weet je wat? We doen het nu. Het huis staat er morgen ook nog, en dan gaan we kijken.'

'Belóóf het.'

'Ik beloof het.'

Dit lijkt haar gerust te stellen. Ze leunt naar achteren en maakt de autogordel weer vast. Als we wegrijden draait ze zich in bochten om het huis zo lang mogelijk te kunnen zien, tot het door het donker wordt opgeslokt.

Sylvie kan zich makkelijk ontspannen, maar mij kost het uren om in slaap te komen, hoewel ik doodop ben. Ik lig in bed in het donker te staren.

In de kamer naast ons hoor ik Adam praten. Hij voert een telefoongesprek met z'n mobieltje en door de muur is zijn stem te horen, maar ik kan niet verstaan wat hij zegt. Ik vraag me af of hij met Tessa belt. Er vallen lange stiltes aan zijn kant – zij lijkt het meest aan het woord te zijn – en het telefoongesprek lijkt heel lang te duren. Dan hoor ik de douche lopen, ik hoor hoe hij zijn spullen uitpakt, kasten opent en met dingen schuift. Het is een heel oud huis, alles kraakt. Het maakt me nerveus om zo dicht bij hem te zijn, bij deze man die ik nauwelijks ken. Het is zo intiem om al zijn geluiden te horen. Uiteindelijk houdt het gekraak op.

Ik lig wakker en luister naar de stilte. Er is geen enkel geluid behalve dat van de zee en dat is eerder voelbaar dan hoorbaar: elke golf die stukslaat is als een zwakke hartslag die weliswaar in je lichaam plaatsvindt maar die je niet echt kunt horen. Ik moet denken aan de reden waarom we hier zijn, en wat Adam gezegd heeft: *Een plotselinge, gewelddadige dood, met alle ellende die er-uit voortkomt...* Er gaat een rilling door me heen en ik trek het dekbed dicht tegen me aan. Dan probeer ik aan geruststellende dingen te denken, van thuis – onze straat, ons huis, de moerbei in de tuin. Maar ons Londense leven is nu al zo ver weg en de beelden zijn vaag en onwerkelijk. Als plaatjes in een boek, niet als iets wat echt bestaat.

35

Het is een zachte, grijze dag met overal het geluid van onzichtbare vogels en met flarden mist tussen de heuvels. We rijden Coldharbour uit en nemen de weg naar Ballykilleen die we gisteravond gevonden hebben. Sylvie leunt naar voren in haar veiligheidsgordel en tuurt naar de langstrekkende velden en heuvels.

Bij daglicht ziet het huisje er nog havelozer uit, je ziet duidelijk dat het een bouwval is. Er staat een afvalcontainer in de voortuin die uitpuilt van de stukken hout en afgescheurde plukken steenwol.

We lopen door het openstaande hek de tuin in.

Ik voel me onbehaaglijk.

'Zijn we niet op verboden terrein?' vraag ik aan Adam.

Plotseling verschijnt zijn scheve lachje op zijn gezicht.

'Nou, technisch gezien wel. Als je de letter der wet wilt volgen.'

Ik ga naar het niet-dichtgetimmerde raam, leg mijn handen langs mijn gezicht om het daglicht buiten te sluiten en kijk naar binnen. Adam komt naast me staan.

Door het raam is een lege kamer te zien, aan de muur tegenover ons hangt alleen nog een spiegel met bruin glas waar het weer in zit. Wat we van onszelf kunnen zien in het bespikkelde glas, is zo verwrongen dat het iedereen zou kunnen zijn. Het bloemetjesbehang hangt los naar beneden en op de grond staat een gettoblaster die er nieuw en glimmend uitziet; misschien is die door werklui achtergelaten. In de hoeken ligt rotzooi: stukjes papier en vlokken stof, blaadjes waarvan sommige tot aan de nerf verteerd zijn. Het ziet eruit als de rommel die zich in een rustige zijarm van een rivier verzamelt. Een zuchtje wind laat een roodbruin blaadje over de vloer dwarrelen.

Ik draai me om naar Sylvie, maar ze is er niet.

Dan hoor ik haar vanachter het huis naar me roepen.

'Grace, kom eens kijken!' Haar stem klinkt triomfantelijk.

We lopen om het huis heen, langs een haag van verwilderde rozen waarvan de tere gele bloemen van vorig jaar nog steeds aan de stengels vastzitten.

Achter het huis is een grasveld dat steil omhooggaat, tegen de heuvel op. Het woeste, ongemaaide gras is op deze mistige ochtend bedekt met een grijs waas van dauw. Aan de rand staat een pruimenboom waarvan de inmiddels rotte vruchten van vorig jaar in het gras zijn blijven liggen, hun volle, bruine vocht sijpelt naar buiten. Er is ook een vogelbadje van steen met een plas regenwater erin waar een drab op drijft die zo groen en levendig oogt dat het ziekmakend aandoet. Een appelboom is zojuist gaan bloeien met zachtroze bloesem die hier en daar met zwart is aangezet. Als ik langs de boom loop, ruik ik de bloesem: een zachte, bloemige geur. De lucht is roerloos en het gezang van de vogels klinkt verbazingwekkend luid.

Midden in de tuin, daar waar de helling het steilst is, zijn drie ondiepe stenen treden in het gras aangebracht. Terwijl ik sta te kijken rent Sylvie de treden op, draait zich om en springt in één keer naar beneden, in het gras.

'Kijk eens, Grace! Ik ben een acrobáát!'

Ze spreekt het woord met wellust uit, laat de klinkers door haar mond rollen.

'Ja, heel knap, Sylvie!' roep ik terug.

Ze blijft haar kunstje herhalen. Drie stappen naar boven, draaien en dan springen. Terwijl ze het doet zingt ze half binnensmonds *een, twee, drie en springen!* Ze is buiten adem, ik hoor haar hijgen.

'Voorzichtig, Sylvie. Die treden zijn glad, straks breek je nog een been...'

Ze slaat geen acht op mij. Een, twee, drie en *springen!* Het is alsof ze een ritme heeft gevonden waar ze zich goed bij voelt. Haar gympen en de zomen van haar spijkerbroek zijn doorweekt door de dauw en door de inspanning heeft ze een blos op haar gezicht. Ze ziet er volkomen gelukkig uit.

In het belendende huis klinkt de klik van een achterdeur, gevolgd door het dwingende blaffen van een hond en voetstappen die onze kant op komen.

'Kan ik jullie helpen?'

Een man leunt over de muur. Hij heeft een vaal, rimpelig gezicht en samengeknepen ogen. Hij lacht niet. Zijn hond blaft woest en werpt zich met een rode, open bek tegen de muur. Ik word een beetje nerveus omdat we hier eigenlijk niet horen te zijn.

Adam loopt naar de man toe om een praatje te maken.

'We kijken alleen even rond,' zegt hij. 'Het hek stond open en de verleiding was te groot. Het is zo'n prachtige plek, wat zonde dat het huis onbewoond is...'

De man ontdooit een beetje en knikt. Het valt me op hoe anders zijn tuin eruitziet: ordelijk en nogal geometrisch aangelegd, met stolpen, bonenstaken en keurige rijtjes zaailingen.

'Hier woonden Gordon en Alice vroeger,' zegt hij. 'Gordon en Alice Murphy.'

Hij laat een veelbetekenende stilte vallen, alsof hij een reactie van ons verwacht, verbazing of herkenning. Ik voel de rust van de grijze, natte tuin om me heen. Een duif vliegt met een scheurend geluid uit de pruimenboom.

'O,' zegt Adam neutraal.

'Jullie hebben zeker gehoord dat Gordon het huis te koop heeft gezet?'

'Nee, dat wisten we niet,' zegt Adam.

'Hij laat het helemaal opknappen,' zegt de man. 'Nou ja, dat kunnen jullie zelf ook zien.'

Hij gebaart met een hand naar het huis. Van waar we nu staan kunnen we door een glazen deur in de keuken kijken: de muren zijn gestript en de leidingen liggen bloot.

'Bizar eigenlijk,' vervolgt hij. 'Toen ze hier kwamen wonen, Gordon en Alice, jaren geleden, nou, toen haalden ze al die ouwe troep eruit en werd alles chic en modern, met laminaat op de vloeren en zo. Prachtig werd het.'

'Dat geloof ik graag,' zegt Adam.

'Maar tegenwoordig willen de mensen weer een traditioneel ingericht huis. Dus nu draait hij het allemaal weer terug: de oude tegelvloeren komen er weer in en zo'n ouderwetse diepe gootsteen, weet je wat ik bedoel?'

'Ja, ik geloof het wel,' zegt Adam.

'Zo'n enorm gevaarte – mijn vrouw ziet er het nut niet van in. Maar ja, zo gaat dat,' zegt hij. 'Alles komt altijd weer terug, nietwaar?'

'Nou ja, de mode verandert,' zegt Adam.

'Hij kon het eerst natuurlijk niet verkopen.' De man gaat wat zachter praten. 'Nou, dat verbaasde niemand. Wij hadden onze twijfels, Maureen en ik. De timing deugde volgens ons niet. Mensen zijn op hun hoede, daar kan ik in komen.'

Adam knikt en wacht af.

De man strijkt bedachtzaam met zijn vinger langs de zijkant van zijn gezicht.

'Hij heeft het een tijd verhuurd in de zomer, maar eigenlijk wil hij ervan af, alleen kon hij geen koper vinden. Of nee, nu sta ik te liegen, er was iemand geïnteresseerd, die kwam hier natuurlijk niet vandaan. Een vrouw met een Porsche, uit Dublin, die op zoek was naar een weekendhuisje. Maar dat is niet doorgegaan.'

'Frustrerende bezigheid, huizen verkopen,' zegt Adam.

'Het punt is: Flag Cottage moet weer bewoond worden, het schreeuwt gewoon om bewoning. Net wat u zegt – het is een prachtige plek. Nou, misschien heeft hij deze keer meer geluk.'

'Wie weet,' zegt Adam.

De man buigt zich naar ons toe, met zijn ellebogen op de muur leunend. Hij kijkt ons peinzend en ernstig aan.

'Uiteindelijk,' zegt hij, 'laten de mensen het verleden rusten, en zo moet het ook. Het leven gaat door, dat kan ook niet anders, toch? We moeten vergeten, als dat lukt, en het verleden achter ons laten... Nou, het was leuk kennis met u te maken, meneer...?'

'Adam, en dit is Grace.'

'Aangenaam kennis te maken, Adam en Grace.' Over de muur heen schudt hij ons de hand. 'Ik zal Gordon laten weten dat jullie geïnteresseerd zijn. Daar zal hij blij mee zijn...'

Sylvie is nog steeds op de treden aan het spelen. Terwijl we staan te kijken springt ze naar beneden, verliest haar evenwicht en tuimelt in het gras. Ik ben bang dat ze zich bezeerd heeft, maar ze lacht.

'Zag je dat, Grace? Ik deed nu een andere sprong. De kwallensprong!'

'Ja, ik heb het gezien,' zeg ik tegen haar.

De man lacht met een plotselinge, verrassende warmte.

'Dat doet me nou goed,' zegt hij oprecht. 'Om weer een kind in die tuin te zien spelen...'

Hij zwaait en loopt terug naar zijn keukendeur. De hond rent voor hem uit.

Nu hij weg is, heb ik het gevoel dat we hier niet langer moeten blijven.

'Sylvie, we moeten gaan,' zeg ik tegen haar.

'Ík ga nog niet,' zegt ze resoluut.

Ze rent weer naar de bovenste trede.

'Sylvie, we moeten nu echt gaan. Ik meen het.'

Ze gaat expres met haar rug naar me toe staan en bedekt haar oren met haar handen, zodat ze me zogenaamd niet kan horen. Ik weet niet wat ik hiermee aan moet en kijk naar Adam.

'Omkopen misschien?' zegt hij zacht.

Dus zeg ik tegen haar dat ik bij Barry's een KitKat voor haar zal kopen.

Ze blijft even staan – in tweestrijd – en komt dan schoorvoetend naar me toe. Ze hijgt, heeft een blos op haar gezicht en haar spijkerbroek is donker van de nattigheid.

'Wat was dat leuk hè, Grace?'

We lopen langs het huis naar de voorkant en stappen in de auto. Ik zie dat de buurman ons door het raam van zijn huiskamer aandachtig nakijkt.

Sylvie leunt over de achterkant van mijn stoel naar voren.

'Vond je het leuk?' vraagt ze.

'Ja, ik vond het leuk,' antwoord ik. 'Het huis en de pruimenboom en de drie treetjes in het gras.'

'Ja.' Ze ziet er tevreden uit. 'We speelden altijd op die treetjes.'

De verleden tijd doet me huiveren.

Met een ruk kijkt Adam opzij.

'Sylvie – wie bedoel je met "wij"?' vraagt hij aan haar.

'Mijn familie en ik, natuurlijk.' En weer dat neerbuigende lachje, dat zegt: *Je snapt het niet, hè?*

'Schatje, kun je ons iets vertellen over de spelletjes die jullie speelden?' vraag ik.

Ze haalt haar schouders op.

'Ik ben een acrobaat, Grace. Dat zag je toch?' zegt ze.

Ik voel hoe ongrijpbaar ze is, hoe ze me steeds weer door de vingers glipt.

Ze wendt zich af en kijkt net zo lang door de achterruit naar de weg tot we een bocht omgaan en het huisje niet meer te zien is.

36

Barry's General Store is een nogal morsige, rommelige winkel waar ze wat stoffig strandspeelgoed en een kleine sortering levensmiddelen verkopen. In een glazen vitrine staat een verjaardagstaart met ingewikkeld glazuurwerk en een kaartje erbij waarop met de hand 'Erins Verjaardagstaarten!!' geschreven staat. Een convectiekachel geeft een hete, verschroeide lucht af.

Sylvie kiest een KitKat uit en dwaalt naar een paar plastic windmolens die achter in de winkel staan. Adam is bij de toonbank een zakje chips aan het uitkiezen.

Ik bekijk de ansichtkaarten, want ik wil Karen schrijven. Het telefoongesprek dat we hebben gevoerd zit me nog steeds dwars. Ik hoor nog haar stem en hoe verontwaardigd ze klonk. Dit kún je toch niet menen, Grace? Dat kán toch niet? Jézus, Grace...

De vrouw die de winkel runt staat over de toonbank geleund. Ze heeft een beker koffie en er ligt een tijdschrift open op de pagina met de horoscoop. Ze is een hoekige, pezige vrouw met zuurstokroze lippenstift en ze kijkt met een priemende, fonkelende blik door dikke brillenglazen de wereld in.

'Zeker op vakantie hier?' vraagt ze aan Adam.

Adam knikt.

'We logeren in het St. Vincent's Hotel.'

'O, dat is een goed hotel,' zegt de vrouw. 'Ik mag hopen dat Brigid alles voor jullie uit de kast haalt.'

Ze neemt een slokje. Om haar mond zitten hier en daar koffievlekjes.

'Dat doet ze zeker. Dat ontbijt van haar is onovertroffen,' zegt Adam.

'En hebben jullie onze prachtige omgeving al verkend?'

Haar ogen staan helder en nieuwsgierig.

'Vanmorgen zijn we in de richting van Ballykilleen gereden,' vertelt Adam. 'Via een omweg, langs de kust. Het uitzicht dat je vanaf die weg hebt is ongelooflijk.'

'Dat kun je wel zeggen,' zegt de vrouw. Dan zwijgt ze even, en haar blik flitst langs onze gezichten, alsof ze iets bepaalds van ons verwacht. Adam glimlacht vaagjes, terwijl hij een zakje chips uit het rek pakt.

'Ik hoor dat jullie een kijkje hebben genomen bij Flag Cottage,' zegt de vrouw uiteindelijk.

Ik draai me abrupt naar haar om. Maar Adam knikt alleen maar, en praat rustig door.

'Het ligt zo mooi, dat huisje.' Hij is onverstoorbaar, alsof dit doodnormaal is. Alsof je kunt verwachten dat iemand die je nog nooit hebt ontmoet precies weet waar je bent geweest. 'We vroegen ons af waarom het leegstaat...'

'Gordon heeft besloten het in de verkoop te doen,' zegt de vrouw.

Ze klinkt vergenoegd, blij dat ze dit nieuwtje met ons kan delen.

Adam knikt.

'Dat vertelde zijn buurman ook,' zegt hij.

De vrouw dempt haar stem. 'Nou, het is nogal logisch dat hij daar niet meer wilde wonen.' Ze kijkt hem aan met een strak mondje. Haar lippenstift is te fel in combinatie met de bleekheid van haar gezicht.

'Is Gordon soms niet zo'n dorpsmens?' vraagt Adam.

Ze likt de koffie van haar mond.

'Met wie hebt u gesproken?' vraagt ze. 'Was het Paddy O'Hanlon, die ernaast woont? Zwaargebouwde man met een bordercollie?'

'Ja, ik geloof het wel,' zegt Adam.

'Heeft Paddy het jullie niet verteld dan? Wat er gebeurd is?'

Adam schudt zijn hoofd met een verontschuldigend glimlachje.

De vrouw gaat nu echt zacht praten.

'De tijd vliegt, het lijkt alsof het gisteren gebeurd is, maar het is denk ik alweer jaren geleden...'

Ze telt op haar vingers. Adam wacht rustig af. Dan schudt ze haar hoofd.

'Weet u, het is al zeven jaar geleden dat Alice verdween. Alice Murphy bedoel ik, Gordons vrouw,' zegt ze.

'Sinds ze verdween? Waren ze dan gescheiden, Gordon en Alice?' vraagt Adam voorzichtig.

De vrouw antwoordt niet. Door de dikke glazen van haar bril lijken haar ogen op kleine, glimmende kralen.

'De buurman die we spraken – Paddy,' vervolgt Adam. 'Het viel me op dat hij Alice verder niet meer noemde, dus ik dacht dat ze misschien uit elkaar waren...'

'Was dat maar zo,' zegt de vrouw. 'Nee, dat was het niet... Ik bedoel, begrijp me goed, het is natuurlijk vreselijk als een huwelijk stukloopt, denk niet dat ik dat onderschat. Maar Alice Murphy – nee, daar was iets anders mee aan de hand. Zij is gewoon van de aardbodem verdwenen. En haar dochtertje ook.'

Een ijskoude rilling gaat door me heen. Ik kijk naar Sylvie, maar ze is nog steeds met de windmolens bezig en lijkt het niet gehoord te hebben.

'Dus Alice is zomaar vertrokken?' zegt Adam niet al te luid. 'Ze heeft haar biezen gepakt en is weggegaan met het kind?'

'Dat weten we niet. Dat weet niemand.'

'En de politie dan? Hebben die ze niet kunnen vinden? Zo makkelijk is het niet om te verdwijnen...'

'Ze hebben het echt wel geprobeerd,' zegt de vrouw. 'We hadden hier zelfs rechercheurs uit Dublin. Ze hebben met iedereen gepraat en alles helemaal uitgekamd. Ik moest op het politiebureau in Ballykilleen een verklaring afleggen. Heel doortastend was hij, die brigadier die ik sprak – wilde alles doornemen, het hele verhaal... Dus u begrijpt wel dat Gordon daar niet meer wil wonen.'

'Dat begrijp ik zeker,' zegt Adam.

'Het was een slechte tijd,' zegt de vrouw. 'Een slechte tijd voor ons allemaal.' Ze slaat haar tijdschrift dicht. 'Als er zoiets gebeurt, voel je hoe breekbaar alles is.'

We laten de auto bij de winkel staan en lopen langs de boulevard. Sylvie houdt haar KitKat stevig vast. Er is een briesje opgestoken dat de geuren van de haven met zich meevoert: diesel en rotte vis en de koele, zoute zeelucht. Het water golft zachtjes, als een groot geschubd beest dat zich roert in zijn slaap. We komen bijna niemand tegen.

Op de bovenste tree van de trap die naar het strand loopt, gaan we zitten. Er ligt een witte klodder vogelpoep op het beton.

'Sylvie, kun je me vertellen wie er in jouw huis heeft gewoond?' vraagt Adam. 'Wie woonde er in Flag Cottage?'

'Ik woonde daar, Adam. Dat heb ik je al verteld.'

'Weet je ook hoe ze heetten?' vraagt hij.

Sylvie fronst.

'Mensen wonen altijd bij hun familie, Adam,' zegt ze.

Ik weet dat hij haar niet rechtstreeks naar Alice Murphy zal vragen, want het ligt me nog vers in het geheugen wat er gebeurde toen ik het met haar over Coldharbour had gehad: zodra je iets suggereert, kom je er nooit meer achter wat ze zelf weet.

'Kun je je nog een naam herinneren?' vraagt hij haar. 'Van iemand die daar woonde?'

'Ik en Lennie, natuurlijk,' zegt ze.

'Verder niemand, Sylvie?'

'Ze waren mijn familie, Adam. Mijn familie woonde in dat huis. Dat zei ik je toch.'

'Wat is er met je familie gebeurd?' vraagt hij.

Haar gezicht verstrakt. Ze wendt zich af.

'Sylvie, kun je je nog iets herinneren van de dingen die daar gebeurd zijn?' vraagt hij. Zijn stem klinkt te gretig.

Maar Sylvies aandacht wordt afgeleid door een dood vogeltje dat op het plaveisel ligt, omringd door bleke veertjes, met een half afgescheurd vleugeltje en pootjes die zo teer zijn dat ze doorzichtig lijken.

'Het vogeltje is dood, Grace,' zegt ze.

'Ja, schat.'

'Probeer het je te herinneren, Sylvie,' zegt Adam.

Ze tuurt naar de blauwe doorschijnende botjes. Haar gezicht is gesloten.

Dan draait ze zich naar mij om en trekt aan mijn mouw.

'Ik wil weg. Ik wil naar de boten kijken.'

Ze is ongeduldig. Ik weet dat er nu niets meer uit haar zal komen.

'Goed, schat.'

Met snelle, zekere passen rent ze naar de aanlegsteiger. De zoute wind woelt door haar haar. Ik kijk Adam aan.

'Is dit de dode waar we naar op zoek zijn? Zou het Alice Murphy of haar dochtertje kunnen zijn?'

'Ik weet het niet, misschien.'

'Ik vind het beangstigend,' zeg ik.

'Grace – er zijn nog veel ongewisse factoren. We weten niet zeker of Alice en het kleine meisje dood zijn. We weten niet eens zeker of Sylvie Flag Cottage heeft herkend, of dat ze er alleen maar opgetogen over was omdat het haar aan haar poppenhuis deed denken...'

Hij is voorzichtig in zijn uitspraken, maar hij heeft die grote ogen, die uitdrukking op zijn gezicht alsof alles hem verbaast.

'Maar het is wel een uitgangspunt, toch?'

'Absoluut,' zegt hij. 'En die vrouw in de winkel had het over dat politiebureau in Ballykilleen. Ik denk dat we daar maar eens even moeten gaan praten.'

'Maar wat moeten we in godsnaam tegen ze zeggen?'

Hij grinnikt.

'We verzinnen wel een list.'

We blijven nog even rustig zitten. De zon komt van achter een wolk tevoorschijn en de zee heeft alle kleuren die je maar kunt bedenken: turkoois, de kleur van de lucht, in de ondiepe gedeeltes en verder weg een diepere kobaltblauwe tint. Waar de zee de lucht raakt is een streep nog donkerder blauw te zien. Plotseling voel ik een grote vervreemding als ik denk aan wat we hier aan het doen zijn.

'Toen ik nog klein was,' zeg ik tegen hem, 'dacht ik altijd na over de horizon. Het hield me bezig, ik vroeg me af wat daar gebeurde. Wat gebeurt er voorbij die rand? Heb jij daar ooit bij stilgestaan?'

Hij grinnikt weer.

'Jij was denk ik veel diepzinniger dan ik, Grace. Ik was vooral bezig met het vraagstuk hoe ik zoveel mogelijk dropveters en zuurstokken zou kunnen verzamelen...'

Ik moet lachen – ik zie hem graag voor me als een kleine jongen. Toen alles nog gewoon was, voor de grote ramp, voordat alles uit elkaar viel. Ik heb een beeld van hem: slungelig maar wel alert, en een beetje onvoorspelbaar.

'Ik probeerde het te begrijpen,' zeg ik tegen hem. 'Wat er gebeurde bij de horizon. Maar ik kreeg er geen vat op. Dat daar een rand is, een begrenzing van wat je ziet, maar als je daar zou zijn, zou je alleen maar meer zee zien, het zou daar niet eindigen... Er zijn van die kwesties waar je met je hersenen niet bij kan...'

'Ja, inderdaad,' zegt hij.

'Als je ouder wordt, denk je niet meer zo vaak over dat soort dingen na. Maar dat komt niet doordat je het allemaal begrijpt, je hebt je pogingen alleen opgegeven...'

Plotseling ben ik me ervan bewust hoe eenzaam we zijn, hoe gescheiden van elkaar, hier tussen al die vreemden en op een plek die voelt als de rand van de wereld. Ik wou dat er iemand was die me uit deze verdrietige stemming kan halen en kijk naar Adam. Maar ik kan het hem niet vertellen, ik kan het niet verwoorden.

37

Ik ga met Sylvie het hotel binnen. Het is lunchtijd en de bar loopt vol. De deur staat halfopen en het geroezemoes is in de hal te horen: gepraat, gelach en saxofoonmuziek die door de boxen schalt.

We staan beneden aan de trap als achter ons de deur wordt opengegooid en een man de bar verlaat. Ik draai me om, me plotseling zeer bewust van zijn aanwezigheid. Hij straalt iets zelfverzekerds, iets aristocratisch uit wat me onmiddellijk aan Dominic doet denken. Het is duidelijk dat hij geen bezoeker is: hij beweegt zich alsof hij hier thuishoort. Hij is rijzig en breedgeschouderd, zijn haar is licht grijzend en zijn gezicht vertoont de eerste sporen van ouderdom. Hij draagt een jasje dat eruitziet alsof het van het zachtste kasjmier is gemaakt, een strokleurig linnen overhemd en een sjaal van donker fluweel die hij om zijn hals slaat tegen de kou. Niemand anders in dit dorp gaat zo duur gekleed.

Hij vangt mijn blik en zijn gezicht ontspant in een charmant lachje. Het schaamrood stijgt me naar de kaken.

'Ik wens je een prettig verblijf hier,' zegt hij. Zijn nogal lage stem klinkt gecultiveerd.

'Bedankt, dat zal wel lukken,' zeg ik.

Sylvie maakt zich van me los en rent naar de trap. Ik hoor de snelle roffel van haar voetjes op de treden. Het verbaast me dat ze niet op me wacht.

De man stapt naar buiten en begint heuvelopwaarts te lopen. Het dringt tot me door dat ik me helemaal heb omgedraaid om hem na te kijken.

Achter me hoor ik voetstappen: Brigid neemt plaats achter de balie. Ik glimlach gespannen naar haar, voel me betrapt.

'Heb je kennisgemaakt met Marcus?' vraagt ze.

'Nou, kennisgemaakt is een groot woord...'

'Ik zal jullie wel een keer aan elkaar voorstellen. Hij heet Marcus, Marcus Paul.'

Ze kijkt me aan alsof ze verwacht dat ik die naam ken.

'O,' zeg ik.

'Je hebt Kinvara House vast wel gezien, aan de boulevard?' vraagt ze.

'Dat huis met die prachtige tuin? Die tuin met al die bloemen?'

Ze knikt.

'Daar woont Marcus,' zegt ze tegen me. 'Hoewel hij vaak in Dublin is. Daar heeft hij zijn zaken.'

'Zaken?' Ik raak geïntrigeerd.

'Hij heeft er een galerie,' zegt ze. 'Maar eerlijk gezegd zijn sommige kunstenaars die daar exposeren mij te modern. En hij heeft een boetiek met designerkleren. Hij verkoopt de mooiste dingen, maar wel allemaal aan de prijzige kant natuurlijk... Kijk, ik heb er een foto van.'

Het is een pagina die ze uit de *Vogue* heeft geknipt, uit een artikel waarin Dublin beschreven wordt als een fashionista's mekka.

'Voilà. De winkel van Marcus,' zegt ze.

De winkel heet Papillon en heeft een luifel in de kleur van vanille-ijs. Aan weerszijden van de ingang staan laurierboompjes en in de etalage zijn etalagepoppen te zien in elegante zwarte kleding.

'Zie je?' zegt ze. 'Wat jammer dat ik te laat was om jullie aan elkaar voor te stellen.'

Als ik boven kom is Sylvie nergens te bekennen. Er komt een lichte paniek in me op. Maar dan vind ik haar in de uiterste hoek van de gang. Ze zit ineengedoken op de grond met haar rug tegen de muur en haar armen om haar knieën. Ze kijkt naar me op met een bleek, verwijtend gezicht.

'Waar was je, Grace?' vraagt ze.

In haar stem klinkt verontwaardiging door.

'Gewoon even een praatje gemaakt met Brigid,' antwoord ik.

Ik maak de deur van onze kamer open en we gaan naar binnen. Haar ogen zijn groot in haar bleke gezicht. Het lijkt alsof ik op een afschuwelijke, cruciale manier tekort ben geschoten.

'Ik haat het als je met mensen praat. Je had bij mij moeten blijven, Grace.'

Ik vraag me af of het er wel echt om gaat dat ik met Marcus heb staan praten. Ik moet denken aan die keer dat ik met Matt uit was geweest en voel irritatie over haar bezitterigheid, over hoe ze me altijd probeert te belemmeren als ik iets voor mezelf onderneem, iets waar zij buiten staat.

'Jeetje, Sylvie, ik kan toch moeilijk nooit meer met mensen praten.'

'Ik hou niet van mensen,' zegt ze tegen me. 'Ik hou helemaal niet van mensen.'

Ik heb zin om tegen haar te schreeuwen, maar druk de neiging de kop in.

Rond haar mond zitten chocoladevlekken van de KitKat. Ik pak een zakdoekje en veeg haar gezicht schoon. Ze moet het koud hebben gekregen aan zee want haar huid voelt heel koud aan.

38

De volgende dag rijden we naar Ballykilleen.

'Gaan we niet naar mijn huis, Grace?' vraagt Sylvie als we het dorp in rijden.

'Vanmorgen niet, schat. We gaan met de politie praten. Om ze te vragen of ze ons iets over Flag Cottage kunnen vertellen.'

'Gaan jullie mijn familie zoeken? Gaan jullie dat doen?'

Ze leunt naar voren, haar veiligheidsgordels tot het uiterste rekkend. Haar gezicht straalt een en al licht uit.

'Dat gaan we proberen, schat. We zullen het vragen, maar ik heb geen idee wat er zal gebeuren.'

Haar gezicht wordt somber.

'Maar als ze ze nou niet kunnen vinden? Als ze mijn familie niet kunnen vinden?'

'Laten we eerst maar even afwachten wat ze zeggen. Bij de politie weten ze vaak dingen...'

Het politiebureau is een stukje verder de heuvel af, voorbij de pub van Joe Moloney, een camping voor caravans die 's winters gesloten is en een kleine, verlaten begraafplaats waar de bloemen op de graven bedekt zijn met netten, zodat ze niet door de wind worden weggeblazen. We parkeren de auto en gaan naar binnen. Er is een hal met stoelen en een balie achter glas. Door het raam is een kantoor te zien waar een politieman in uniform zit te telefoneren.

Adam drukt op de bel. De man kijkt op. Hij is in de veertig, lang en mager en heeft een lange, smalle neus en op zijn hoofd een bos grijzend haar. Zijn profiel doet denken aan een melancholieke vogel. Hij knikt naar ons en beëindigt zijn gesprek. Dan komt hij overeind uit zijn stoel, schuift het raam open en kijkt ons belangstellend aan.

'Neemt u ons niet kwalijk dat we u komen storen,' zegt Adam.

'Daar ben ik voor hoor, om gestoord te worden,' zegt de man. Hij leunt op zijn ellebogen zodat hij ons recht in het gezicht kan kijken.

'We wilden u iets vragen,' zegt Adam.

'Vraag maar,' antwoordt de man.

'Het gaat over een huis in Coldharbour dat binnenkort te koop staat.'

De man knikt.

Nu is het mijn beurt om het woord te nemen. We hebben afgesproken wat we gaan zeggen, maar het geeft me een onbehaaglijk gevoel te moeten liegen, te doen alsof we een stel zijn. En ik ben me maar al te bewust van Sylvie, die alles hoort wat we zeggen.

'We hoorden van iemand, de dame die bij Barry's werkt...'

Mijn stemgeluid lijkt ergens anders vandaan te komen.

'Bedoelt u Erin?' Hij duwt zijn hand door zijn dikke bleke haardos.

Ik knik.

'Zij liet doorschemeren dat er een verhaal met dat huis verbonden is, dat er daar iets verschrikkelijks is gebeurd. Het punt is, ik ben nogal bijgelovig en ik wil niet in een huis wonen waar nare dingen zijn gebeurd.' Ik probeer een verlegen, verontschuldigend glimlachje te produceren, maar ik weet dat dit soort trucjes mij niet liggen.

Toch lijkt hij me te geloven.

'Dat is heel begrijpelijk. Persoonlijk geloof ik er niet in dat gebeurtenissen sporen achterlaten, maar als je dat wel gelooft, ga je daar natuurlijk over inzitten, nietwaar?'

Ik knik dankbaar.

'Nou, eens even kijken wat ik u kan vertellen,' zegt hij. 'Over welk huis hebben we het, heeft u een adres?'

'Het is aan een zijweg van de weg die vanuit Coldharbour naar het noorden gaat. Het huis wordt Flag Cottage genoemd,' zeg ik.

Tot mijn verbazing knikt hij als hij die naam hoort.

'Ik vroeg me al af of het daarover ging. Komt u maar even verder.'

Hij klapt een gedeelte van de balie omhoog.

'Ik ben brigadier Brian Ennis. Noem me maar Brian,' zegt hij. We stellen ons aan hem voor. Hij glimlacht naar Sylvie.

'Is het goed als Sylvie met haar boeken hier blijft, waar we haar kunnen zien?' vraag ik.

'Geen probleem,' antwoordt hij.

Ik heb een stripboek en viltstiften in mijn tas. Sylvie gaat op een stoel in de hal zitten en ik geef haar een plaatje om in te kleuren. Ze pakt me vast en fluistert in mijn oor: 'Vraag hem naar mijn familie, Grace.'

'Ja, schat.'

Als ze zich tegen me aan drukt voel ik het hevige bonzen van haar hart.

'Belóóf me dat je het niet vergeet. Belóóf me.'

Ze is zo hoopvol dat ik bang ben dat het op een teleurstelling zal uitlopen.

Brian neemt ons mee naar zijn kantoor en trekt stoelen bij.

Ik kijk om me heen. Op zijn bureau staat een foto van twee tienermeisjes in felgekleurde topjes. Het oudste meisje lacht precies als Brian, een beetje laconiek en vol zelfspot. Het kantoor kijkt uit op een parkeerplaats waar een rijtje vuilnisbakken staat en een palm met puntige bladeren die tegen elkaar klapperen in de wind, een geluid dat door het dichte raam te horen is.

Brian gaat zitten.

'Tja. Flag Cottage,' zegt hij.

'We hebben gehoord dat daar ooit iets gebeurd is,' zegt Adam.

'Dat kun je wel zeggen, dat daar iets gebeurd is,' zegt Brian. Hij leunt naar voren, met zijn ellebogen op zijn knieën. 'Het is nu zeven jaar geleden,' zegt hij. Zijn stem klinkt plechtig, een beetje onheilspellend ook, als hij zijn verhaal begint te vertellen. 'Alice en Jessica Murphy heetten ze. Ze zijn spoorloos verdwenen, gewoon in rook opgegaan. Het was op een dinsdag. Ze moeten Flag Cottage om ongeveer halfzeven 's avonds hebben verlaten, want Erin zag Alice vanuit de winkel in Coldharbour voorbijrijden met Jessica naast zich.'

'Hoe oud was zij, dat kleine meisje?' vraag ik.

'Jessica Mary was negen,' antwoordt hij. Zijn gezicht betrekt. 'Even oud als mijn dochter Amy toen was.' Hij gebaart naar de foto. 'Maar hoe dan ook, ze werden die woensdagmiddag pas als vermist opgegeven.'

Hij laat een korte stilte vallen om dit tot ons door te laten dringen.

Ik kijk om, naar Sylvie. Ze zit rustig te tekenen. Een baan zonlicht valt over haar heen. Het schelle licht lijkt haar van alle kleur te ontdoen.

'Maar iemand moet het toch gemerkt hebben?' zeg ik.

'Niemand wist ervan,' zegt hij. 'De man van Alice was onderweg voor zijn werk, hij verkoopt computers... Om drie uur werd ik gebeld door een vriendin van Alice. Ze hadden een lunchafspraak bij Foley's, het visrestaurant in Coldharbour. Toen Alice niet kwam opdagen was de vriendin naar het huis gegaan, maar daar was niemand, dus toen belde ze ons.'

Er staat een beker met koffie voor hem op het bureau. Hij roert er met een ballpoint in terwijl hij in de beker staart.

'Soms heb je zo'n geval,' zegt hij, 'dat muurvast zit: geen lijk, geen enkel bewijs. Wat moet je dan?' Hij schudt lichtjes zijn hoofd. 'En geloof me, aan ons heeft het niet gelegen. We hebben alles geprobeerd. Collega's uit Dublin hebben alles ook nog eens nagetrokken, maar er was gewoon geen enkel aanknopingspunt.'

'En haar auto dan?' vraagt Adam. 'Is die ooit gevonden? Gaf die ook geen aanknopingspunten?'

'De auto is een paar kilometer ten zuiden van Coldharbour gevonden. Uitgebrand,' antwoordt Brian. 'Dus al het forensisch bewijsmateriaal was vernietigd.'

'Misschien zijn ze vermoord,' zeg ik, 'en is hun auto in brand gestoken om bewijsmateriaal te verdonkeremanen.'

Hij haalt zijn schouders op.

'Of misschien heeft Alice hem zelf in brand gestoken – voor ze ging doen wat ze van plan was te gaan doen. Of misschien waren het gewoon jongeren die daar aan het rotzooien waren. Vonden ze die auto daar en zetten hem in de hens, voor de lol. Waarschijnlijk jongeren uit de wijk Hazeldene in Barrowmore,' zegt hij, plotseling geestdriftig. 'Daar wemelt het van de potentiële pyromanen.'

'Je zei... voor Alice ging doen wat ze van plan was...' zegt Adam.

Brian knikt.

'Alice Murphy was niet zo'n gelukkig mens,' zegt hij. 'Ze was al vaak behandeld voor depressies. Ze was zelfs opgenomen geweest in het St. Matthew's-ziekenhuis in Barrowmore – de psychiatrische kliniek.'

'Zelfmoord?' zegt Adam.

'Dat was een van de theorieën,' zegt Brian.

'Maar jullie hebben ze nooit gevonden?' vraag ik.

'We hebben gezocht, maar je weet hoe het hier is. Het is zo uitgestrekt en leeg, een lijk kan hier jaren en jaren ergens liggen zonder te worden opgemerkt.' Hij slaakt een zucht waar enige verslagenheid uit spreekt. 'Nou ja, zoals ik al zei weten we het niet, maar die theorie heeft mij altijd het waarschijnlijkst geleken. Dat Alice een eind aan haar leven heeft gemaakt, en aan dat van haar kleine meid.'

Ik kijk of Sylvie iets gemerkt heeft, ben extreem ongerust over haar, alsof iemand haar weg zou kunnen halen. Alles voelt opeens onveilig.

'Denk je dat Alice Jessica heeft vermoord?' Instinctief demp ik mijn stem.

'Het is mogelijk,' zegt Brian. 'Ze kan haar hebben meegenomen de berg op en haar daar wat pillen in poedervorm hebben gegeven, opgelost in een flesje cola. Dat is wel eerder gebeurd.'

Ik stel me voor hoe het moet zijn om je eigen kind om het leven te brengen: de vertragende hartslag, ogen die dof worden, en dat allemaal door jouw toedoen. Ik vind het zo afschuwelijk dat ik er nauwelijks over na kan denken.

Waarschijnlijk zijn mijn gedachten van mijn gezicht af te lezen, want Brian zegt: 'Het spijt me, Grace. Het was niet mijn bedoeling om je van streek te maken. Eerlijk gezegd hadden we het er allemaal moeilijk mee. We hadden ook een psychiater die ons hielp. Hij zei dat in dit soort gevallen de moeder zich te sterk met haar kind identificeert: ze ziet het kind als deel van zichzelf, dus als ze zich het leven probeert te benemen is het kind hetzelfde lot beschoren. Toch blijft het walgelijk, vind ik. Onvergeeflijk eigenlijk.'

Niemand zegt een woord. Ik luister naar de rust die in het kantoor heerst: de wind die buiten door de palmbladeren ritselt maakt een hard en koud geluid. Ik voel me een beetje misselijk.

'En de andere theorie?' vraagt Adam.

Brian haalt zijn schouders op.

'Misschien was het niet zo ernstig allemaal, en is ze gewoon vertrokken. Misschien had ze in het geheim een minnaar. Het komt voor dat mensen een punt zetten achter hun leven en elders opnieuw beginnen. Sommigen van ons prefereerden deze versie, maar daar hoorde ik niet bij. Alice was tenslotte depressief en ze had misschien niet een heel gelukkig huwelijk. Vandaar dat ik de eerste theorie het waarschijnlijkst vind... Nou, ik hoop dat ik jullie vraag beantwoord heb.'

'Ja, hartelijk dank.' Ik pak mijn tas. 'We zijn je erg erkentelijk,' zeg ik.

Brian geeft me zijn kaartje.

'Als er verder nog iets is wat ik kan doen, bel dan gerust.' Een veelbetekenend lachje glijdt over zijn gezicht. 'Het spijt me als Flag Cottage nu niet meer zo aantrekkelijk voor jullie is.'

'Je kunt het maar beter weten,' zeg ik vaag.

Hij gaat ons voor en houdt het uiteinde van de balie voor ons omhoog. Dan kijkt hij ons plotseling indringend aan.

'En misschien komen jullie me ook nog een keer vertellen wat de werkelijke reden is dat jullie dit wilden weten...'

We komen terug in de hal. Sylvie springt op en trekt me aan mijn mouw.

'Heb je ze gevonden?' vraagt ze. 'Heb je mijn familie gevonden?'

Ze heeft koortsige roze vlekken in haar gezicht.

Ik kijk om naar Brian, me afvragend hoe dit op hem over zal komen, maar hij is naar zijn kantoor teruggegaan. Ik raap het stripboek en de viltstiften bij elkaar.

'Kom, we gaan naar de auto en dan zal ik het je vertellen,' zeg ik.

Als we in de auto zitten doet ze niet meteen haar gordel om maar leunt naar voren, over onze stoelen heen. Doordat ze met een vuile vinger in haar mond heeft gezeten, zit er blauwe inkt op haar lip. Haar warme adem strijkt langs mijn gezicht.

'Heb je mijn familie gevonden, Grace?'

Ik werp een blik op Adam. Ik weet niet zeker of ik dit aan Adam moet overlaten, of hij hier misschien beter mee om kan gaan, maar hij knikt lichtjes naar me.

'Ik weet het niet zeker, schat,' zeg ik tegen haar. 'We hebben hem gevraagd over het huis, over Flag Cottage.'

'Ja, waar mijn familie woonde,' zegt ze.

'Hij vertelde dat daar iets gebeurd is. Met de mensen die daar woonden.'

'Ja, Grace.'

Ze kijkt indringend naar me, haar ogen zijn strak op de mijne gericht.

'Kun jij me vertellen wat er gebeurd is?' vraag ik.

'Er is daar iets heel naars gebeurd,' antwoordt ze.

Ik huiver. Dan herinner ik me wat ik tegen Brian heb gezegd: *Ik wil niet in een huis wonen waar nare dingen zijn gebeurd.* Misschien herhaalt ze dat gewoon. Weer voel ik hoe ongrijpbaar ze is, hoe ze door je vingers lijkt te glippen.

'Die man met wie we gepraat hebben, Brian, de politieman,' zegt Adam tegen haar, 'die heeft ons verteld over de mensen die in dat huis hebben gewoond. Hij zei dat die mensen verdwenen zijn. Hij zei dat ze misschien wel dood zijn...'

Sylvie knikt vaag.

'Ja, Adam. Er zijn mensen doodgegaan.' Haar gezicht is kalm en beheerst.

'Kun je ons iets vertellen over de mensen die zijn doodgegaan?' vraag ik aan haar.

Mijn stem klinkt moeizaam, alsof ik een prop in mijn keel heb. Het voelt onbehaaglijk om zo tegen een kind te praten, om zomaar over de dood te praten. Ik ben nog steeds geschokt door wat Brian heeft verteld.

'Schat, wie waren die mensen?' vraag ik.

Ze kijkt me aan. Ze is ondoorgrondelijk en ver weg.

'Ik ben doodgegaan, Grace. Ik ben in het water doodgegaan.' Haar stem klinkt zo kalm en zakelijk. Mijn hart gaat als een razende tekeer.

'Kun je ons vertellen wat er gebeurd is?' vraag ik aan haar.

Maar ik krijg de woorden haast niet gevormd omdat ik nauwelijks kan ademhalen.

'Het water was rood,' antwoordt ze. 'Ik zag belletjes uit mijn mond komen.'

Ze doet haar gordel om, wendt zich van ons af en kijkt naar buiten. Haar gezicht is weer gesloten.

'Kun je er nog iets meer over vertellen?' Adams stem klinkt dwingend en gretig. Ik hoor zijn snelle ademhaling.

'Ik heb het je al verteld, Adam,' zegt ze.

'Maar kun je je verder nog iets herinneren?' vraagt hij.

Maar dat kan ze niet of wil ze niet. Ik weet dat ze zich heeft teruggetrokken en niets meer zal zeggen.

Er gaat een rilling door me heen, het kippenvel staat op mijn armen.

Ik kijk even naar Adam, die met grote verbaasde ogen voor zich uit kijkt.

Hij kiest een andere weg terug naar het hotel, een smal, kronkelig weggetje dat aanvankelijk de kustlijn volgt. Aan de ene kant zien we de stralende zee, aan de andere kant de velden met stenen, zwart vee, riet en ondiepe blauwe meertjes vol wuivend gras dat door het zonlicht een gouden glans krijgt. In de verte glijden schaduwen van wolken langs de bergen. Ik kijk naar de vele kleuren van de bergen, die steeds veranderen, verschuiven van grijs naar goudgeel en dan weer diep paarsblauw zijn als pruimen. Ik voel me broos, nietig, alsof het geringste zuchtje wind me omver zal blazen.

'Ik wil mijn familie, Grace,' klinkt het plotseling heel helder en resoluut. 'Ik wil mijn familie terug. Ik wil ze terug.'

'Dat weet ik, schat,' zeg ik.

Het doet me pijn, zoals altijd als ze zulke dingen zegt.

De weg buigt af, we rijden landinwaarts en even later splitst de weg zich en kunnen we linksaf richting Barrowmore of rechtsaf naar het zuiden, naar Coldharbour. Een grote oude eik leunt over de weg en er is een kapotte omheining van prikkeldraad met daarachter gaspeldoorns en braambosjes en een paar kromme, gehavende coniferen die zich, geteisterd door de volle kracht van de wind, van de zee hebben afgewend.

'Grace.'

Sylvies stem klinkt zacht en paniekerig.

Snel draai ik me om en kijk naar haar gezicht. Ze ziet lijkbleek.

'Stop de auto,' zeg ik tegen Adam. 'Nú.'

Hij hoort hoe dringend ik klink en zet de auto vlug aan de kant.

Ik spring naar buiten, doe haar deur open en trek haar uit de auto. Ik houd haar haar naar achteren als ze in berm overgeeft.

'Arm kind,' zeg ik als het voorbij is.

Ik streel haar haar. Haar gezicht is groenig en bleek, en ze beeft.

Adam brengt me een doos tissues. Ik veeg Sylvies gezicht en haar handen schoon. Ik voel me schuldig – we hebben te veel van haar geëist, te veel vragen gesteld.

'We wachten hier gewoon even,' zeg ik tegen haar. 'Adem maar heel diep in en uit. Je voelt je beter als je niet in de auto zit.'

De zon is helemaal tevoorschijn gekomen, maar geeft geen warmte. Boven ons vliegen meeuwen eenzaam door de weidse blauwe lucht.

'Nee,' zegt ze. 'Ik wil weer in de auto zitten, Grace. Ik wil terug naar het hotel.'

'Maar je hebt frisse lucht nodig, schat. Daar ga je je beter door voelen.'

Een vogel maakt een geluid alsof een pan wordt leeggeschraapt en de blaadjes van het braambosje zuchten en fluisteren met elkaar. De bloeiende gaspeldoorns geven een kokosachtige geur af.

'Néé,' zegt ze.

Ze gaat de auto weer in, klimt in haar zitje en kijkt ons verwachtingsvol aan.

'Ik vind echt dat we nog even moeten wachten,' zeg ik tegen haar. 'Ik ben bang dat je weer moet overgeven.'

'Ik wil dat we gaan, Grace.'

Ze is onvermurwbaar, haar mond staat strak gespannen.

Ik weet dat het geen zin heeft om aan te dringen.

'Nou, goed dan. Maar je moet me beloven dat je uit het raam blijft kijken. Dan word je minder gauw misselijk...'

'Goed,' zegt ze.

Ze vouwt haar handen netjes in haar schoot en kijkt nadrukkelijk uit het raam, zoals ik haar gezegd heb te doen. We verlaten de splitsing en rijden weg door de gele gloed van de bloeiende gaspeldoorns.

'Is ze wel vaker wagenziek?' vraagt Adam zachtjes aan mij.

'Nee, wagenziek niet. Maar als ze veel gehuild heeft, maakt ze zichzelf soms misselijk.' Ik moet denken aan die avond met Matt – het lijkt een eeuw geleden.

'Dus het kan komen doordat ze van streek is? Dat ze ergens mee zit?'

'Ja.'

Ik denk: het was onze fout, we hebben haar te veel onder druk gezet. Maar ik zeg niets.

We rijden de heuvel af en komen aan in Coldharbour. De spanning is uit haar gezicht verdwenen: ze is bleek, bijna doorzichtig, maar ze kijkt niet meer zo paniekerig. Ze heeft haar handen zorgvuldig gevouwen, alsof ze bang is iets te breken, alsof ze iets heel teers in haar handen houdt.

39

Vanavond is er muziek, zoals Brigid had gezegd. Zodra ik Sylvie naar bed heb gebracht, klop ik op Adams deur.

Brigid heeft een klaptafel voor hem geregeld, om met zijn laptop aan te werken. Hij heeft de tafel voor het raam gezet, met een lamp erop. Daar zit hij nu, in een cirkel van amberkleurig licht. Hij heeft duidelijk met zijn hand door zijn haren zitten woelen want het zit helemaal in de war. De mouwen van zijn schipperstrui zijn slordig opgerold en naast hem op tafel staan twee halfvolle koppen koffie. Hij kauwt op het uiteinde van een potlood.

Ik denk: zo ziet hij eruit als hij aan het werk is – slonzig, in gedachten verzonken. Ik vind het leuk om dit te weten.

'Heb jij vroeger soms gerookt?' vraag ik aan hem.

Hij glimlacht een beetje verbaasd.

'Ja. Hoezo?'

'Zoals je op dat potlood zit te kauwen...'

'Ik ben afgelopen zomer gestopt,' zegt hij. 'Een heldhaftige prestatie maar een ramp voor iedereen om me heen. Ze renden hard weg als ze mij zagen aankomen...'

Ik loop naar de tafel, ga naast hem staan en kijk naar het scherm. Ik zie mijn naam, en die van Sylvie. Het geeft me een schok, hoewel ik weet dat het me niet zou moeten verbazen. Ik begrijp dat hij een andere reden heeft voor deze zoektocht en dat hij hier niet alleen is om ons te helpen. Hij is gekomen omdat hij naar iets op zoek is, naar een antwoord, naar een soort betekenis: een manier om te leren leven met de dood van zijn broer. Ik ben benieuwd of hij zal vinden wat hij zoekt.

'Maak je aantekeningen over ons?' vraag ik.

'Ja. Wil je ze lezen?'

'Nee hoor, dat zit wel goed. Ik vertrouw erop dat je aardige dingen over ons schrijft. Dat doe je toch?'

Even kijkt hij naar me op. Heel intens, heel ernstig.

'Ik zou niet anders kunnen.'

Een warme gloed stroomt door me heen.

Hij houdt zijn blik nog even op mij gericht, dan wendt hij zich van me af en klapt zijn laptop dicht.

'Grace! Adam! Laat me jullie een drankje aanbieden,' zegt Brigid.

We gaan aan een tafeltje bij de haard zitten. De vier muzikanten zijn zich aan het voorbereiden: twee violisten, een fluitist en een zwaargebouwde man in een verkreukeld overhemd die de *bodhran* bespeelt, een Ierse trommel bespannen met een geitenvel.

Brigid komt naar ons toe met glazen whisky op een blad.

'Mag ik even bij jullie komen zitten?' vraagt ze.

'Maar natuurlijk, heel gezellig,' antwoord ik.

Ze gaat zitten en neemt een slokje whisky.

'Nou, vertel eens, hoe bevalt het jullie in Coldharbour?' zegt ze.

'Het is hier prachtig,' antwoord ik.

'Dat is het zeker,' zegt ze. Even laat ze haar blik op mij rusten. Haar royaal bepoederde gezicht ziet er een beetje mat uit in het licht van het haardvuur. 'En ik heb begrepen dat jullie geïnteresseerd zijn in de geschiedenis van deze streek.'

Ik knik.

Ze zwijgt een moment. De fluitist speelt een snelle, korte riedel.

'Ik hoorde dat jullie vragen hebben gesteld over Alice. Over haar verdwijning. En dat jullie Flag Cottage hebben bekeken en naar haar geïnformeerd hebben.'

'Dat klopt,' zeg ik.

'Alice Murphy. Nou, dat is me wat geweest hier. En nooit opgelost ook.'

Het is een poging ons uit de tent te lokken. Ik werp een blik op Adam, die me lichtjes toeknikt.

'We zijn op het politiebureau van Ballykilleen geweest,' zeg ik tegen haar.

'Bij Brian Ennis?' vraagt ze.

'Ja.'

Ze trekt een strak mondje, alsof ze Brian Ennis niet zo ziet zitten.

'Brian denkt dat Alice zelfmoord heeft gepleegd,' zegt ze.

'Ja, dat zei hij ook tegen ons... Heb jij Alice gekend?' vraag ik.

'Ja, ik heb Alice gekend.'

'Wat dacht jij ervan? Dacht jij dat het zelfmoord was?'

Ze geeft niet meteen antwoord, maar blijft stil.

De muzikanten beginnen te spelen. Het is zo'n vrolijke, beetje eentonige horlepiep die in Ierland waarschijnlijk in elke bar te horen is. De trommelaar slaat er in zijn verkreukelde overhemd lustig op los.

'Laat me je iets vertellen over Alice,' zegt Brigid. De flakkerende rode vlammen worden in haar ogen weerkaatst. 'Alice was een heel mooie vrouw. Een beetje zoals de Corr Sisters, met van dat donkere haar en zo'n Keltische uitstraling. Ook heel slim, heel goed met cijfers. Daarom heeft Marcus haar ook aangenomen, omdat ze zo'n goed stel hersens had.'

'Marcus?' Ik zie de man weer voor me die ik in de lobby tegenkwam. Ik geloof mijn oren niet. 'Bedoel je Marcus Paul? Werkte Alice voor Marcus Paul?'

Mijn verbazing amuseert haar.

'Ze was zijn persoonlijk assistente als hij in Kinvara House was. Deed zijn boekhouding en zo.'

Ik ben verbijsterd over wat ze vertelt, het beeld van Alice dat ze oproept als een aantrekkelijke, capabele vrouw.

'Maar Brian vertelde ons dat ze depressief was,' zeg ik. 'Dat ze opgenomen was geweest.'

'Ja, dat klopt ook, die arme meid. Maar ik durf te wedden dat hij jullie niet verteld heeft hoe het kwam dat ze depressief was.'

'Nee, niet echt. Hoewel hij wel liet doorschemeren dat ze niet zo'n gelukkig huwelijk had.'

Brigid knikt flauwtjes.

'Soms zie je een stel en dan denk je: hoe heeft dit kunnen gebeuren? Die twee passen helemaal niet bij elkaar. Ken je dat?'

'Ja, ik geloof het wel,' zeg ik.

'Ze kwamen hier weleens iets drinken, en dan begon hij een van zijn langdradige moppen te vertellen en kreeg zij zo'n uitdrukking op haar gezicht – opgetrokken wenkbrauwen, strakke mond –, alsof ze hem minachtte. En hij sprak soms op zo'n scherpe toon tegen haar. Het had iets dreigends.'

De muziek verandert. De man in het verkreukelde overhemd zingt een lied in het Gaelisch. Zijn stem is ruw en ongekunsteld, wat hij laat horen houdt het midden tussen spreken en zingen en zijn lied is doortrokken van een donkere, zijdezachte melancholie.

'Om eerlijk te zijn heb ik me wel afgevraagd of hij haar sloeg,' vervolgt ze met gedempte stem. 'Gordon is nogal opvliegend. Ik herinner me dat hij een keer kwaad naar buiten stormde omdat zij met een van zijn vrienden zat te praten en een beetje te intiem met hem werd. Van zoiets kon hij in alle staten raken. En soms droeg zij een zonnebril, ook al was het bewolkt, en dan vroeg ik me af wat ze te verbergen had. Ik maakte me er zorgen over, maar naar zoiets vraag je natuurlijk niet... Dus toen het gebeurde... nou ja, toen vroeg ik me af of hij soms iets ontdekt had...' Ze aarzelt. Dan vervolgt ze met iets van opwinding in haar stem: 'Als Gordon erachter is gekomen dat er iets gaande was...'

We wachten. Mijn hart gaat tekeer.

'Jaloezie binnen een relatie is iets vreselijks,' zegt Brigid dan. 'Het kan mensen tot de vreselijkste, wanhopigste daden aanzetten.'

Even valt er een stilte.

'Denk je dat Alice een verhouding had?' vraagt Adam voorzichtig.

'Ik zou het haar eerlijk gezegd niet kwalijk hebben genomen,' antwoordt Brigid. 'Ze was een mooie vrouw die een beetje beneden haar stand was getrouwd. En Marcus is natuurlijk een heel aantrekkelijke man. Nou ja, Grace, jij hebt hem gezien, je bent het toch met me eens dat hij aantrekkelijk is?'

'Ja, daar ben ik het mee eens, ik bedoel dat veel vrouwen dat zullen vinden...'

Adam kijkt me verwonderd aan en tot mijn ergernis voel ik dat ik begin te blozen.

'Volgens mij zag je hem wel zitten.' Ze lacht me een beetje vet en vergenoegd toe. 'Dat kan ik zien, weet je, dat kan ik altijd zien...' Ze pakt haar glas en drinkt het leeg. Haar minutieus verzorgde nagels glimmen zwakjes in het schijnsel van het haardvuur. 'Dus dat is het verhaal – dat is wat ik me heb afgevraagd. En een heleboel anderen met mij. Of Gordon hier achter zat...'

'Maar Brian zei dat Gordon helemaal niet thuis was...'

'Dat klopt,' zegt Brigid, 'Gordon was in Limerick. Maar laten we wel wezen: er is altijd wel een manier, als je bereid bent ervoor te betalen. Zo zit de wereld in elkaar. Als je iets gedaan wilt krijgen dan vind je altijd wel iemand die het voor je wil doen.'

'En Jessica?' vraag ik. 'Waarom is Jessica vermoord – áls dat gebeurd is?'

'Misschien liep alles anders dan de bedoeling was,' antwoordt Brigid. 'Misschien had Jessica daar helemaal niet moeten zijn, en was ze er toch... Dat is wat we dachten – wat we allemaal dachten... O, kijk nou eens, jullie glazen zijn leeg en ik heb het niet eens gemerkt! Mijn excuses.'

Ze gaat weg om meer whisky halen.

Het lijkt wel alsof ik al dronken ben: ik voel me heet en wazig. Het wordt steeds drukker in de bar en de gezichten doemen voor me op, lijken te groot, hun blik te intens en opdringerig. De violen spelen samen, ze hangen tegen de tonen aan en hun muziek roept verlangen op.

Brigid komt terug met de drankjes en gaat weer aan ons tafeltje zitten.

'Weet je, ik begrijp het nog steeds niet,' zegt ze langzaam. 'Jullie intrigeren me. Al die vragen over Alice Murphy. Ik bedoel, jullie zijn hier niet om even lekker uit te waaien, hè? Volgens mij is dat niet waar jullie voor gekomen zijn...'

Een warm gevoel van dankbaarheid stroomt door me heen: dat zij zo open tegen ons is. Ik vraag me af wat ze ons verder nog zou kunnen vertellen als wij open kaart zouden spelen. De drank maakt me los en in een roekeloze opwelling neem ik haar in vertrouwen.

'We zijn hier vanwege Sylvie,' zeg ik.

Adam staart me aan. Ik zie dat hij bezorgd is, maar sla er geen acht op.

'Er is iets met dat kind,' zegt Brigid. 'Ze heeft zoiets bedachtzaams. Ze lijkt te oud voor haar leeftijd.'

'Wat merkwaardig dat je dat zegt,' zeg ik. Uit mijn ooghoek zie ik dat Adam een gebaar maakt alsof hij me wil afremmen. Ik weet dat hij niet wil dat ik verder praat, maar ik negeer hem. 'Weet je, soms hebben we het gevoel dat ze zich iets herinnert. Dat ze zich een vorig leven herinnert...'

Brigids ogen worden groot. Ze ziet er blozend en opgewonden uit.

'Mijn god, hebben we het over reïncarnatie?' vraagt ze.

Ik heb er meteen spijt van dat ik het gezegd heb, maar de woorden hangen tussen ons in en ik kan ze niet meer terugnemen.

Ik knik lichtjes.

'Nou ja, waarom ook niet?' zegt ze. 'Waarom zou Sylvie geen oude ziel kunnen zijn? We zijn omgeven door een schimmenrijk, daar ben ik zeker van...' Haar felle ogen glanzen in het licht van de haard. De violen gaan vol vibrato de hoogte in. 'Misschien is Alice Murphy teruggekomen om haar gram te halen.' Haar stem trilt een beetje. 'Misschien is haar ziel uit op wraak.'

'Ik weet het niet,' zeg ik. 'Ik weet het niet.'

Plotseling gaat er een golf van misselijkheid door me heen. Wat is dit vreselijk. Ik wou dat ik mijn mond had gehouden.

'Als ik iets voor jullie kan doen,' zegt ze.

'Dat is heel aardig van je,' antwoord ik.

Adam legt zijn hand op mijn arm, alsof hij wil voorkomen dat ik nog meer ga zeggen.

'We moesten maar weer eens naar boven gaan,' zegt hij tegen Brigid.

Ik drink mijn glas leeg. We zeggen haar gedag en gaan naar onze kamers.

Ik ga niet meteen mijn kamer binnen.

'Kunnen we nog even praten?' vraag ik. 'Ik wil niet alleen zijn.'

Ik kijk hem niet rechtstreeks aan. Opeens voelt het ongemakkelijk tussen ons.

'Oké,' zegt hij, maar hij verroert zich niet, blijft staan waar hij staat en kijkt me onzeker aan.

'We kunnen op mijn balkon gaan zitten,' zeg ik tegen hem.

'Goed,' zegt hij.

Zachtjes lopen we door de kamer. Sylvie heeft het dekbed half van zich af geschopt en ligt met uitgespreide armen en benen op haar bed, alsof ze van een grote hoogte naar beneden is gevallen. Bezorgd vraag ik me af of ze een nachtmerrie heeft gehad terwijl ik er niet was. Misschien had ik haar niet alleen moeten laten.

Ik leg het dekbed over haar heen. In het zachtgele schijnsel van de lamp heeft haar gezicht een gezonde blos en haar ogen bewegen onder haar stijf gesloten oogleden heen en weer. Ik hoop dat ze in deze droom gelukkig is.

Ik doe de balkondeuren open en trek ze achter ons dicht. De deuren maken een nadrukkelijk geluid maar Sylvie blijft roerloos liggen.

Ik ga op een van de plastic stoelen zitten. De zachte, koude lucht voelt weldadig aan na de warme bierwalm in de bar. De lantaarns langs de aanlegsteiger werpen hun licht op het water, dat op de zacht deinende en rimpelende golven in fonkelende scherven uiteenvalt. De hemel is uitgestrekt en diep, met een bijna volle maan en overal priemende sterren.

Adam leunt tegen de reling en kijkt naar de zee. Er heerst zo'n rust dat ik zijn schoenen hoor kraken als hij zich beweegt.

'Zo'n sterrenhemel zie je in Londen nooit,' zegt hij. 'Hier heb je nog het echte werk, echte duisternis.'

'Ja,' zeg ik. 'Inderdaad.'

Iets in mijn stem maakt dat hij zich naar mij omdraait.

'Je hebt het koud,' zegt hij. 'Je rilt.'

Tot mijn verbazing trekt hij zijn trui uit en legt hem om mijn schouders. De wol is nog warm van zijn lichaam. Ik trek de trui dicht om me heen.

'Wat was dat vreselijk.' Mijn stem klinkt een beetje lodderig, ik hoor het effect van de whisky. 'Ik wou dat ik het haar niet verteld had. Ik bedoel, over Sylvie. Over reïncarnatie en zo.'

'Ja. Nou, ik vond het ook een beetje riskant dat je dat zei,' zegt hij.

'Ik vond het vreselijk wat ze allemaal vertelde,' zeg ik tegen hem.

'Brigid houdt gewoon erg van drama,' zegt hij. Hij staat met zijn rug naar de reling en kijkt naar me. 'Ze genoot er met volle teugen van. Ze had gewoon zin in een goed verhaal, het kan best dat ze de helft uit haar duim heeft gezogen.'

'Maar wat ze zei over wraak,' zeg ik. 'Dat ze haar gram komt halen. Afschuwelijk gewoon. Een afschuwelijk idee!'

'Ja, maar je moet niet te veel aandacht aan haar schenken.'

Zwijgend staren we een tijdje naar de zee en naar het fonkelende firmament vol koude sterren en al die diepblauwe lege ruimte boven ons.

'Soms denk ik weleens: wie is mijn dochter, wie is ze nou echt?' Mijn stem klinkt me vreemd in de oren en ik houd mijn blik van hem afgewend. 'En soms ben ik zo bang.'

'Niet doen,' zegt hij. 'Niet bang zijn.'

Hij komt naar me toe, staat naast me en legt zijn hand op mijn schouder. Ik leun met mijn hoofd tegen hem aan. Het voelt heel natuurlijk om zo tegen hem aan te leunen.

Hij pakt me vast en trekt me omhoog, zodat ik voor hem kom te staan. Dan legt hij zijn hand langs de zijkant van mijn gezicht. Zijn ogen zijn op mij gericht, maar het is zo donker dat ik zijn uitdrukking niet kan zien. Ik verlang hevig naar hem.

'Je voelt zo koud aan,' zegt hij nogmaals.

Dan kust hij me met een ongelooflijke directheid. Mijn lichaam is soepel, zacht, gewillig. Ik druk me tegen hem aan. Aan de kus lijkt geen einde te komen.

Hij stapt iets naar achteren en gaat behoedzaam met zijn hand over mijn gezicht, alsof hij blind is en mijn gezicht wil ontdekken. Dan trekt hij me naar zich toe en kust hij me weer. Zoekend, gedachteloos, als een blinde. Ik wil hier altijd blijven, in dit moment.

Uiteindelijk maken we ons van elkaar los, en ik weet niet wat er nu gaat gebeuren. Weer voel ik die afstand tussen ons ontstaan.

'Ik moest maar eens gaan slapen,' zeg ik.

'Ja,' zegt hij. 'Ja, natuurlijk.'

'Hier heb je je trui, die zul je nog nodig hebben.'

Ik geef hem terug, maar met tegenzin. De kou strijkt langs mijn huid als ik de trui van schouders laat glijden.

Heel zachtjes open ik de balkondeuren. Sylvie heeft haar dekbed weer naar beneden geduwd, maar haar ogen zijn gesloten en haar gezicht straalt rust uit in het zachtgele lamplicht. Mijn huid voelt een beetje ruw aan door de stoppels op zijn kaken, waar hij zich vanochtend niet heeft geschoren.

'Tot morgen,' zegt hij.

Dan doet hij de deur naar de gang open en loopt weg.

's Ochtends trek ik mijn strakste spijkerbroek aan en mijn hoogste hakken. Ik tril helemaal bij de gedachte hem te zullen zien, zo verlang ik naar hem.

Ik ga met Sylvie de trap af, naar de ontbijtzaal. Hij zit er al.

'Heb je goed geslapen?' vraagt hij.

'Ja, prima, dank je. Sylvie is niet wakker geworden...'

Hij glimlacht naar ons, maar gedraagt zich verder net als anders. Even komt het in me op dat er gisteravond niets gebeurd is en ik het allemaal verzonnen heb. Ik vraag me af wat ik voor hem beteken – of zijn kus iets betekende – of dat ik slechts een leuke afleiding voor hem ben nu hij het een tijdje zonder Tessa moet doen. Hij houdt zijn kopje met twee handen vast en ik kijk naar zijn slanke polsen, zijn dunne, gevoelige vingers. Ik wil hem aanraken maar heb het gevoel dat ik dat niet kan doen.

Dankbaar nip ik van mijn koffie. Sylvie eet geroosterd brood met boter en haar mond en vingertoppen glimmen van het vet.

'Gaan we naar mijn huis, Grace?'

'Nee, vandaag niet,' zeg ik tegen haar. 'We gaan de omgeving verkennen, kijken of er nog iets is wat je herkent... Misschien van vroeger...'

Wat klinkt dit vreemd.

Er staat een vaas met rode tulpen op tafel waarvan de blaadjes omgekrulde randjes hebben die doen denken aan de binnenkant van een mond. Sylvie steekt haar arm uit en raakt met haar vingertop een bloemblaadje aan.

'Maar ik wil naar mijn huis.'

'Schat, ik weet niet of we daar nog een keer naartoe kunnen,' zeg ik tegen haar.

'Dat kan best. Wanneer gaan we?'

Het klinkt heel dwingend zoals ze dat zegt.

'Dat weet ik niet.'

Ze fronst naar me, alsof ze denkt dat ik expres iets over het hoofd zie.

'Maar ik moet het écht zien. Ik moet het bínnen zien.'

'Ik zou niet weten hoe we dat moeten regelen, Sylvie,' zeg ik tegen haar. 'We kunnen daar niet zomaar naar binnen lopen. Dat huis is van andere mensen.'

'Maar ik wil het. Ik wil mijn slaapkamer zien en mijn familie.' Ze klimt van haar stoel, loopt om de tafel heen en komt naast me staan. Dan strekt ze haar armen naar me uit en legt haar handen om mijn gezicht. Zo houd ik haar soms vast als ik wil dat ze naar me luistert. Haar warme handen geuren naar boter en drukken hard tegen mijn gezicht. 'Alsjeblíéft, Grace.'

Adam leunt over de tafel in onze richting.

'Weet je, Sylvie, misschien dat het toch kan. Als we de eigenaar van het huis te pakken kunnen krijgen...'

'Ja, Adam. Wanneer doen we dat?'

'Misschien morgen of overmorgen – ik zal eerst eens met Brigid gaan praten.'

'Ja, doe dat, Adam,' zegt ze.

We rijden door een verlaten landschap naar het noorden, voorbij Ballykilleen en Barrowmore. Het is een loodgrijze dag en de toppen van de bergen zijn wazig en half verscholen achter de wolken. Sylvie zit rustig achterin naar buiten te kijken en zegt niets. Bij een abdij die is opengesteld voor het publiek stoppen we om te lunchen. In een kleurloos café met countrymuziek eten we een paar sandwiches. Sylvie kiest een walgelijk gele kwarkpunt uit; ze tekent er met haar vork een smiley op, maar eet er niet van.

We rijden met een grote omweg terug door de bergen naar Ballykilleen en nemen de weg naar Coldharbour die aanvankelijk langs de kust loopt. De zware, laaghangende wolken worden steeds donkerder tot ze de kleur hebben van een bloeduitstorting. We praten over het weer, hoe lang het nog zal duren voor de bui losbarst.

Ik kijk achter me naar Sylvie. Haar oogleden zijn zwaar, misschien is ze een beetje aan het doezelen.

'Sylvie – vergeet het niet te zeggen als er iets is wat je herkent...'

Ze geeft geen antwoord.

Mocht ze echt in slaap vallen, dan zal ik het met Adam over gisteravond hebben. Ik zal zeggen: *Het was een heerlijke avond, bedankt daarvoor...* Ik zal het licht en luchtig houden, maar zorg er wel voor dat mijn gevoelens duidelijk zijn. Ik kijk naar hem als hij aan het stuur draait, en dan stel ik me voor dat zijn hand mij streelt, over mijn huid glijdt. Mijn lichaam begint te gloeien.

Uiteindelijk gaat de weg het binnenland in. We komen bij de splitsing waar je linksaf in zuidelijke richting naar Coldharbour kunt gaan; de plek met de eik die over de weg hangt.

'Grace.'

Het is een klein stemmetje waar een en al paniek uit spreekt. Ik weet wat dat betekent.

'O mijn god,' zeg ik. 'Stoppen, Adam, nú.'

Hij trapt op de rem.

Ik trek haar uit de auto en ze braakt in de berm, waarbij haar hele lichaam schokt. Ik houd haar bij haar schouders vast tot de misselijkheid voorbij is.

'Zo beter?'

Ze antwoordt niet.

'Je voelt je vast gauw beter,' zeg ik tegen haar.

Adam komt met een doos tissues naar me toe. Hij kijkt indringend naar Sylvie. Ik weet dat hij hetzelfde denkt als ik.

'Adam,' zeg ik zacht. 'Het is precies dezelfde plek. Dit is de vorige keer ook gebeurd toen we hier waren.'

Hij knikt.

'Dat moet een oorzaak hebben,' zeg ik.

'Dat zóu een oorzaak kúnnen hebben,' zegt hij tegen mij. Ik zie gedachten als de schaduwen van voorbijsnellende wolken over zijn gezicht trekken: twijfel en opwinding en dan weer twijfel. 'Grace, wil je hier even blijven wachten? Ik ga kijken of hier iets is.'

'Natuurlijk,' antwoord ik.

Er loopt een ongelijkmatig kiezelpad dat iets verderop een bocht maakt. Kordaat begint Adam het pad te volgen en na de bocht verdwijnt hij uit het zicht.

Ik kniel naast Sylvie in de berm neer en strijk het haar uit haar gezicht. Haar adem ruikt zurig.

'Ik vind het hier niet leuk, Grace,' zegt ze.

'We gaan zo weg,' zeg ik tegen haar.

Een zuchtje wind ruist door de bladeren van de braamstruiken en alles heeft dat galmende, dat holle wat vaak aan regen voorafgaat. Ze klautert achter in de auto en ik ga naast haar zitten.

'Waar is Adam?' vraagt ze.

'Hij is even een kijkje aan het nemen voorbij de bocht,' zeg ik tegen haar. 'Om te zien of daar iets is.'

Een moment blijft ze stil. Ze haalt Big Ted uit mijn tas en drukt hem tegen zich aan zodat haar gezicht niet meer te zien is. Inmiddels is het gaan motregenen: kleine druppeltjes tikken op de voorruit en vallen met een knisperend geluid op het kiezelpad.

'Dat is er niet,' zegt ze na een poosje. Haar stem klinkt gedempt.

'Wat bedoel je?'

'Iets,' zegt ze. 'Er is daar niets. Zeg dat hij terug moet komen,' zegt ze.

'Hij komt zo terug,' zeg ik tegen haar.

'Ik wil nu weg,' zegt ze. 'Ik wil terug naar Coldharbour.'

Ze knijpt in mijn pols, drukt zo hard dat het pijn doet. Ik leg mijn arm om haar heen. Haar huid voelt klam aan: door het overgeven is ze afgekoeld.

'Hé, wat ben je koud.'

Ik doe mijn trui uit en wikkel hem om haar heen.

'Nú,' zegt ze.

'Hij komt echt zo, ik zal je een verhaaltje voorlezen,' zeg ik.

Ik kijk in mijn tas wat voor boeken ik bij me heb en kies *Max en de Maximonsters*. Ik sla het open op mijn knieën en verwacht de magische uitwerking die dat boek altijd op haar heeft. Maar ze trekt mijn vingers een voor een van het boek, doet het dicht en schuift het terug in mijn tas.

'Ik wil nú gaan, Grace.'

Ze kijkt me met samengeknepen ogen aan, haar pupillen lijken kleine zwarte speldenprikken. Ik ken die blik. Zo kijkt ze voordat ze het op een schreeuwen zet.

Ik bel hem op – even moet ik denken aan wat Karen nu zou zeggen, haar afkeuring over het feit dat ik Sylvie haar zin geef. Maar ik bel hem toch. Ik hoor zijn beltoon, het geluid komt uit het jasje dat op de hoedenplank ligt. Hij heeft zijn telefoon in zijn zak laten zitten.

'Ik ga hem halen,' zeg ik tegen haar.

'Laat me hier niet alleen.'

'Je kan toch in de auto blijven zitten, liefje. Ik ben vlak in de buurt, ik ga alleen maar even kijken waar hij is. Je zult me steeds kunnen zien.'

'Nee,' zegt ze. 'Nee.'

Ze begint de deur aan haar kant open te doen.

'Maar het regent. Je wordt nat,' zeg ik tegen haar.

'Grace, je kan me hier niet achterlaten. Dat kán niet.'

Het heeft geen zin om er een punt van te maken. Ik stap uit en help Sylvie in haar regenjasje. De sleuteltjes zitten in het contact. Ik doe de auto op slot, ook al is er in geen velden of wegen iemand te bekennen.

Samen lopen we het pad op. Aan de rechterkant is een omheining van prikkeldraad met aan weerszijden hazelaars en brandnetels, een paar dwergdennen en een wilde kluwen onkruid met gele bloemetjes. We lopen langs een vervallen betonnen schuur vol graffiti. In de bosjes hebben mensen hun afval gedumpt: een verroest kinderwagentje en de verpakking van een afhaalmaaltijd, die van een afstand aan een exotische bloem doet denken.

'Ik vind het hier niet leuk,' zegt Sylvie. Ze grijpt mijn hand.

'Nee, hè,' antwoord ik. 'Het is een beetje een enge plek.'

Achter ons strekt zich het open land uit. Het is verlaten, nergens is een mens te zien, er is niets dan grasland, rotsen, en de weg die als een witte draad door het landschap kronkelt. De dichte struiken benauwen me, de gaspeldoorns bloeien geel als zwavel. Het is heel stil.

Dan dunt het struikgewas uit en kunnen we rechts van ons ineens veel verder kijken. Het is goed te zien dat dit ooit een groeve is geweest, maar wat hier werd uitgegraven is niet duidelijk. De steile stenen wanden zijn overal begroeid met stekelige planten, braam- en doornstruiken die gedijen in schrale grond. Hier en daar hangen aan de takken nog wat verschrompelde bramen van vorig jaar, die er verschroeid uitzien, alsof er brand is geweest. In de diepte is een grote, stille poel met donker, troebel water, waarschijnlijk vol modder en bezinksel. Het wateroppervlak glinstert vluchtig als er een zuchtje wind overheen strijkt. Er dobberen wat meeuwen rond.

Als de poel in zicht komt blijft Sylvie plotseling staan. Roerloos, mijn hand vastgrijpend. De regendruppels worden dikker en spetteren op het kiezelpad.

Ik trek aan haar arm.

'Kom nou, Sylvie, we moeten Adam vinden. Dan kunnen we terug naar het hotel.'

Ze rilt alsof ze het koud heeft, alsof ze koortsig is. Ik ga op mijn hurken zitten en druk haar tegen me aan. Ze hapt naar adem, alsof ze geen lucht kan krijgen. Dan kokhalst ze opnieuw en spuugt een beetje gal uit.

'Laten we nog iets verder lopen, schat. Kijken of we Adam kunnen vinden.'

Maar ze reageert niet. Het lijkt alsof ze me niet kan horen.

Dan hoor ik tot mijn grote opluchting Adams stem. Hij moet langs de groeve naar beneden zijn geklommen, want hij bevindt zich in de diepte, aan de rand van het water. Daar beneden is een strook modderig zand vol afval dat door mensen naar beneden is gegooid of gesleurd: oude autobanden, een ijskast, een paar olievaten.

Hij zwaait naar ons. Met een stok prikt hij tussen het afval en licht er een stuk golfplaat mee op. Als hij het weer laat vallen scheurt het kletterende geluid de stilte aan flarden. Het is schokkend hard, te hard voor deze stille plek.

'Adam, we moeten gaan,' roep ik.

'Oké, ik kom eraan,' roept hij terug.

Hij begint naar boven te klimmen langs het smalle pad dat, half verscholen door braamstruiken, langs de groeve naar boven slingert. Bij elke stap die hij zet stuift een dikke, bleke wolk van zand en aarde op. Ik wou dat hij een beetje haast maakte.

Ik leg mijn arm om Sylvie heen.

'Hij komt eraan, schat. We kunnen teruggaan naar de auto.'

Ze verroert zich echter niet. Ze staat daar maar en klampt zich huiverend aan mij vast.

Adam heeft het einde van het pad bereikt. Een laagje zweet bedekt zijn voorhoofd en zijn haar glanst van het vocht. Bij ons aangekomen blijft hij abrupt staan, zijn blik op Sylvie gericht.

'Grace. Wat is er aan de hand?' zegt hij hijgend.

'Niets. Er is niets aan de hand. Sylvie is alleen erg van streek.'

Hij staart haar aan met zijn felle, priemende blik.

'O, alsjeblieft, laten we gaan,' zeg ik. 'Sylvie moet hier weg.'

Haar half meetrekkend en half dragend breng ik haar terug naar de auto. Het is moeilijk om haar te tillen: haar lijf is verkrampt en mijn handen glijden steeds weg over haar natte plastic regenjasje. Ik zet haar in haar zitje, trek haar natte jasje uit en wikkel mijn trui om haar heen. Ze is nog steeds hevig aan het trillen.

Als ik op het punt sta het portier dicht te doen, houdt Adam me tegen. Hij gaat naast de auto op zijn hurken zitten.

'Sylvie, wat is er gebeurd?' vraagt hij aan haar. 'Is er hier iets met je gebeurd?'

Ze staart met lege ogen voor zich uit.

'Nee nee nee nee.' Het klinkt zo zacht en hees dat we het nauwelijks kunnen verstaan.

Adam geeft het nog niet op.

'Sylvie, wat zie je? Kun je me vertellen wat je nu ziet? Er is hier iets gebeurd, hè?'

Haar ogen zijn groot en alle kleur is uit haar gezicht weggetrokken.

'Heeft iemand je hier iets aangedaan, Sylvie?' vraagt hij.

Het lijkt alsof ze hem niet hoort.

'Nee nee nee nee,' herhaalt ze met een verstikt stemmetje.

Ik zie de angst in haar gezicht. Een koude rilling trekt door me heen.

'Is dit het water waar je ons over verteld hebt – het water waarin je gestorven bent?' vraagt hij.

Het schokt me hem dat zo te horen zeggen.

'Nee, nee.' Haar stem wordt zwakker, alsof ze geen adem meer kan halen.

Adam kijkt me even aan, misschien wil hij dat ik haar ook vragen stel.

Er is echter maar een ding dat ik wil en dat is Sylvie hier weghalen – weg van wat er zich nu voor haar geestesoog afspeelt, weg van wat het is dat haar achtervolgt.

'Adam, we moeten gaan, we moeten hier weg.'

'Wie was dat?' vraagt Adam aan Sylvie. 'Wie was dat, wie zei nee nee nee nee?'

Dan begint ze te krijsen. Dun en hoog, als een dier in het nauw, een geluid dat je niet met een kind associeert.

'Adam, alsjeblíéft.'

'Oké, we gaan,' zegt hij tegen mij.

Maar ik weet dat hij dat eigenlijk niet wil. Hij heeft die gretige, fanatieke blik in zijn ogen.

Hij stapt in de auto en we rijden weg. Sylvie blijft krijsen. Ik ben zo kwaad dat hij haar dit aandoet dat ik niets durf te zeggen omdat ik dan misschien tegen hem zal gaan schreeuwen. Hevige regenvlagen slaan tegen de ruiten en belemmeren het zicht. Het enige wat er is, is de stortbui en het gekrijs van Sylvie.

Maar als we Coldharbour binnenrijden houdt ze ineens op. Ik draai me om en zie dat ze in slaap is gevallen. Misschien heeft het ritme van de ruitenwissers haar gekalmeerd.

Nu ze weer rustig is, ben ik iets minder kwaad. Ik heb het gevoel dat ik de hele tijd mijn adem heb ingehouden en dwing mezelf diep in te ademen.

'We moeten met Brian praten,' zegt Adam. 'Uitzoeken wat er met die plek aan de hand is. Of daar iets gebeurd is.'

Ik kijk naar hem zoals hij naast me zit. Waar zijn handen het stuur vasthebben zijn zijn knokkels wit. Even komt er een andere, mildere emotie in me op: een soort empathie of mededogen. Ik voel hoe hij lijdt, hoe gedreven hij is. Maar ik vind nog steeds dat hij dat niet had moeten doen.

'Ik wou dat je haar niet zo onder druk had gezet,' zeg ik tegen hem.

'Grace, dit is waar we voor gekomen zijn. We moeten dit uitzoeken.'

'Ze was zo van streek,' zeg ik tegen hem. 'Ik ben altijd bang dat ze zal breken als je dat doet...'

'Je kunt haar niet beschermen, Grace. Wat gebeurd is, is gebeurd – het is niet meer ongedaan te maken, je kunt haar daar niet tegen beschermen. We moeten haar helpen het onder ogen te zien...'

Ik werp een blik naar achteren. Sylvie ziet nog steeds heel bleek, maar de spanning is uit haar gezicht verdwenen. Ze zit in elkaar gezakt in haar zitje, waardoor de veiligheidsriem tegen haar keel drukt. Ik draai me verder om en trek de riem opzij. Er zit een rode afdruk op haar hals, alsof ze daar een litteken of een wondje heeft. Ze beweegt en mompelt iets, maar ik kan niet verstaan wat ze zegt.

41

Sylvie zit op haar bed met haar lego te spelen. Ze is stilletjes en ziet nog steeds wit. Ik ga op het balkon staan en kijk uit over de zee. Ik kan het beeld van de angst op haar gezicht daar bij die groeve moeilijk loslaten. Karen had gelijk, denk ik, we hadden hier nooit naartoe moeten komen. Het gaat precies zoals zij voorspelde: Sylvie lijkt alleen maar wanhopiger te worden, ze zakt er steeds dieper in weg. We kwellen haar alleen maar, en wat heeft het voor zin? Er komt toch geen zekerheid, geen duidelijkheid. Het blijft bij vermoedens en gissingen, waarschijnlijk zullen we het raadsel nooit echt oplossen.

Het gaat minder hard regenen en hier en daar gloort wat licht door het wolkendek. Ik draai me om en kijk door het raam naar mijn kleine, bleke kind met haar rustige, keurige bewegingen en het zijdezachte haar dat een schaduw over haar gezicht werpt, en plotseling is het allemaal zo duidelijk, zo zonneklaar, zo eenvoudig.

Ik ga naar binnen en kniel naast haar neer.

'Sylvie, schat, ik heb eens nagedacht. Ik denk dat we hier niet hadden moeten komen, dat dat stom is geweest. Het is tijd om naar huis te gaan.'

Met een verbaasde frons kijkt ze me aan, alsof ze er niets van begrijpt.

'Wát, Grace?'

'Schat, het heeft toch helemaal geen zin? Je hebt er niets aan, je gaat je alleen maar ellendiger voelen. We gaan terug naar huis.'

Haar mond is een strakgespannen lijn.

'Ik zal het er met Adam over hebben,' zeg ik tegen haar. 'Misschien kunnen we voor morgen een vlucht naar Londen boeken...' Ik lach haar opgewekt en bemoedigend toe. 'Sylvie, laten we lekker naar huis gaan.'

Ze kijkt me met koele, heldere ogen aan.

'Ik ga niet terug naar Londen,' zegt ze. 'Je kunt me niet dwingen.'

'Maar schat, als je hier nou zo ongelukkig bent...'

'Ik vind het niet leuk in Londen,' zegt ze tegen me. 'Ik wil niet terug naar Londen.' Ze staart me aan, klein en broos en volstrekt onvermurwbaar. 'Ik hoor daar niet thuis.'

Ik vind het zo erg als ze dat zegt.

42

We gaan terug naar Ballykilleen om met Brian te praten.

We laten Sylvie met een paar prentenboeken en een zakje chips in de auto achter. Ik ga zo staan dat ik haar kan zien. Ik zwaai naar haar, maar kan alleen het bovenste stukje van haar hoofd zien.

Brian lijkt niet verrast te zijn om ons weer te zien.

'Zijn jullie daar weer? Nou, dat is snel,' zegt hij.

'Brian.' Ik slik moeizaam. 'Toen we hier de vorige keer waren zijn we niet helemaal eerlijk tegen je geweest, zoals je al vermoedde.'

Hij knikt en wacht tot ik verderga.

'Dat we naar je toe kwamen – dat we überhaupt hiernaartoe zijn gekomen – was vanwege mijn dochter,' zeg ik tegen hem. 'Vanwege Sylvie. Er is iets met haar aan de hand, maar we weten niet wat. Ze raakt soms heel erg van streek.' Ik schraap mijn keel, het valt me moeilijk om de woorden te vormen. 'En we denken... nou ja, dat ze zich misschien een vorig leven herinnert.'

Een wenkbrauw gaat sceptisch omhoog.

'Nou, die heb ik nog niet gehoord, Grace.'

Mijn gezicht begint te gloeien.

'Daarom vroegen we je naar Flag Cottage – ze raakte zo opgewonden toen ze dat huis zag en blijft maar zeggen dat ze daar ooit gewoond heeft... Adam doet onderzoek, hij werkt bij de universiteit.' Door dit te zeggen hoop ik dat we iets degelijker op hem overkomen.

Tot mijn opluchting begint hij niet te lachen en wimpelt hij mijn woorden ook niet meteen weg, maar laat hij het eerst even bezinken.

'Om heel eerlijk te zijn ben ik niet iemand die in dit soort dingen gelooft. Je gaat dood en dat is het einde – zo zie ik het,' zegt hij. 'Maar het is nu eenmaal zo dat je als politieman voor andere denkbeelden open moet staan.' Hij leunt een beetje onze kant op. Zijn ellebogen rusten op zijn bureau en hij graaft met zijn slanke handen in zijn dikke bleke haardos. 'Je hebt corpsen waar ze een paragnost inschakelen als ze niet verder komen met een zaak. Dat gebeurt veel vaker dan de mensen misschien denken. Nou, dat zul jij wel weten, Adam, door je onderzoek...'

Adam knikt.

'Dus laten we hier eens verder over doordenken,' zegt Brian. 'Laten we ervan uitgaan dat jouw kleine meid werkelijk zoiets voelt. Wat kun je me dan verder nog vertellen?'

'Er is een plek waar we langsreden,' zeg ik tegen hem. 'Als je van hier naar Coldharbour rijdt, waar de kustweg landinwaarts verdergaat. Er staat een grote eik en er is een pad dat van de weg af leidt naar iets wat op een oude steengroeve lijkt...'

'Dat is Gaviston Pits,' zegt Brian. 'Die is eeuwenlang in gebruik geweest. Ik vind het altijd een naargeestige plek.'

'Steeds als we daar langsrijden wordt Sylvie onwel. Dat is nu al twee keer gebeurd, op precies dezelfde plek.'

'Het arme kind,' zegt Brian meelevend.

'En nu vroegen we ons af of er zich daar soms iets heeft afgespeeld – een misdrijf of zo.'

Hij schudt zijn hoofd.

'Het enige echte misdrijf dat zich hier ooit heeft afgespeeld is de verdwijning van Alice. Áls dat tenminste een misdrijf was. Haar auto werd bovendien vijftien kilometer verderop gevonden, langs de weg die vanuit Coldharbour naar het zuiden gaat. Dus er is niets wat Alice met Gaviston Pits in verband brengt...'

Ik zeg niets, maar voel een lichte teleurstelling.

'Het lijkt mij dat we te maken hebben met een raadsel,' zegt hij tegen ons. 'Er is natuurlijk van alles wat kinderen angst aanjaagt. Toen Amy nog klein was, was ze zo bang voor veren. O, en die blowers met hete lucht die je in openbare toiletten hebt om je handen mee te drogen. Doodsbenauwd was ze voor die dingen...'

'Maar er staat water in die groeve, in Gaviston Pits,' zeg ik. 'En ze vertelde ons...' Mijn stem klinkt dun en hol. 'Ze vertelde dat ze in water is doodgegaan.' Er glijdt iets ondoorgrondelijks over Brians gezicht als ik dit zeg. 'Ze kon ons niet vertellen waar het gebeurd was, maar we zagen dat water in Gaviston Pits. Daar zou je wel in kunnen verdrinken, of een lijk in kunnen verbergen.'

'Je denkt dus – als het zelfmoord was – dat Alice zich daar misschien samen met Jessica verdronken heeft?'

'Dat vroegen we ons af.'

Hij schudt zijn hoofd.

'Het zou haar nooit gelukt zijn om bij dat water te komen. De wanden zijn te steil, ze zou niet geweten hebben hoe ze daar beneden moest komen.'

'Er is een pad naar beneden langs de wand,' zegt Adam. 'Zo moeilijk is het niet.'

Brian is verrast.

'Zijn jullie daar dan geweest?'

'Ja,' zegt Adam.

Brian zwijgt.

Ik kijk naar Sylvie. De ruiten zijn beslagen en ze tekent er gezichten op. Ze is onrustig, nog even en dan komt ze ons halen. Ik probeer me voor de geest te halen waar we het nog over moeten hebben met Brian.

'We hebben er met Brigid over gepraat, je weet wel, van het hotel,' zeg ik.

'Ja, ik ken Brigid wel,' zegt hij.

'Zij suggereerde dat Gordon verdacht werd. Omdat hij Alice sloeg.'

Brian knijpt zijn lippen samen.

'De mensen denken maar wat ze willen, maar Gordon had een alibi. Hij was onderweg in Limerick toen Alice verdween. We hebben het gecheckt in het gastenboek van het hotel.'

'En Marcus Paul?' vraag ik. 'Ik bedoel, Alice werkte voor Marcus en Brigid zei dat ze nogal dik met elkaar waren...'

Nog voor ik mijn zin heb afgemaakt schudt Brian met zijn hoofd.

'Zijn alibi was ook waterdicht,' zegt hij. 'Marcus was de dag dat het gebeurde in Galway. Met Brigid, bij de paardenraces. Waarschijnlijk in zo'n tent voor vips, met veel champagne en zo. Geluksvogels. Jullie hebben Marcus zeker ontmoet?'

'Nou ja, min of meer. Eigenlijk niet echt,' antwoord ik, en dan realiseer ik me hoe dom dit klinkt. Ik zie Adam verbaasd naar me kijken.

'Marcus... tja, dat is zo'n man die – hoe moet ik dat zeggen? Marcus weet wat er te koop is in de wereld.' Uit Brians stem spreekt respect. 'Het lijkt allemaal zo makkelijk voor Marcus, hij leeft zijn leven alsof het hem op het lijf geschreven is...' Ik zie de man voor me die ik uit de bar van het hotel zag komen: zijn aristocratische manier van doen, zijn blik alsof alles van hem was. Brians beschrijving is treffend. 'Jullie zullen zijn huis wel hebben gezien, Kinvara House. Het mooiste huis in de hele omgeving.'

Sylvie gebaart door het raampje van de auto. Ze vindt dat we te lang wegblijven.

'Deze groeve – Gaviston Pits,' zegt Adam. 'Hebben jullie daar gezocht toen Alice en Jessica verdwenen waren?'

'Nou, niet direct,' zegt Brian. 'Daar was eigenlijk geen aanleiding voor.'

'Kunnen jullie dat niet alsnog doen?' vraag ik aan hem. 'Zouden jullie dat niet kunnen overwegen?'

Hij glimlacht me vriendelijk toe.

'Het spijt me, Grace. De zaak is gesloten. Het heeft al honderdduizenden gekost, zonder enig resultaat – niets, helemaal niets heeft het opgeleverd.'

'Maar – als ze daar in dat water liggen...'

Hij schudt zijn hoofd.

'Zo simpel is het niet,' zegt hij.

Adam kijkt nogal nadrukkelijk naar Brians bureau, naar de foto's van zijn kinderen.

'Jessica Murphy was van dezelfde leeftijd als jouw dochter Amy, zei je.'

Hij probeert nonchalant te klinken maar aan zijn gezicht zie ik hoe belangrijk het voor hem is. Tussen zijn wenkbrauwen lopen kleine, scherpe lijntjes die er met een mesje in lijken te zijn gekerfd.

Brian knikt.

'Er zijn van die zaken waar je helemaal van ondersteboven bent,' zegt hij. 'Met deze zaak had ik dat. Ik weet nog hoe het gebeurde – het was toen ik van de familie een lijstje kreeg van de kleren die Jessica aanhad. Ik kan me dat lijstje nu nog herinneren: gympen met luchtkussentjes in de zolen en van die sieraden die die kinderen dragen – amuletjes en armbanden en zo, en een sweater met Westlife erop. Precies de dingen die Amy altijd droeg...'

'Dat drukt je wel met je neus op de feiten,' zegt Adam.

Brian knikt.

'Ja, dat kun je wel zeggen... Hoor eens, misschien ga ik zelf wel even een kijkje nemen bij Gaviston Pits. Na wat jullie me verteld hebben...'

43

Sylvie wil niet ontbijten, ze zegt dat ze in onze kamer wil blijven spelen.

Ik aarzel, want ik wil altijd graag een oogje op haar houden. Maar dan zeg ik tegen mezelf dat ik haar ook niet te veel moet beschermen. Er kan niets gebeuren. Het is zo'n klein hotel, en we zijn vlak in de buurt.

'Goed schat. Als je me nodig hebt kom je maar naar beneden, naar de eetkamer,' zeg ik tegen haar.

'Ja, Grace.'

Adam zit al aan ons tafeltje als ik beneden kom.

'Geen Sylvie?'

'Ze had geen honger,' zeg ik.

Hij lacht nogal triomfantelijk.

'Ik heb Gordon te pakken gekregen,' zegt hij. 'Brigid gaf me zijn nummer.'

Ik ben verbaasd.

'Maar – hoe heb je dat ingekleed? Wat heb je tegen hem gezegd?'

'Eigenlijk ben ik heel eerlijk geweest. Ik zei dat we langs Flag Cottage waren gereden en dat Sylvie een soort paranormale band met het huis bleek te hebben en ons gesmeekt had het van binnen te mogen bekijken. Hij is daar vanmorgen aan het werk en vindt het geen probleem om ons het huis te laten zien.'

Haastig werk ik mijn ontbijt naar binnen. Ik kan niet wachten om haar dit te vertellen.

Bij de deur van onze kamer komt er een lichte paniek in me op, want ik hoor geen enkel geluid. Maar als ik naar binnen ga is ze daar natuurlijk, druk bezig met haar beesten.

'Sylvie, we gaan doen wat jij zo graag wilt. We gaan terug naar

Flag Cottage, en dan mogen we binnen kijken. Adam heeft het geregeld.'

Haar gezicht straalt.

Hoewel ze al is aangekleed, staat ze erop iets anders aan te trekken. Ze wil haar lievelingskleren aan: haar suède rijglaarsjes en haar gebloemde tuinbroek.

'Zie ik er leuk uit, Grace?' vraagt ze als ze klaar is. 'Zullen ze me nog wel leuk vinden?'

'Je ziet er mooi uit,' zeg ik tegen haar, en ik omarm haar even.

Ze is zo gelukkig dat het me bang maakt.

Er wordt opengedaan door een rijzige, breedgeschouderde man met zwart haar dat over zijn gezicht valt en waar duidelijk roos in zit. Zijn kleren zijn besmeurd met verf waar een waas van houtstof overheen ligt. Hij ziet eruit alsof hij hard aan het werk is: zijn voorhoofd glimt en er hangt een zweetlucht om hem heen.

'Ik ben Gordon Murphy,' zegt hij tegen ons.

Hij veegt zijn handen af aan zijn broek en schudt ons de hand.

Ik werp een blik op Sylvie. Ze lacht blij en verwachtingsvol.

Mij maakt zijn aanwezigheid een beetje nerveus. Ik moet denken aan wat Brigid vertelde, dat er mensen zijn die denken dat hij Alice vermoord heeft. Maar hij is heel anders dan ik verwacht had. Hij heeft de ietwat bangelijke, gebogen houding die lange mensen soms hebben, alsof hij er nooit helemaal aan gewend is geraakt zoveel ruimte in te nemen.

We stellen ons aan hem voor.

'En dit is Sylvie,' zeg ik tegen hem.

'Alsjeblíéft, Grace.' Ze lacht me welwillend toe, alsof het haar amuseert dat ik zoveel fouten maak. 'Alsjeblíéft. Natuurlijk weet hij wie ik ben.'

Ze loopt langs hem heen de hal in. Ik sta versteld omdat het niets voor haar is om zo voortvarend te zijn. Gordon doet een stap opzij en we lopen achter haar aan naar binnen.

De hal is ongemeubileerd. In de hoek staan verfpotten opgestapeld en er hangt een harsachtige geur van afgeschuurd hout en de lucht van nieuwe verf waar je zo gauw hoofdpijn van krijgt. Het huis is kil, alsof er in geen jaren is gestookt, en heeft die trieste, vergankelijke sfeer die onbewoonde huizen vaak hebben.

'Het spijt me dat het hier zo'n troep is,' zegt hij. 'Ik ben aan het schuren.'

De keuken en de huiskamer komen uit op de hal. De deuren staan open. Sylvie schiet de keuken in. Die is niet anders dan we al vanuit de tuin zagen, met tot op het pleisterwerk gestripte muren waar brokken isolatiemateriaal uit hangen. Sylvie draait zich vliegensvlug om en haar wakkere blik flitst door de ruimte. Ze straalt iets heel intens uit.

Naast de aanrecht is een kastdeur die net zo hoog is als een kamerdeur. Sylvie trekt hem open. Het blijkt een ouderwetse inloopkast te zijn waarvan de wanden van onder tot boven met planken bedekt zijn.

Ik voel me een beetje opgelaten.

'Sylvie, dat moet je niet doen. Je kunt niet zomaar alle deuren opentrekken in een huis dat niet van jou is.'

Maar het lijkt alsof ze me niet hoort.

'Laat het maar,' zegt Gordon. 'Ik vind het niet erg. Als ze alles even goed wil bekijken gaat ze haar gang maar.'

Op een pakje Marlboro en een groot blik instantkoffie na is de kast leeg. Kennelijk is Sylvie op zoek naar iets, maar kan ze het niet vinden. Haar houding lijkt een beetje in te zakken. Ze doet de kastdeur dicht en gaat terug naar de hal. Gordon loopt achter haar aan.

Dan beent ze de huiskamer in, de kamer die we vorige keer al door het raam bekeken hebben. De verweerde spiegel, die er toen ook hing, weerkaatst het wit van de lucht en het jonge groen uit de tuin. Maar de rommel is weg, Gordon heeft de vloer aangeveegd en is begonnen met schuren. Een mist van houtstof hangt in de lucht: het slaat op je keel.

'Wat een mooie kamer,' zeg ik tegen Gordon.

'Ik ben van plan de haard weer open te maken,' zegt hij tegen mij. 'Maar de oude boiler zit er nog steeds achter, dus het is nog-al een klus...'

'Je gaat het verkopen, hoorden we van de buurman,' zegt Adam.

Gordon knikt.

'Het is alweer een tijd geleden dat ik hier woonde. Er is nogal wat gebeurd, toen.' Het lijkt alsof er zich een subtiele verande-ring in de luchtgesteldheid voordoet als hij dit zegt. 'Nou, daar zullen jullie misschien wel iets over gehoord hebben...'

'Ja, de grote lijnen,' zegt Adam. 'Heel naar voor je.'

'Ik zou hier nooit meer kunnen wonen,' zegt Gordon.

Hij staat in een lichtbaan die door het grote raam naar binnen valt. In het harde zonlicht is te zien hoe doorgroefd zijn gezicht is.

'Nee, natuurlijk niet,' zegt Adam. 'Dat kan natuurlijk niet meer.'

Er zijn vragen die we hem willen stellen – over de verdwijning, over zijn gezin. Maar ik kan het niet over mijn hart verkrijgen nu ik hem ontmoet heb en het verdriet in zijn gezicht heb ge-zien. Ik kan niet tegen hem zeggen: Sylvie herinnert zich mis-schien een vorig leven, hier met jou. Ze was je dochter of mis-schien je vrouw... Het klinkt te bizar, het gaat te ver om zoiets te-gen hem te zeggen. Adam is ook stil. Misschien voelt hij het ook zo.

Sylvie kijkt even om zich heen maar datgene waar ze zo drin-gend naar op zoek is, lijkt ze ook hier niet te vinden. Ze opent een deur naast de schouw, waar zich een steile trap achter blijkt te bevinden, en klimt naar boven.

'Pas op, Sylvie,' roep ik, in de hoop haar niet uit het oog te ver-liezen.

'Er kan niets gebeuren,' zegt Gordon tegen mij. 'Er zitten geen gaten in de vloer of zo.'

Onze voetstappen klinken te hard op de kale treden.

We volgen Sylvie naar de slaapkamer die aan de voorkant van het huis is gesitueerd. Het is een grote kamer die de hele breedte van het huis beslaat en voorzien is van een sterk hellend plafond.

Het moet de kinderkamer zijn geweest, want er staat een gammele kaptafel die beplakt is met figuren uit stripverhalen en op de muren zit Tom & Jerry-behang waar iemand lukraak flarden van af heeft gescheurd.

Sylvie loopt langs de randen van de kamer en laat met snelle, flitsende bewegingen haar vingers over alles heen glijden: het glazen blad van de kaptafel, de schoorsteenmantel, de muren.

Gordon staat glimlachend naar haar te kijken.

'Deze kamer vind je zeker het mooist? Nou, dat verbaast me niet.'

'Het is mijn kamer, hè?' zegt ze tegen Gordon.

'Dit is de kamer die jij zou kiezen, hè?' vraagt hij. 'Als je in Flag Cottage zou wonen.'

Ze fronst een beetje, en kijkt dan naar mij.

'Grace wat is dit mooi, hè? Het is de béste kamer.'

'Deze kamer was altijd heel geliefd,' zegt Gordon. 'Met dat schitterende uitzicht over zee.'

Hij gebaart naar het raam.

'Ik vroeg me af, van wie was deze kamer eigenlijk?' Adams stem klinkt aarzelend, voorzichtig. 'Toen jullie hier woonden?'

'Het was de kamer van mijn dochter,' antwoordt Gordon. Een schaduw trekt over zijn gezicht.

Naast de schoorsteen is een lage, ingebouwde kast. Sylvie doet de deur open, gaat op haar knieën zitten en verdwijnt gedeeltelijk naar binnen. Maar er is weinig te vinden in de kast, alleen een lege kartonnen doos en een paar verkreukelde kranten. Ze kruipt weer naar buiten. Haar handen zitten vol met stof en ze heeft een donkere, verloren uitdrukking op haar gezicht.

Ik ga naar het raam en kijk naar buiten. Toen we hier eerder waren, tijdens een bontgekleurde zonsondergang, leek het zo'n fantastisch huis. Vandaag komt het uitzicht echter triest op me over, het landschap heeft iets desolaats met al die velden vol doornstruiken en stenen, en daarachter het eindeloze rimpelende grijs van de zee. De droevige sfeer van het huis bedrukt ons en laat een incompleet gevoel achter, alsof er iets is weggevaagd of kapotgegaan.

Aan de achterkant bevindt zich nog een slaapkamer, ook in de breedte van het huis. Deze kijkt uit over de tuin met zijn rommelige grasveld en de bloeiende appelboom. Er is een badkamer naast met een bad waar een douchegordijn omheen hangt. Sylvie schuift het gordijn opzij en kijkt erachter. Maar nu hebben haar bewegingen iets triests en mistroostigs. Bij elke kamer die we binnengaan wordt ze steeds gedempter, steeds minder zeker en van het stralende gezicht dat ze had toen we binnenkwamen, is weinig meer over.

'Dat was het. Nu hebben jullie het hele huis gezien,' zegt Gordon.

'Nou, reuze bedankt,' zeg ik.

Als Sylvie boven aan de trap staat, wacht ze even op Gordon en geeft hem dan een hand. Het gebaar lijkt hem te vertederen maar ook in verwarring te brengen. Angstig kijkt hij naar mij om, onzeker wat ik hiervan zal vinden.

'Je dochtertje heeft gelijk,' zegt hij tegen mij. 'Je moet uitkijken op deze trap. Straks vallen we naar beneden en dat willen we niet, hè?' Hij probeert er een andere draai aan te geven.

Samen lopen ze de trap af. Adam houdt alles scherp in de gaten.

Als er nog drie treden te gaan zijn, blijft ze staan en laat ze Gordons hand los.

'Je moet me laten springen,' zegt ze.

Ik loop naar beneden om haar van de trap te laten springen.

'Nee, Grace,' zegt ze tegen mij. 'Híj moet het doen.'

Maar ik doe het toch.

Gordon draait zich om en kijkt ons aan.

'Nou, dat was de rondleiding,' zegt hij tegen ons. 'Als er verder nog iets is waarmee ik jullie kan helpen?'

'Nee, we hebben wel een goed beeld gekregen,' zegt Adam. 'Je hebt ons reuze geholpen.'

'Hartelijk dank,' zeg ik. 'Heel vriendelijk van je. Het spijt ons dat we je hebben lastiggevallen...'

Ik sta op het punt om naar de deur te lopen.

Sylvie gaat naar Gordon toe, drukt zich tegen hem aan en

houdt haar gezicht naar hem op alsof ze een kus verwacht. Ik bloos helemaal van verlegenheid.

Gordons gezicht wordt ook rood. Hij weet niet wat hij hiermee moet. Hij doet een stap naar achteren en aait haar, ongemakkelijk lachend, over haar hoofd.

'Sylvie, we moeten gaan,' zeg ik. 'Gordon moet weer aan het werk.'

Ze verroert zich niet en kijkt me met een verbaasde frons aan. Een lichte paniek komt in me op. Als ze niet mee wil zal ik haar hier weg moeten sleuren en zal ze gaan krijsen.

'Je moet Gordon nu gedag zeggen, Sylvie,' zeg ik tegen haar.

Ik pak haar hand en tot mijn grote opluchting gaat ze met me mee. Haar handje ligt koud en slap in de mijne, alsof een soort levenskracht uit haar is weggevloeid.

We bedanken hem nogmaals en lopen naar buiten, het tuinpad op. Gordon doet de deur achter ons dicht. Er kleeft stof van het huis aan ons, mijn vingers voelen droog aan en onze kleren zijn bedekt met een gelig, stuifmeelachtig poeder.

Sylvie kijkt bedenkelijk.

'Hij heeft me geen kus gegeven,' zegt ze als we de deuren van de auto opendoen. 'Is hij soms boos op me, Grace?'

'Nee, schat, natuurlijk is hij niet boos op je. Hij kent je nauwelijks. Iemand die je nauwelijks kent, geef je niet meteen een kus...'

'Maar hij kent me wél, Grace. Hij kent me wél.'

We stappen in de auto en rijden weg. Sylvie draait zich weer om in haar zitje en kijkt net zolang door de achterruit naar buiten tot we de hoek om gaan en het huis niet meer te zien is.

Ik draai me naar haar om.

'Waar zocht je naar, schat?' vraag ik. 'Waarom deed je de kasten open?'

'Lennie was er niet,' antwoordt ze.

Elke keer als ze Lennie ter sprake brengt komt de pijnlijke herinnering aan Karen en wat er gebeurd is weer bij mij naar boven.

'Lennie is in Londen,' zeg ik tegen haar, zoals ik altijd doe.

Ze reageert niet, het is alsof ik niets heb gezegd. Ze praat langs me heen.

'Ik kon Lennie niet vinden. Waar heeft ze zich verstopt?'

Plotseling brengt Adam de auto in de berm tot stilstand. Hij draait zich om en kijkt Sylvie aan.

'Sylvie, wie is Lennie?' vraagt hij. 'Wie ís ze?'

'Ze is net als ik, Adam. Ze lijkt op mij. Als twee druppels water. Dat héb ik je al verteld?'

Karen had gelijk toen ze zei dat Sylvie een compleet en harmonieus gezin heeft verzonnen en een volmaakte denkbeeldige vriendin, iemand die een beetje op Lennie lijkt maar die altijd doet wat Sylvie zegt, alsof ze deel van haar uitmaakt.

Maar dat is niet wat Adam denkt.

'Heb je met Lennie verstoppertje gespeeld?' vraagt hij.

'Ja, natuurlijk, Adam,' zegt Sylvie. 'Lennie en ik.'

Haar toon is zakelijk, maar ze ziet er bleek en breekbaar uit. Haar mond trilt.

'Zou je ons kunnen vertellen wie Lennie is?' vraagt Adam.

Sylvie begint zachtjes en triestig te huilen. De tranen stromen over haar gezicht maar ze veegt ze niet weg.

'Hou nou op, Adam,' zeg ik tegen hem. 'Gewoon ophouden, oké?'

Hij haalt zijn schouders op. Ik weet dat hij het niet met me eens is, maar hij start de motor.

Ik pak een zakdoekje en veeg er Sylvies gezicht mee af.

'Niet huilen, schatje.'

Ze duwt het zakdoekje weg.

'Ik kan Lennie altijd vinden,' zegt ze door haar tranen heen. Haar stem klinkt fel en verontwaardigd. 'Ze is er heel goed in om zich te verstoppen, maar uiteindelijk vind ik haar altijd. Waar is Lennie toch?' zegt ze.

'Ik weet het niet, schat. Ik weet ook niet wie Lennie is.'

Haar tranen blijven stromen. Ze is ontroostbaar.

'Je moet haar voor me vinden, Grace,' zegt ze.

44

De volgende dag lijkt Sylvie zich beter te voelen. Ze gaat met me mee naar beneden en doet zich te goed aan geroosterd brood.

'Mag ik naar de boten gaan kijken?' vraagt ze als ze klaar is met eten. 'Dat vind ik leuk.'

Ik zeg dat het goed is. Samen met Adam lopen we naar de boulevard.

Het is een blauwe, glinsterende dag – het tij is laag, het strand strekt zich smetteloos wit en sikkelvormig voor ons uit, zo puur en schoon alsof het er nog maar net is. Verderop, dichter bij de zee, ligt een soort waas over het zand, daar waar het water overheen is gespoeld. Er is geen menselijke voetafdruk te zien, alleen de exacte afdruk van vogelpootjes met zwemvliezen. Wat zou ik daar graag willen lopen.

'Laten we het strand op gaan, Sylvie. Het ziet er zo heerlijk uit,' zeg ik. 'We hoeven niet dicht bij de zee te komen.'

'Nee.' Haar gesloten gezicht. 'Dat wil ik niet.'

Er is iemand op de boulevard gekomen die we nog niet eerder hebben gezien: voor een winkel waar ambachtelijke Ierse producten en bodhrans worden verkocht waar je je naam op kunt laten zetten, heeft een meisje haar kraam neergezet. Misschien hoopt ze op toeristen of dagjesmensen uit Galway, hoewel dat, zo vroeg in het jaar, van enig optimisme getuigt. Ze is nog jong, ze lijkt niet ouder dan negentien, en ik vraag me af of ze op de kunstacademie zit: ze heeft tatoeages en draagt oorbellen die van veren zijn gemaakt. Ze verkoopt Keltische kruisen aan leren riempjes en geweven ceintuurs en armbanden. Er hangt ook een bord met foto's waaruit blijkt dat ze linten verkoopt die je door je haar kunt laten vlechten. Als we langs haar kraam lopen en haar gedag zeggen, blijft Sylvie staan voor het bord met foto's.

'Ik wil linten in mijn haar,' zegt ze tegen mij.

'Goed, als je dat leuk vindt.'

We betalen vijf euro. Het meisje lacht naar Sylvie.

'Zullen we eens een paar kleuren voor jou uitzoeken?' zegt ze.

De linten liggen uitgestald op een blad. Met de monsterende blik van een kunstenaar bekijkt ze Sylvie.

'Je bent een echte noordelijke blondine. Heb jij even geboft met die kleur!' Ze kijkt naar mij en zegt: 'Vindt u ook niet?'

'Ja, inderdaad,' antwoord ik.

'Niet al te felle kleuren, denk ik. Ze moet er niet bij verbleken...'

Ze pakt een paar kleuren die aan ijssoorten doen denken: aardbei, citroen, pistache.

'Vind je ze mooi, schat?' zegt ze tegen Sylvie.

Sylvie knikt.

Ze zit op een krukje en het meisje, dat achter haar heeft plaatsgenomen, begint haar haar te vlechten. Ze heeft snelle, vaardige handen met afgekloven nagels. Terwijl ze bezig is glijden haar mouwen naar beneden en komen de tatoeages op haar polsen en onderarmen tevoorschijn: ingewikkelde patronen van slangen en arabesken. Door het aan- en ontspannen van haar spieren lijkt het alsof de slangen bewegen.

Adam en ik zijn op de kademuur gaan zitten en kijken toe. Ik denk aan Flag Cottage.

'Denk je dat we er ooit achter zullen komen hoe het zit?' vraag ik aan hem.

Ik hoor hoe vermoeid mijn stem klinkt.

Misschien hoort Adam het ook. Hij neemt mijn hand in de zijne. De aanraking met zijn huid roept verlangen in me op. Mijn ademhaling wordt sneller.

'Niet wanhopen, Grace,' zegt hij tegen me. 'We moeten haar vragen blijven stellen – haar de gelegenheid geven het ons te vertellen.'

Een tijdje zitten we zwijgend naast elkaar. Ik kijk om me heen naar het winderige, witte strand. De zilte bries aait langs mijn gezicht. Ver weg vaart een kreeftenvisser met een wolk van zeemeeuwen in zijn kielzog. Het zwijgen omhult ons en beangstigt me.

Dan legt hij zijn hand tegen mijn achterhoofd, trekt me naar zich toe en veegt heel licht met zijn mond langs de mijne. Hoewel het bijna niets voorstelt, voel ik het in mijn hele lichaam en brengt het me van mijn stuk.

Sylvie komt aangerend en we wijken uit elkaar. Als ik met mijn ogen knipper duizelt het me, alsof de schittering van het water in mijn ogen is gedrongen.

Sylvie draait rondjes zodat haar vlecht rondvliegt.

'Mooi hè, Grace?'

Adam maakt een foto van haar met zijn mobieltje. Het beeld is overbelicht en een beetje onscherp doordat ze heeft bewogen. Hij laat haar de foto zien en ze bloost van plezier.

Ik moet denken aan wat Adam zei, dat we vragen moeten blijven stellen, en dan besluit ik dit moment aan te grijpen, nu ze zo ontspannen en blij is.

Ik hurk naast haar neer, leg mijn handen op haar schouders en zorg dat ze voor me blijft staan.

'Schat, ik moet je iets vragen,' zeg ik.

Ze kijkt me lachend aan.

'Ja, Grace.'

Mijn mond is dik als vloeipapier. Ik heb alweer spijt, ben bang dat ik haar ongelukkig maak.

'Het gaat over Flag Cottage. Over de mensen die verdwenen zijn...'

'Ja,' zegt ze.

'En over wat je ons verteld hebt over toen...'

Mijn keel wordt dichtgesnoerd, ik kan het niet hardop zeggen.

'Toen ik doodging, Grace?'

'Ja. Daarover.'

Ze kijkt me kalm en ernstig aan.

'Kun je me vertellen wat er gebeurd is?' vraag ik.

'Dat heb ik je al verteld,' antwoordt ze. 'Het water was rood.'

'Herinner je je verder nog iets?'

'Het water was koud en rood. Het deed pijn, Grace. Híér deed het pijn.'

Met een vinger raakt ze haar borstkas aan.

Er gaat een rilling door me heen als ze dat zegt.

'Wat was het dat je pijn deed, lieverd? Was het iemand die je pijn deed? Kun je me dat vertellen?'

Ze kijkt me uitdrukkingsloos aan, alsof ze de vraag niet begrijpt.

'Het deed pijn en ik zag belletjes,' zegt ze. 'Een heleboel belletjes kwamen uit mijn mond.'

Ik leg mijn handen tegen haar gezicht en voel hoe koud haar huid is.

'Sylvie. Kun je ons vertellen wat er daarvoor gebeurde? Voor je in het water was?'

Ze zegt niets. Misschien weet ze het niet of kan ze het niet zeggen.

'Liefje. Voor het water. Wie was er toen bij?'

Haar gezicht is gesloten. Ik voel dat ze me ontglipt.

Ik probeer het nog een keer.

'Het water waar dit gebeurde, lieverd. Waar was dat? Weet je dat nog?'

Ze zegt niets.

'Zijn wij daar geweest, op die plek?'

Maar ze glipt uit mijn handen en rent weg over de boulevard. Bij Barry's General Store blijft ze staan en kijkt naar haar spiegelbeeld in de winkelruit.

45

Die avond eten we nog een keer in de pub van Joe Moloney in Ballykilleen. Sylvie zit met haar vlecht te spelen, die ze om haar hand heeft gewonden.

'Vind je hem mooi?' vraagt ze. 'Hij is echt mooi, hè?'

'Ja, heel mooi,' zeg ik tegen haar.

Als we weggaan is het aardedonker en worden we omringd door de grootse, geurende stilte van de Ierse nacht. Adam rijdt langzaam. Een verdwaasd schaap rent voor de auto uit om met een plotselinge beweging weer in de duisternis op te lossen.

Op de plek waar je rechtsaf moet om door Coldharbour Bog te rijden, staat een stopbord waar Adam meestal stopt. Hij trapt op de rem, maar de auto glijdt door, over de streep.

'Shit,' zegt hij.

Mijn hart bonst in mijn keel.

'Wat is er aan de hand?' vraag ik.

'De remmen, denk ik. Ze voelen sponzig aan,' zegt hij.

Heel langzaam rijdt hij door naar een plek waar de weg wat breder is. Hij gaat aan de kant van de weg staan en zet de motor af. Zonder het geluid van de motor is het heel stil in de auto.

Ik zie het zwart van de lucht, het nog intensere zwart van de bergen en, in de verte, de lichtjes van Coldharbour, als een handvol slordig rondgestrooide, fonkelende kralen.

'Maar kunnen we niet doorrijden, ik bedoel, heel langzaam?' vraag ik.

'Nee, dat kan niet,' antwoordt hij.

Het donker lijkt nog dichterbij te komen.

'Alsjeblíéft, Adam.' Een lichte paniek is hoorbaar in mijn stem. 'Ik wil hier niet stil blijven staan.'

'Nee. Dat risico ga ik niet nemen. Niet met Sylvie in de auto.'

'Maar als we gewoon heel langzaam rijden?'

'Néé, Grace.'

Er klinkt iets hards in zijn stem – ik heb het gevoel dat hij kwaad op me zou kunnen worden. Ik kijk naar hem en denk aan Jake, aan de angst die hij moet hebben dat zoiets nog een keer zou kunnen gebeuren. Ik voel een plotselinge behoefte hem te beschermen en wil mijn hand op zijn arm leggen.

'Het spijt me,' zeg ik. 'Ik zal mijn mond houden.'

'Ik bel de wegenwacht. We zullen gewoon moeten wachten,' zegt hij.

Hij doet het plafondlampje aan en begint het informatieboekje door te bladeren. Met het licht aan wordt de duisternis buiten nog dieper. We zijn op grote afstand te zien en dat maakt ons kwetsbaar.

'Adam. Als het de remmen zijn, kan het dan dat iemand ermee gerommeld heeft?'

Maar zodra ik het uitspreek, lijkt het me een absurd idee.

'Rustig nou, Grace,' zegt hij. 'Ik weet zeker dat niemand met de auto heeft gerommeld.'

Maar dan zie ik zijn frons, de scherpe lijntjes tussen zijn wenkbrauwen.

Ik draai mijn raampje omlaag. Koele lucht strijkt langs mijn wang, ik ruik de geur van het veen, die zware lucht van wortels, verrotting en vocht. Op het platteland zijn de geuren 's nachts sterker. In het ijle schijnsel van de binnenverlichting ziet het veenpluis er gebleekt uit. Ik hoor het vreemde geknepen krassen van een kikker of vogel en het suizen van het gras, het onophoudelijke ruisen van de wind.

Adam is aan het telefoneren.

'Kan het niet iets sneller? We hebben een kind bij ons.'

Ik hoor de boosheid in zijn stem. Hij maakt zich meer zorgen dan hij toe wil geven.

'Het duurt nog een uur,' zegt hij tegen me.

Ik voel angst, maar het is me niet duidelijk waar ik bang voor ben.

Ik draai me om naar Sylvie.

'We moeten een poosje wachten,' zeg ik tegen haar.

Ze maakt haar gordel los en leunt tussen onze stoelen in naar voren. Ze kijkt naar de christoffel die voor in de auto hangt. Als ze er met haar vinger tegenaan tikt, schieten er vonkjes licht vanaf.

'Ik heb een kleurboek voor je,' zeg ik tegen haar.

Ik geef haar Big Ted, het kleurboek en een viltstift.

'Ik heb honger,' zegt ze.

Ik heb een noodrantsoen bij me dat ik vanmiddag bij Barry's heb gekocht: een Twix en een zakje chips. Ik geef haar de Twix. Ze trekt het papier eraf en neemt een hap. Dan leunt ze naar achteren in haar zitje, maar het lukt haar niet om een houding te vinden waarin ze lekker zit. Ik doe mijn trui uit, vouw hem op en maak er een kussentje van. Ze slaat het kleurboek open en begint een van de puzzels te maken, waarbij ze met de viltstift een paadje tekent dat door een doolhof loopt. Zo nu en dan pakt ze de Twix en neemt er een klein hapje van. Om haar mond verschijnt een sepiakleurig spoor van chocola. Ze lijkt immuun voor de angsten die ik uitsta nu we hier gestrand zijn.

Stil zitten we bij elkaar. Mijn ademhaling klinkt te luid en ik hoor een klikgeluid als Adam zijn keel schraapt. Nog lang nadat Sylvie hem met haar vinger heeft aangeraakt blijft de christoffel bewegen, als door een geheimzinnige luchtstroom.

De maan komt op boven de bergen – een volle, stralende maan. Het gebeurt zo plotseling dat het is alsof er een lamp wordt aangestoken. De bodemstructuur is duidelijk te zien, de tekening van grote, koude kraters en zeeën. Een witte koelte omhult alles. Ik zit te rillen zonder mijn trui.

Als ik het geluid van de naderende auto hoor, is hij nog ver van ons verwijderd. Geluid draagt ver in deze uitgestrekte leegte.

Mijn hart gaat tekeer. Ik draai me een beetje naar Adam en zie dat hij alert en gespannen is. Ik weet dat hij het ook gehoord heeft.

Heel langzaam zwelt het geluid aan. De auto komt uit de bergen, uit dezelfde richting waar wij vandaan kwamen. Soms klinkt het geluid wat harder, dan neemt het weer af als het tegen een muur of een heuveltje afketst, maar het komt gestaag dichterbij. Als het geluid even wegvalt weet ik dat hij de kruising heeft bereikt waar je naar Coldharbour Bog kunt afslaan, de weg die wij hebben genomen. Met al mijn geestkracht probeer ik de auto de andere kant op te sturen, naar Barrowmore. Ik zet alles op alles, alsof ik hem door pure concentratie van koers kan doen veranderen. Maar dan hoor ik hem weer dichterbij komen, het geluid klinkt heel gelijkmatig over de rechte weg die door het veenmoeras leidt. Het is zo helder en duidelijk dat je het schakelen kunt horen.

Ik werp nog een blik op Adam, die met zijn vingers op het stuur zit te trommelen.

In de buitenspiegel is de auto inmiddels te zien. Ik zie het licht van de koplampen als een lange dunne draad door het landschap bewegen: het water wordt er fel door verlicht en het wuivende gras goudgeel gekleurd. Na een flauwe bocht schijnt het licht recht in mijn spiegel en word ik er kort door verblind. Ik hoor dat de auto snelheid mindert en even later komt hij achter ons tot stilstand. Mijn hart klopt in mijn keel.

De bestuurder dooft zijn lichten, een deur zwaait open en er stapt een man uit die onze kant op komt. Hij is groot, maar ik kan hem niet zo goed zien in de duisternis. Dan stapt hij in het vierkante schijnsel dat uit het zijraampje van onze auto naar buiten valt.

'Godzijdank,' zeg ik. Een warm gevoel van opluchting stroomt door me heen als ik in de gestalte Marcus Paul herken. 'Het is Marcus. Het is goed, Adam. Ik ken hem.'

Ik doe mijn deur open, waarop Marcus Paul naar mijn kant van de auto loopt. Hij heeft een aarzelend lachje op zijn gezicht. Wat ben ik blij om hem te zien.

'Grace, is het niet?' zegt hij. 'We hebben elkaar toch in het hotel ontmoet? Brigid heeft me verteld hoe je heet.'

'We hebben autopech,' zeg ik tegen hem.

'Ik dacht al zoiets.' Hij lacht een beetje ironisch.

'Dit is Adam,' zeg ik.

'Aangenaam kennis te maken, Adam,' zegt Marcus. Hij buigt voor me langs en steekt zijn arm uit naar Adam om hem de hand schudden. Hij heeft een geurtje op dat vol en kruidig ruikt, wat een glimp van beginnende begeerte in mij losmaakt doordat het me heel even aan Dominic doet denken.

'En dit is Sylvie,' zeg ik.

Ik draai me naar haar om.

Sylvie is ingespannen met haar doolhof bezig en kijkt niet eens naar hem op.

'Sylvie, aangenaam,' zegt Marcus.

Hij lacht naar haar, maar ze houdt haar ogen strak op haar kleurboek gericht. Hij wil haar ook een hand geven, charmant als hij is wil hij haar als een volwassene behandelen, maar als zij haar hand niet naar hem uitsteekt klopt hij haar even op de arm.

'Ik vind een Twix ook zo lekker,' zegt hij.

Het ergert me een beetje dat ze niet eens naar hem lacht terwijl hij zo aardig tegen haar doet.

'Ik kan jullie wel een lift naar het dorp geven,' zegt hij tegen ons.

'Dat zou fantastisch zijn,' antwoordt Adam.

'Het lijkt me het beste als jullie de auto vannacht hier laten staan en morgen even naar Jimmy Flynn gaan. Hij heeft een sleepwagen.'

'Dat zal ik doen,' zegt Adam. 'Bedankt.'

'En als we terug zijn in het dorp,' zegt Marcus, 'dan zouden jullie me een groot plezier doen als jullie bij mij thuis iets kwamen drinken.'

Ik ben opgetogen bij het vooruitzicht Kinvara House vanbinnen te zien.

Adam belt de wegenwacht om te zeggen dat ze niet meer hoeven te komen.

'Wat gebeurt er?' vraagt Sylvie.

'We gaan iets drinken in Kinvara House. We rijden met Marcus mee.'

'Néé. Ik ga niet mee.'

Even komt er een hevige woede in me op.

'Nou, schat, we gaan toch,' zeg ik resoluut.

'Ik wil niet, Grace.'

Deze keer geef ik niet toe. Ik verheug me erop om het huis vanbinnen te zien en Marcus iets beter te leren kennen. Die kans laat ik me niet ontnemen.

'Sylvie, het wordt echt leuk. Het is dat grote huis met die valken en die schitterende tuin. Je zult het geweldig vinden...'

Ik ga op zoek naar de tissues om de chocola van haar mond te vegen. Er zit modder op haar benen en een ijsvlek op haar fleecetrui. Ik wou dat ze er iets netter uitzag. Ik wil dat Marcus mij een goede moeder vindt.

Ik veeg haar mond af. Ze draait haar gezicht weg.

'Je doet me pijn, Grace.'

We stappen in de auto van Marcus, die zwaar en mannelijk naar leer geurt. Sylvie staart uit het raam. Ik heb dat wankele, beschaamde gevoel dat je kunt hebben als blijkt dat je totaal ongegronde angsten hebt uitgestaan.

Het duurt niet lang of we rijden Coldharbour binnen. Het is fijn om de kille leegte van het veenmoeras achter ons te laten en door verlichte straten te rijden, langs benzinepompen en de vrolijke etalage van Barry's General Store.

Marcus rijdt tussen de hoge stenen zuilen de oprit van Kinvara House op. Het is een smalle oprit, de azaleastruiken schuren langs de ramen van de auto, hun bloemen en bladeren zacht als de aanraking van een hand. Door het licht van de koplampen hebben de azalea's een vage amberkleur. Tussen de struiken zie ik zo nu en dan een glimp van de tuin: alles is prachtig verzorgd, alleen een beetje slordig langs de randen. Ik zie brede, strakke gazons en her en der narcissen die glanzen in het maanlicht. Na een scherpe bocht doemt het huis voor ons op met zijn elegante ramen, de zuilenrij en de stenen treden die naar de voordeur leiden.

Sylvie houdt haar gezicht tegen de autoruit gedrukt en heeft haar handen om haar ogen gevouwen, zoals je doet wanneer je in een verlichte ruimte bent en iets in het donker probeert te zien.

Als ik het portier open komt de geur van de azalea's ons tege-moet: een volle, indringende geur die heel anders is dan de zware grondlucht van het woeste, open land.

Sylvie heeft Big Ted vast, maar als we bij de voordeur zijn aan-gekomen en Marcus zijn sleutel in het slot steekt, grijpt ze mijn handtas en begint ze hem erin te proppen. Misschien is ze bang dat het kinderachtig is om zo'n knuffelbeest bij je te hebben. Ze drukt heel hard, duwt hem naar beneden en trekt de rits moei-zaam dicht zodat mijn tas bol staat, maar haar beer niet meer te zien is.

De deur zwaait open. Binnen zijn de lampen al aan. De hal is ruim en mooi, met rustige kleuren: wit en heel licht grijs. De trap krult sierlijk omhoog en is gemaakt van een bleke, geaderde steensoort met een reling van zwart metaal. Op een tafeltje staan witte orchideeën met hun ingewikkelde bloeiwijze die aan een gapende mond doet denken. Er hangt een indrukwekkend ge-weer aan de muur met daarboven twee roeispanen, misschien van de roeiclub uit zijn studententijd. In geelverlichte nissen langs de muur zijn een ivoren schaakspel te onderscheiden, een paard van jade uit de Tang-dynastie en een bronzen beeld van een danser.

Sylvie blijft op de drempel staan.

'Wat is er, schat?'

Haar ene hand ligt in de mijne en met de andere schermt ze haar ogen af.

'Ik hou niet van geweren,' zegt ze.

'Nee, natuurlijk niet, schat. Maar dat geweer wordt niet ge-bruikt, het is alleen maar voor de sier, daarom hangt hij aan de muur.'

Ze drukt zich tegen me aan.

'Slechte mensen hebben geweren,' zegt ze.

Weliswaar heb ik haar dat geleerd, maar toch had ik liever dat ze dat nu voor zich hield.

'Maar het is alleen maar om naar te kijken,' zeg ik tegen haar. 'Je hoeft nergens bang voor te zijn.'

Ik voel hoe ze worstelt: ze wil niet mee naar binnen maar ze wil ook mijn hand niet loslaten. Ik trek haar mee en loop achter Marcus aan.

Hij gaat ons voor naar een kamer die prachtige verhoudingen heeft: een hoog plafond en boogramen met uitzicht over zee. Gordijnen van doorschijnende, witte stof hangen tot op de grond maar zijn naar opzij opgebonden zodat je naar buiten kunt kijken. Ik zie het zwarte water, het maanlicht dat erop schijnt en de lantaarns langs de boulevard. In het midden van de kamer ligt op de lichte eikenhouten vloer een Turks tapijt met een ingewikkeld patroon van bladeren en bloemen. In de witmarmeren haard liggen brandende houtblokken.

'Wat is het hier mooi,' zeg ik tegen hem.

'Ja,' antwoordt hij eenvoudig, mijn compliment aanvaardend. 'Ik heb reuze geboft met dit huis. Zo'n twintig jaar geleden werd ik er verliefd op. Ik reed erlangs en wist dat ik het móést hebben. Ik heb natuurlijk wel wat veranderingen aangebracht: een nieuwe trap en een aanbouw aan de zijkant waar ik een muziekkamer van heb gemaakt. Maar ik hoop dat ik de sfeer van het huis niet heb aangetast.'

Ik ga met Sylvie op de witte bank zitten, die bekleed is met een zachte, wollen stof. Ze ruikt naar chocola en haar haar is vet en futloos. Ze gaat dicht tegen me aan zitten, pakt mijn arm en legt hem om zich heen. Adam gaat in een stoel zitten. Hij leunt naar achteren, strekt zijn benen en de frons trekt langzaam weg uit zijn gezicht. Ik vraag me af of hij, toen de remmen het begaven, meer in paniek was dan ik gemerkt heb.

'Het uitzicht uit deze ramen is fantastisch,' zegt Marcus. 'Jullie moeten een keer overdag komen, dan kun je het goed zien. Het is spectaculair.'

Het doet me goed te merken dat hij ervan uitgaat dat we vrienden zullen worden.

Op een bijzettafeltje staan flessen drank en antieke, dunne tuimelglazen. Hij schenkt Ierse whisky voor ons in en biedt Sylvie limonade aan. Ze knikt zonder hem aan te kijken. Hij geeft haar de limonade in een heel groot glas. Ze pakt het glas heel voorzichtig met beide handen vast, maar als ze weer naar achteren schuift klotst er een beetje over de rand op de smetteloze bank.

Ik voel me vreselijk opgelaten.

'O, god, neem me niet kwalijk.' Ik zoek in mijn tas naar een tissue.

'Dat geeft helemaal niets,' zegt Marcus. 'Het is hier geen museum, hoor.'

Nu ga ik hem echt aardig vinden.

'Ik vrees dat Sylvie erg moe is,' zeg ik tegen hem. 'We hadden nogal een vermoeiende dag.'

'Dat is de uitwerking van de zeelucht,' zegt hij.

Hij geeft me mijn glas en als zijn hand langs de mijne strijkt voel ik de koelte van zijn huid. De whisky heeft een diepe, intense kleur die aan veenwater doet denken. Als ik een slok heb genomen voel ik de drank naar beneden glijden en word ik helemaal warm vanbinnen.

'Brigid heeft me al iets over jullie verteld,' zegt Marcus dan.

Hij staat tegen de schoorsteenmantel geleund en kijkt vriendelijk op ons neer. Hij is rijzig en imponerend. Adam valt naast hem een beetje in het niet. Ik herinner me weer wat Brian zei: *Marcus weet wat er te koop is in de wereld – hij leeft zijn leven alsof het hem op het lijf geschreven is...* Wat zijn Adam en ik nog jong, denk ik dan.

'Ze vertelde dat jullie onderzoek doen naar een familiegeschiedenis,' zegt hij. 'Dat deze omgeving met jullie familie verbonden is?'

'Ja, zoiets,' zeg ik.

'Om wie van jullie tweeën gaat het?' vraagt hij

Hij kijkt belangstellend van Adam naar mij en weer terug.

Ik vertel hem dat ik degene ben om wie het gaat. Ik vraag me af of hij aan mijn gezicht kan zien dat ik me ongemakkelijk voel.

'Laat het me weten als ik iets voor jullie kan doen,' zegt hij. 'Hoewel ik natuurlijk een nieuwkomer ben, nou ja, min of meer. Hoe dan ook, laten we drinken op jullie zoektocht.'

We heffen het glas en nemen een slok. Weer gaat er een huivering door me heen als ik eraan denk hoe idioot en irrationeel het is wat we aan het doen zijn. In deze kamer waarin alles zo subtiel geordend is voel ik me afstandelijk en vervreemd van alles – van de dingen waar ik zo'n beetje in ben gaan geloven. Ik stel me voor hoe Marcus zou reageren als hij op de hoogte was: hij zou ongelovig glimlachen of misschien charmant één wenkbrauw optrekken van verwondering.

Ik kijk om me heen, in de hoop het gesprek een andere draai te kunnen geven. Dan valt mijn oog op een schilderij dat aan de muur hangt. Het is het portret van een vrouw dat met haast fotografische precisie geschilderd is. Ze is mager maar toch mooi, geschilderd in blauwe schaduwen en met een prachtig figuur staart ze koeltjes voor zich uit.

'Wat een mooi schilderij,' zeg ik tegen hem.

Hij glimlacht.

'De kunstenaar is een goede vriend van mij, Geoffrey Falke. Hij is portretschilder en woont in Dublin.'

'Een fantastische kunstenaar,' zeg ik tegen hem.

'Hij kiest zijn onderwerpen altijd heel zorgvuldig uit,' zegt Marcus. 'Hij schildert alleen vrouwen die iets bijzonders hebben.' Zijn blik blijft even op mij rusten en ik voel de warmte waarmee hij naar mij kijkt. 'Als hij jou zou ontmoeten, Grace, dan zou hij jou vast willen schilderen.'

'Nou, dat betwijfel ik,' zeg ik schouderophalend. Ik voel me gevleid maar ook in verlegenheid gebracht.

Hij schudt lichtjes zijn hoofd.

'Wat heb je een lage dunk van jezelf.' Hij kijkt naar Adam. 'Vind je ook niet?'

Adam mompelt iets.

Ik bloos, kijk Adam aan en probeer te lachen, maar het lukt niet goed. Ik voel dat Marcus de ongemakkelijkheid tussen Adam en mij heeft opgemerkt. Misschien voelt hij mijn gêne en dringt het nu tot hem door dat wij geen stel zijn. Als hij over iets anders begint haal ik opgelucht adem.

'Nou, vertel eens wat jullie van ons prachtige dorp vinden,' zegt hij. 'Alleen complimenten graag.'

'Het is hier zo vredig,' zeg ik.

Hij knikt.

'Er gebeurt hier niet zoveel, en ik moet bekennen dat dat me wel bevalt. Het vormt een weldadig contrast met de stad, waar iedereen elkaar naar het leven staat.'

Ik leun achterover op de bank. Ik hoor het luxueuze zachte knisperen van het houtvuur en een gevoel van welbehagen stroomt door me heen. Ik kan haast niet geloven dat dit ons is overkomen, dat we Marcus hebben ontmoet en nu hier zijn.

Hij neemt terloops een slokje whisky.

'Hoewel we zelfs hier een paar drama's hebben beleefd,' zegt hij. 'Jullie zullen wel iets gehoord hebben over Alice en Jessica Murphy?'

Ik voel zijn warme blik en weet niet wat ik moet zeggen.

'Ja,' zegt Adam. Zijn stem heeft iets scherps: ik voel dat hij ineens alert is. 'Brigid heeft het ons verteld.'

'Het was een vreselijke gebeurtenis,' zegt Marcus. 'Alice werkte natuurlijk voor mij. Heeft Brigid dat ook verteld?'

'Ja, dat zei ze.'

'Ik voel me er schuldig over dat ik niet gemerkt heb hoe depressief ze was. Ik wist dat ze ziek was geweest, maar ik dacht dat het beter met haar ging. Soms zien we gewoon niet wat er voor onze neus gebeurt... Nou, jij ben psycholoog, Adam, dat weet ik. Jij zal daar ook wel je gedachten over hebben...'

'Het kan inderdaad heel moeilijk zijn,' zegt Adam. 'Een depressie is vaak verhuld.'

'Weet je – Alice was erg in zichzelf gekeerd.' Marcus kijkt peinzend en bekommerd voor zich uit. 'Misschien had niemand het zien aankomen, maar ik reken het mezelf natuurlijk aan... De politie heeft er in elk geval alles aan gedaan om de zaak op te helderen. Het onderzoek was heel nauwgezet. En nu wil iedereen het er liever niet meer over hebben... Het is goed om het verleden te laten rusten, het achter je te laten. Vinden jullie ook niet?'

Hij verwacht een reactie van ons.

'Ik begrijp wel wat je bedoelt,' zeg ik vaag.

'Ja, toch?' zegt Marcus. 'Het is triest, maar ik denk dat dit soort dingen overal gebeuren... Nou, vertel eens, hebben jullie al bij Foley's gegeten? Wij zeggen altijd dat je nergens in Ierland zulke lekkere oesters kunt eten.'

'Ja, ik hoorde dat ze nogal een goede naam hebben,' zegt Adam.

Dan gaat het gesprek over Ierse visgerechten.

Bij een van de ramen zie ik een antiek bureau staan. Het heeft verguld inlegwerk en ziet er heel licht en vrouwelijk uit, als een meubelstuk dat je in een Frans kasteel zou verwachten. Ik vraag me af of Alice aan dit bureau haar werk deed. Ik probeer me voor te stellen hoe het voor haar geweest moet zijn om in Flag Cottage te wonen met een man die haar sloeg en dan hier, bij Marcus, te komen werken in deze schitterende hoge kamer aan dit bureau met uitzicht op de zee. Dat moet toch paradijselijk voor haar zijn geweest. Het is haast onmogelijk om in zo'n situatie niet verliefd te worden.

Ik moet naar de wc en Marcus legt me uit dat ik daarvoor naar boven moet. Sylvie wil absoluut met me mee, ze houdt mijn hand stevig vast. We lopen door de hal in een grote boog om het geweer heen.

Als we bijna bij de trap zijn, trekt Sylvie aan mijn hand.

'We moeten die kant op, Grace,' zegt ze.

Links van ons, waar ze naartoe wil, is een smalle gang met aan het eind een open deur waar zich ook een toilet bevindt. Ik vraag me af hoe ze dit weet. Zou het huis haar bekend voorkomen, of zag ze het toevallig? Het zijn vragen die ik niet kan beantwoorden.

We gaan ernaartoe. Er is een wastafel, een wc en een Chinese vaas met een barst erin. Het is een rommelkamertje vol vergeten spullen, spullen die nergens bij horen. Op een plank staat een buste van Beethoven waar iemand een deukhoed op heeft gezet. Het bovenraampje staat open doordat de vergrendeling kapot is. Er komt koele lucht naar binnen die de zoetige geur van azalea's met zich meevoert. Aan de buitenkant is het raampje vrijwel volledig bedekt met klimop. Ik gluur naar buiten, in de hoop nog een betoverende glimp van de tuin op te vangen, maar de klimop is zo dicht dat ik niets kan zien. De stengels schuren krakend langs het raam alsof iets ze in beweging brengt, hoewel het vrijwel windstil is.

'Ik wil weg,' zegt Sylvie. 'Ik wil terug naar het hotel.'

Op de tere huid onder haar ogen zitten blauwe vegen. Ik voel me schuldig dat ze zo laat nog op is. We gaan terug naar de zitkamer.

'We moesten maar eens gaan,' zeg ik. 'Sylvie had allang in bed moeten liggen.'

'Ja, natuurlijk,' zegt Marcus.

Hij laat ons uit.

'Nogmaals bedankt voor je reddingsactie,' zeg ik tegen hem.

'Het was me een genoegen.' Hij geeft me een hand. Ik word omgeven door een geur die aan musk doet denken. 'Ik hoop dat jullie nog eens een borrel bij me komen drinken. En veel succes met het speurwerk. Laat het me alsjeblieft weten als ik kan helpen...'

Hij zegt Sylvie gedag. Ze legt haar hand op haar ogen.

Ik sta op het punt me voor haar gedrag te verontschuldigen, maar hij is me voor, alsof hij weet wat ik voel.

'Geeft niet,' zegt hij. 'Het kan allemaal weleens wat veel worden als je vier bent. Zo ver van huis, en zo...'

Ik ben hem dankbaar voor zijn begrip.

We lopen over de boulevard naar het hotel. Je kunt nog net de fosforescerende lijnen van de branding onderscheiden, maar ze zijn zo vaag dat het iets onwerkelijks heeft, net als de blauwwitte schittering die vuurwerk achterlaat in het donker.

'Wat vond je van Marcus? Vond je hem aardig?' vraag ik.

'Nou, ik vond vooral zijn whisky erg aardig,' antwoordt Adam.

Ik voel echter een lichte reserve bij hem en vraag me af of hij jaloers is vanwege de aandacht die Marcus me gaf. Iets in mij, iets gulzigs en hunkerends, is blij met deze gedachte.

Bij de deur van onze kamer nemen we afscheid.

'Ik ga morgenochtend meteen naar de garage,' zegt Adam. 'Jullie kunnen wat langer slapen.'

Ik ga met Sylvie onze kamer binnen. We vonden het zo'n gezellige kamer, maar na de grandeur van Kinvara House komen het structuurbehang en het gehavende ladekastje wat morsig op me over.

46

We zijn al op als Adam weggaat. Sylvie zegt dat ze met hem mee-
gaat, ze wil meerijden in de sleepwagen.

Ik loop naar Barry's om een ansichtkaart voor Lavinia te kopen. Bij de etalage blijf ik even staan om een verjaardagstaart
van Erin te bewonderen die er net is neergezet. De taart is bedekt
met glanzende, donkere chocolade en heeft een rand van marse-
peinen trompetjes met daaronder *Hartelijk gefeliciteerd* in rood
suikerglazuur.

Erin staat achter de toonbank met de *Galway Woman* voor
zich opengeslagen.

'Wat een schitterende taart,' zeg ik tegen haar.

'Nou, dat is ook toevallig,' zegt ze. 'Jullie vroegen laatst toch
naar Alice? Die taart is voor haar dochter.'

Ik staar haar aan. Haar woorden hangen tussen ons in zonder
dat ik ze begrijp.

'De dochter van Alice? Alice Murphy bedoel je?'

Erin knikt. Haar donkere ogen fonkelen achter haar brillenglazen.

'Ze wordt zondag zeventien. Ze speelt fantastisch klarinet, dus
ik heb er een muzikale draai aan gegeven.'

Om me heen is alles aan het draaien.

'Nou, hij is prachtig. Ze zal er blij mee zijn,' zeg ik wezenloos.

Brigid is in de hal van het hotel bezig potten met hyacinten op
de vensterbank te zetten. De hele omgeving geurt ernaar.

'Brigid, mag ik je iets vragen?'

'Natuurlijk, Grace.'

'Ik sprak Erin net bij Barry's. Ze heeft een taart gebakken

waarvan ze zegt dat die voor Alice Murphy's dochter bestemd is...'

Brigid knikt.

'Natuurlijk, ze is binnenkort jarig. Ze wordt al een aardige dame.'

'Maar... ik dacht dat de dochter van Alice verdwenen was...'

'Heeft niemand je dat verteld, Brian ook niet?'

Ik staar haar niet-begrijpend aan.

'Jessica was deel van een tweeling,' zegt ze. 'Ze had een zusje, Gemma.'

'Niemand heeft me verteld...'

'Nou, dat had Brian wel moeten doen,' zegt ze op verwijtende toon. 'Ze waren ontzettend hecht, die twee, onafscheidelijk. Nou, Alice heeft natuurlijk wel geprobeerd ze uit elkaar te halen. Ze wilde dat ze verschillende dingen zouden doen, maar zij wilden altijd hetzelfde... Ze waren zo leuk met elkaar, Jessica en Gemma.'

'Ik wist het niet,' zeg ik tegen haar.

'Ze kwamen vaak hier in het dorp,' zegt Brigid. 'Ik zag ze altijd spelen bij Kinvara House, als Alice daar aan het werk was en de meisjes vakantie hadden. Ze nam ze vaak mee, Marcus was daar heel makkelijk in. Als zij haar werk maar afkreeg, vond hij verder alles best.'

'Speelden ze bij Kinvara House?'

'Die tuin is een paradijs voor kinderen,' antwoordt ze.

'Ja, daar kan ik me wel iets bij voorstellen.'

Ik moet denken aan wat ik ervan zag vanuit de auto van Marcus: de fluwelen gazons met al die glinsterende narcissen.

'Alice zei altijd dat het een sprookjestuin voor ze was,' zegt Brigid. 'Soms kon ik ze horen lachen, als de zee rustig was. Als je langs het huis liep hoorde je ze gillen en lachen... Sinds ze haar moeder en zusje... eerlijk gezegd geloof ik niet dat ik Gemma ooit nog zo heb horen lachen.'

De treurigheid van haar woorden werkt op me in. De geur van hyacinten is overal om me heen, stroperig en een beetje benauwend. Ik weet nooit helemaal zeker of ik die geur wel lekker vind.

'Maar... waar was Gemma?' vraag ik aan haar. 'Die dag dat het gebeurde?'

'Ze had klarinetles.'

Ik ben geschokt. Het lijkt zo toevallig en op de een of andere manier ook zo banaal. Gemma is blijven leven want ze had *klarinetles*.

Ik moet denken aan iets wat Brian tegen ons zei.

'Maar... er werd pas woensdagmiddag alarm geslagen. Waarom heeft Gemma de politie niet gebeld?'

'Ze is die dag niet naar huis gegaan,' zegt Brigid. 'Dat hoorde ik van Polly O'Connor, de beste vriendin van Alice. Na haar klarinetles ging Gemma naar een pyjamafeestje bij een vriendin. Je kent dat wel, al die meiden lakken elkaars nagels en vertellen elkaar geheimen tot in de kleine uurtjes... Ik herinner me dat Alice er een hekel aan had als ze bij vriendinnen bleven slapen. Ze zei dat de meisjes geen oog dichtdeden en ontzettend chagrijnig thuiskwamen. De moed zonk haar altijd in de schoenen als ze weer een uitnodiging kregen.'

'Alleen Gemma? Waarom niet alle twee?'

'Jessica was verkouden, haar moeder wilde niet dat ze ging.'

Weer die verschrikkelijke willekeur – het had zo gemakkelijk anders kunnen lopen. De hyacinten geuren zo hevig dat ik het er benauwd van krijg.

'En daarna?' vraag ik. 'Wat is er daarna met Gemma gebeurd?'

'Ze woont nu in Barrowmore. Gordon is veel op reis en kon niet genoeg thuis zijn voor haar en toen heeft Deirdre Walker haar in huis genomen. Deirdre is Gordons zuster.' Ze dempt haar stem en kijkt me samenzweerderig aan. 'Om eerlijk te zijn denk ik dat het zo veel beter geregeld is voor Gemma. Weet je nog wat ik je over Gordon vertelde?'

'Ja, dat weet ik nog.' Ik vertel haar niet dat we hem ontmoet hebben, hoewel ze dat misschien al weet.

'Ze heeft haar hart op de juiste plaats, Deirdre Walker,' zegt

Brigid. 'Ze is een beetje zwaar op de hand, maar dat is niet verwonderlijk na alles wat er gebeurd is.'

Mijn hart slaat een slag over.

'Heb je haar adres voor me? Denk je dat ze ons wil ontvangen?' vraag ik.

Brigid knikt.

'Vast wel. Zoals ik al zei is het een goedhartige vrouw. Ik zal haar nummer even opzoeken...'

Ik bel Adam. Hij is nog steeds met Sylvie bij de garage. Ik vertel hem over Deirdre en over Jessica's tweelingzus.

'Fantastisch, Grace.' Hij klinkt opgewonden. 'Nu komen we echt verder.'

Ik vind het fijn dat hij me zo prijst. Hij zegt dat we moeten proberen meteen een afspraak met Deirdre te maken. De auto is tegen het middaguur klaar.

'Wat was er nou aan de hand?' vraag ik.

'Iets met de remvloeistof, die moest worden bijgevuld. En ze hebben een kapotte leiding gerepareerd.'

'Hebben ze gezegd hoe het kwam?'

'Ach, je weet hoe ze hier zijn. Het kan zijn dat iemand die vloeistof heeft afgetapt, maar het kan ook een andere oorzaak hebben.' Dan vervolgt hij met een zwaar Iers accent: 'Ik sluit niets uit, meneer, maar ik sluit ook niets in...'

Ik voel een vage onrust als hij dat zegt.

Terug in de hotelkamer bel ik Deirdre.

'Met Deirdre Walker.' Een formele, nogal behoedzame stem.

'U spreekt met Grace Reynolds.'

Ik heb een hele reeks volzinnen voorbereid, maar ze reageert voor ik van wal kan steken.

'O, ja, Grace Reynolds. Ik had al verwacht dat je zou bellen.'

Ik ben verbaasd.

'U heeft al over ons gehoord?'

'Natuurlijk heb ik over jullie gehoord. Van Gordon. Jullie hebben een kleine meid die paranormaal begaafd is en zich deze omgeving lijkt te herinneren.'

Haar stem klinkt beheerst en vriendelijk maar ook een beetje angstig.

'Ze is vier,' zeg ik tegen haar. 'Ze heet Sylvie en ze lijkt Flag Cottage te herkennen.'

'Ja, dat vertelde Gordon,' zegt Deirdre.

Ik haal diep adem.

'Mevrouw Walker, ik vroeg me af of u het goed zou vinden als we u een bezoek brachten.'

Er valt een lange, gespannen stilte waarin ik mijn hart hoor bonzen.

'Ik heb erover nagedacht,' zegt ze. 'Wat ik zou doen als jullie zouden bellen. Ik heb er eerlijk gezegd heel lang over nagedacht, en mijn antwoord is: jullie mogen langskomen, maar ik wil niet dat Gemma erbij is. Vanmiddag zou bijvoorbeeld kunnen, dan is ze naar school.' Ze schraapt haar keel alsof het moeilijk voor haar is wat ze nu gaat zeggen. 'Maar Grace, je mag Sylvie niet meenemen. Ik wil absoluut niet dat Sylvie meekomt...'

47

Als ik wegga zitten Adam en Sylvie in de lounge van het hotel televisie te kijken.

Het huis staat langs de kustweg die vanuit Barrowmore de hoogte in gaat. Het is een heel gewoon, modern huis dat over de zee uitkijkt. Als ik aan kom rijden gaat de voordeur al open, waarschijnlijk heeft ze op de uitkijk gestaan. Ze draagt een wollen jasje waarin een patroon van vruchten is geweven. De kleuren zijn te fel voor haar, ze maken haar gezicht flets en moe.

'Heel erg bedankt dat ik kon komen,' zeg ik.

'Dat is wel goed,' zegt Deirdre, maar haar gezicht is ernstig.

Ze gaat me voor naar de zitkamer. Er staat een gebloemd bankstel, een piano met een heleboel ingelijste foto's erop en het ruikt naar de chemische zoetheid van een luchtverfrisser. Op de schoorsteenmantel staat een afbeelding van de Maagd Maria met een aureool van intens roze rozen, haar ogen lijken je overal in de kamer te volgen. Buiten, in de achtertuin, vechten meeuwen om wat kliekjes.

Ze komt binnen met thee en luchtige gebakjes.

'Je dochtertje is vier, zei je?'

'Ja,' antwoord ik.

Haar gezicht wordt zacht.

'Ik vind vier altijd zo'n perfecte leeftijd.' Haar toon heeft iets verlangends. 'Ik heb er zelf drie, weet je. Nou ja, ze zijn nu allemaal volwassen. Maar toen kwam Gemma nog, natuurlijk.'

'Ja,' zeg ik.

We drinken onze thee. De meeuwen werpen met de glijdende en zigzaggende bewegingen van hun vleugels schaduwen in de kamer en hun gekrijs klinkt luid in de stilte. Ik neem een hap van mijn gebakje, maar mijn mond is droog en het slikken gaat moeizaam. Nu ik hier ben, weet ik niet hoe ik moet beginnen.

'Je wilde het over Gemma hebben,' zegt ze dan.

'Ja. Over Gemma en Jessica. Ik weet dat het vreemd overkomt...'

'Gemma en Jessica,' herhaalt ze, terwijl ze een pluisje van haar mouw plukt. 'Die waren heel hecht, die twee. Ze waren geen identieke tweeling, ik zal straks een foto van ze halen, dan kun je het zelf zien. Maar ze waren ontzettend hecht. Alice wilde dat ze op school in verschillende klassen zouden zitten. Je weet wel, om ze de kans te geven een eigen identiteit te ontwikkelen. Maar ze waren zo ongelukkig dat ze uiteindelijk weer bij elkaar zijn gezet...'

Even valt ze stil en ik voel dat er een tweestrijd in haar woedt, dat er dingen zijn die ze nog nooit heeft verteld omdat het eng voor haar is om ze prijs te geven, maar toch verlangt ze ernaar ze met iemand te delen.

'Ze leefden helemaal in hun eigen wereld,' zegt ze. 'Ze hadden zelfs woorden bedacht en ze hadden geheime plekken waar ze heen gingen. Ik heb weleens gedacht dat ze een toevluchtsoord voor elkaar waren, een veilige haven. Alice kon ze namelijk niet altijd geven wat ze nodig hadden. Door haar ziekte, begrijp je? Ze werden een beetje aan hun lot overgelaten. Ik herinner me dat ze er een keer samen vandoor gingen en urenlang spoorloos waren...'

Langzaam neemt ze een slokje thee.

'Ze waren alles voor elkaar,' zegt ze zachtjes.

'Dat heb je soms met tweelingen,' zeg ik.

Met precisie zet ze haar theekopje op het schoteltje.

'Toen het... gebeurde, geloof ik dat Gemma het verlies van haar zusje nog heviger voelde dan het verlies van haar moeder. Alsof het een soort, ik weet niet, een soort amputatie was. Begrijp je?'

'Jazeker,' zeg ik.

Deirdres mond trilt.

'Alsof ze het gevoel had dat ze een deel van zichzelf kwijt was...'

Ze komt overeind en pakt een foto van de piano.

'Kijk, dat is Gemma,' zegt ze.

Het is een schoolfoto. Er staat een meisje op van ongeveer twaalf, dat op de drempel van de volwassenheid balanceert. Ze heeft de stralende lieflijkheid die meisjes van die leeftijd kunnen hebben. Haar lange donkere krullen vallen losjes over haar schouders, ze heeft een melkwitte huid en een gulle lach.

'Wat een prachtig meisje,' zeg ik.

'Dit was vier jaar geleden,' zegt Deirdre. 'Ze staat nu helemaal in bloei. Er is zo'n magisch moment: ze dragen geen beugel meer en lijken hun kindertijd vaarwel te zeggen, hoewel ze natuurlijk in veel opzichten eigenlijk nog kinderen zijn...'

Ze zet de foto terug op de piano, draait zich om en kijkt me recht aan. Haar ogen hebben iets rauws in dat witte gezicht.

'Ik weet dat het niet Alice' schuld was – ze was ziek, een depressie is een ziekte, dat weet ik allemaal. Toch kan ik er niet omheen dat ik er kwaad over ben dat ze Jessica met zich mee heeft genomen.' Haar stem breekt. 'Dat was zo egoïstisch, zo wreed. Ik wist niet dat ze het in zich had om zo wreed te zijn...'

Ze wendt zich een beetje van me af. De langsscherende zeemeeuwen werpen hun schaduw over haar heen.

'Ik hoorde Gemma 's nachts altijd huilen. Dan ging ik naar haar toe, natuurlijk deed ik dat, maar wat kon ik voor haar doen?'

Ik prevel iets banaals over hoe moeilijk het moet zijn voor haar.

'Je voelt je zo hulpeloos,' zegt ze. Ze wrijft haar handen langzaam tegen elkaar alsof ze ze probeert te warmen. 'Trouwens, er is boven iets wat je wel zult willen zien.'

Ik loop achter haar aan.

De kamer kijkt uit over het strand: ze heeft Gemma haar mooiste slaapkamer gegeven. Dat ontroert me. Er staat een stevige wind, de golven hebben witte koppen. De kamer heeft die combinatie van volwassen en kinderlijke elementen die ik me van mijn eigen tienerkamer herinner. Er hangen katoenen gordijnen met een bies en overal liggen knuffels; ook zijn er meer tienerachtige dingen zoals sieraden, posters van popsterren en een windklokkenspel gemaakt van tere stukjes schelp. Het raam staat open en het klokkenspel beweegt op de ruwe zilte zeewind en maakt het geluid van tinkelende belletjes: fragiel en een beetje dissonerend.

Deirdre laat me een ingelijste foto zien die aan de muur hangt.

'Dat is het gezin van vroeger.' Weer breekt haar stem. 'Dit is de laatste foto die ze hebben laten maken – voor het gebeurde.'

Het is zo vreemd om ze te zien, deze mensen die ik me zo vaak heb voorgesteld. Gordon herken ik natuurlijk, hoewel hij er heel anders uitziet, jonger en lichtvoetiger. Alice heeft hoge jukbeenderen en donker, glanzend haar dat naar achteren is getrokken. Ze lacht de zelfverzekerde lach van een vrouw die zich bewust is van haar schoonheid. De meisjes waren dan wel geen identieke tweeling, toch lijken ze erg op elkaar, met dezelfde woeste bruine krullen en roomkleurige huid: ik zou ze niet uit elkaar kunnen houden.

'Dit was Jessica,' zegt Deirdre, alsof ze mijn gedachten kan lezen.

Die navrante verleden tijd snijdt me door mijn ziel.

Ik staar naar het meisje dat met een gebit vol gaten staat te lachen, ik staar naar de hazelnootkleurige ogen die vol vertrouwen de wereld in kijken. Ik staar en ik staar, en zeg tegen mezelf: dit is Jessica, dit is haar gezicht, zo zag zij eruit. Het is absurd, maar ik betrap me erop dat ik verwacht had dat ze op Sylvie zou lijken, dat haar verschijning me iets duidelijk zou maken, me een aanknopingspunt zou geven. Maar dit meisje zou iedereen kunnen zijn.

Ik kijk om me heen en probeer alles van de kamer in me op te nemen, alles te onthouden, zodat ik Adam erover kan vertellen. Op de muur bij de foto hangen ook ansichtkaarten uit vakantieoorden, een poster van de Arctic Monkeys en certificaten van Gemma's muziekexamens. Ik laat mijn blik kortstondig op al deze dingen rusten, kijk dan koortsachtig verder, hongerig naar alles wat ik over haar te weten kan komen. Ineens gaat mijn aandacht weer naar de examencertificaten. Gemma's volledige naam staat erop. 'Dit certificaat is met lof uitgereikt aan Gemma Eleanor Murphy voor het behalen van het klarinetexamen voor gevorderden'.

Eleanor. De naam resoneert in mijn hoofd alsof iemand hem zojuist heeft uitgesproken. Allerlei uitspraken van Sylvie komen bij mij naar boven: *Jij bent mijn Lennie niet. Ze mogen dat niet zingen, Grace, zij is Lennie niet. Waar heeft Lennie zich verstopt? Ik moet Lennie vinden.*

Een kilte bevangt me, alsof er plotseling een ijzige wind in de kamer is opgestoken.

Ik draai me om naar Deirdre. Ik heb kippenvel over mijn hele lichaam.

'Hadden ze speciale namen voor elkaar? Koosnaampjes of zo, zoals zusjes soms hebben?'

'Dat zou ik niet weten,' zegt Deirdre. 'Als Gemma het over haar zusje heeft – wat zelden gebeurt – noemt ze haar altijd Jessica, alsof het veiliger is om het formeel te houden. Alsof ze afstand van haar wil nemen, haar niet te dichtbij wil laten komen.'

Plotseling gaat het windklokkenspel hevig tekeer. Ze zijn zo broos, die ronde en sikkelvormige stukjes schelp, zo dun als papier en bleek en breekbaar als botten. Als het nog iets harder gaat waaien zullen ze zeker kapotgaan.

'Gemma is erg gesloten,' zegt Deirdre, en dan herinner ik me dat Marcus precies hetzelfde over Alice opmerkte. 'Ze kropt alles op en houdt het voor zichzelf. Weet je, volgens mij is dat zo slecht nog niet. Wat heeft ze eraan om erover te praten? Ze krijgt ze er toch niet mee terug.' Ze leunt op de vensterbank en kijkt naar de zee. 'Soms denk ik dat dat de manier is waarop mensen dingen verwerken, dat het maar beter is om alles binnen te houden. Ik weet dat men zegt dat het goed is om te praten, maar er zijn dingen die onverdraaglijk zijn als je ze uitspreekt...'

Ik wil haar zo graag troosten, maar ik weet niet wat ik moet zeggen.

'Als ik Gemma's kamer zo zie, voel ik dat het een vrolijke kamer is,' zeg ik. 'Je voelt dat ze hier gelukkig is.'

Wat klinkt dat gladjes. Ik wou dat Adam bij me was.

Op het voeteneind van het bed ligt een veelkleurige zijden sjaal uitgespreid. Mijn oog valt erop omdat Lavinia ook zo'n sjaal zou kunnen dragen. Hij is prachtig, de zijde is bijna doorzichtig en de weelderige kleuren gaan onmerkbaar, haast vloeiend in elkaar over. Ik strijk lichtjes met mijn vingers over de stof. Het is zulke fijne zijde dat ik bang ben dat mijn vingers de stof zullen openhalen.

'Wat heeft ze mooie spullen,' zeg ik.

'Die heeft ze van Marcus gekregen, uit zijn boetiek in Dublin,' zegt Deirdre.

Met een ruk draai ik me om.

Ze maakt een berustend gebaar, alsof ze wil zeggen: wat kan ik eraan doen?

'Hij is erg dol op Gemma. Nou ja, ze lijkt ook op haar moeder...'

Ik vraag me af wat ze me hiermee wil zeggen – of ze suggereert dat ze een seksuele relatie hebben. Ze heeft een rood hoofd gekregen. Misschien denkt ze dat het me shockeert, en dat ik vind dat zij daar een stokje voor had moeten steken.

'Ik weet dat het een rare indruk maakt,' zegt ze. 'Ik bedoel, met dat leeftijdsverschil en zo. Maar hij is natuurlijk een heel charmante man.'

Ik probeer haar gerust te stellen.

'Oudere mannen kunnen heel aantrekkelijk zijn, vooral voor een tiener,' zeg ik tegen haar. 'Sylvies vader... die was veel ouder dan ik.'

Ze is me dankbaar en lacht een beetje aarzelend naar me.

'Het punt is,' zegt ze. 'Ik heb altijd het gevoel gehad dat ik Gemma niet echt streng kon aanpakken. Ze is mijn dochter niet, niet echt. Als ze van mij was, nou, dan had ik haar waarschijnlijk wel tot de orde geroepen. Maar ze was negen toen ze bij me kwam, en al een hele persoonlijkheid.'

'Ik denk dat ze toch hun eigen weg moeten vinden,' zeg ik tegen haar.

We gaan naar beneden, gevolgd door het geluid van het windklokkenspel, het geluid van iets wat voortdurend op het punt staat te breken. In de hal blijft ze bij de voordeur staan, maar doet hem nog niet open.

'Ik weet niet of je er iets aan hebt gehad,' zegt ze.

'Ja, het heeft zeker geholpen,' zeg ik tegen haar. 'Ik ben u erg dankbaar.'

'Ik wil je nog iets vragen,' zegt ze. 'Het kan zijn dat jullie Gemma tegenkomen in Coldharbour, als ze bij Marcus is.'

'Ja?'

'Je moet me absoluut beloven dat je niets tegen haar zegt. En vooral dat je Sylvie niet met haar in contact brengt.'

Ik voel me teleurgesteld.

'Je zult dit hard van mij vinden, dat weet ik,' zegt ze. 'Maar ze heeft een nieuw leven opgebouwd en ik moet er niet aan denken dat het verleden weer wordt opgerakeld. Ze is een heel veerkrachtig meisje, maar wat er toen gebeurd is heeft er ontzettend bij haar in gehakt. Ik wil niet dat alle wonden weer worden opengereten...'

'Nee, natuurlijk niet...'

Ze pakt mijn hand vast. Haar greep voelt gespannen.

'Beloof het me, Grace,' zegt ze.

Ze staat dicht bij me en kijkt me indringend aan. Ik kan haar verzoek niet weigeren.

'Ik beloof het.'

'Bedankt,' zegt ze. 'Trouwens, ik vertel haar niet dat je hier geweest bent, hoewel ze er waarschijnlijk wel achter komt, want er wordt hier behoorlijk gekletst.'

Ze doet de deur voor me open. Het is koud in de deuropening: ze trekt haar wollen jasje dichter om zich heen. Met haar vriendelijke ogen kijkt ze me vermoeid en zorgelijk aan.

'Grace, geloof jij nou echt al die dingen die Sylvie zegt?'

Ik wil haar naar waarheid antwoorden, maar ik weet niet wat waar is.

'Ja en nee, allebei,' antwoord ik. 'Het spijt me, dat klinkt heel stom...'

'Nee, hoor, helemaal niet.' Haar ogen rusten nog steeds op

mijn gezicht. 'Vergeet niet wat je me beloofd hebt, Grace.'

Bij het hek draai ik me om om naar haar te zwaaien, maar ze is al weg.

48

Ik word wakker van Adams stem die door de muur te horen is. Hij is op een indringende, scherpe toon aan het telefoneren, maar ik kan niet verstaan wat hij zegt. Ik vraag me af wat er gebeurd is dat hem zo opwindt.

Sylvie is met haar lego aan het spelen en blijft op de kamer als ik naar beneden ga. Hij zit al aan ons tafeltje en ziet er bedrukt uit.

'Gaat het wel goed met je?' vraag ik.

Hij lacht een beetje droevig.

'Je hebt het dus gehoord,' antwoordt hij.

'Niet echt. Ik kon het niet verstaan, maar je klonk niet erg vrolijk...'

Even zegt hij niets en drinkt langzaam van zijn koffie. Het is prettig in de eetkamer: het zonlicht valt over ons heen en er staat een vaas met narcissen die een vage, kruidige geur afgeven.

'Je had gelijk over Tessa,' zegt hij uiteindelijk.

Ik begrijp niet wat hij bedoelt.

'Ik weet niet meer wat ik heb gezegd,' zeg ik tegen hem.

'Je vroeg je af wat zij ervan vond dat ik hier met jou naartoe ging. Of ze daar geen moeite mee had.'

'O, dat.'

'Het blijkt inderdaad dat dat het geval is,' zegt hij. 'Ze heeft er moeite mee.' Hij slaat zijn blik neer en kijkt naar zijn handen, niet naar mij. Weer verschijnt dat scheve lachje. 'Misschien heb ik iets te veel over je gepraat...'

Ik voel dat mijn gezicht vuurrood wordt.

Dan kijkt hij me recht in de ogen. Mijn maag trekt zich samen en draait zich om.

Net als Sylvie heb ik geen honger en knabbel ik alleen aan een stukje toast. Wel schenk ik steeds opnieuw koffie in. Ik wou dat dit ontbijt uren duurde, alleen maar om zo dicht bij hem te kunnen zitten in het zonlicht en de bloemengeur.

We hebben het over wat Deirdre tegen me gezegd heeft, en nemen alles nog een keer door.

'Zoveel dingen die gebeurd zijn lijken erdoor verklaard te worden,' zegt Adam. Hij is geanimeerd, zijn ogen glimmen. 'Zoals wat Sylvie zei over de kinderen die ze getekend had...'

'Als twee druppels water.'

'Ja, precies,' zegt hij.

'Ik wou dat ik niet had hoeven beloven dat ik de meisjes uit elkaars buurt zou houden.'

'Je had weinig keus. En vanuit Deirdres standpunt bezien is het heel begrijpelijk, als je bedenkt wat Gemma allemaal heeft meegemaakt.' Hij schudt lichtjes zijn hoofd. 'Maar mijn god, het is wel heel erg verleidelijk!' zegt hij.

Ik denk dat hij het beter had aangepakt met Deirdre, dat hij er minder gauw mee had ingestemd.

'Misschien heb ik te snel toegegeven, het spijt me,' zeg ik.

'Onzin,' zegt hij tegen me.

Hij legt zijn hand op mijn pols, heel zachtjes en maar een paar seconden. Warmte stroomt door me heen.

Ik ben al tegen Sylvie aan het praten als ik onze kamerdeur opendoe.

'Het is tijd om te gaan, schat. Trek je schoenen aan...'

Het blijft doodstil in de kamer.

'Sylvie?'

Ik klop op de badkamerdeur. Geen reactie. Ik doe de deur open. De kraan staat nog open maar er is niemand. Ik vervloek mezelf dat ik me heb laten gaan en al die tijd met Adam beneden heb gezeten in plaats van meteen terug te komen.

Ik loop de gang in.

'Adam!'

Ik roep hem al voor ik bij zijn deur ben aangekomen.

Hij komt aanlopen terwijl hij bezig is een trui aan te trekken.

'Sylvie, ze is weg.'

'Wát?' Hij kijkt me met grote ogen aan.

'Adam, zou iemand haar hebben meegenomen? Zou ze gekidnapt zijn?'

'Ze moet nog in het hotel zijn,' zegt hij tegen me.

Maar ik hoor een zweem van angst in zijn stem.

We zoeken in de lounge, de bar, de tuin. Sylvie is nergens te bekennen. Ik roep haar met een dunne, schrille stem. Ik ben een en al nerveuze energie, eigenlijk wil ik rennen, maar ik weet niet waarheen. Een misselijkmakende golf van paniek raast door me heen.

Adam legt zijn hand op mijn arm.

'Laten we teruggaan naar jullie kamer, om te kijken of er iets weg is...'

Hij rent voor me uit de trap op. Op de overloop werpt hij een blik door het raam, dat over de zee uitkijkt.

'Grace, kíjk!'

Heel in de verte, tussen de weg en de zee, tekent zich tegen het brede witte strand een klein rennend figuurtje af. Ik herken Sylvie onmiddellijk aan haar doelgerichtheid, haar dwingende manier van bewegen.

'Godzijdank.'

Ik voel een grote opluchting – dat ze er is, dat ze nog leeft. Maar dan komt de paniek weer opzetten, want ze is in haar eentje de straat overgestoken en rent nu recht op de zee af. Het is me een raadsel waarom ze op het strand is, de plek waar ze tot voor kort geen stap durfde te zetten. Ik ben zo bang dat haar iets overkomt.

Zo hard ik kan ren ik naar beneden, de foyer door. Adam rent achter me aan maar ik ben sneller dan hij.

Ik ren de straat op. De zilte wind slaat me tegemoet. Ik sta al met een voet op de weg als Adam me bij mijn arm grijpt en me nog net op tijd wegtrekt voor een vrachtwagen die ik helemaal niet heb gezien. De chauffeur scheldt me uit en ik voel een golf hete, verschroeide lucht als hij voorbijdendert. Ik sta bevend te hijgen.

Adam blijft mijn arm vasthouden als hij me, zodra de weg vrij is, naar de overkant begeleidt. Meteen daarna maak ik me van hem los en ren de trappen af naar het strand. Het laatste stuk spring ik naar beneden, me aan de reling vastgrijpend om niet te vallen.

Ze is nog een heel eind van ons vandaan en lijkt recht op de zee af te rennen. Angst heeft me in zijn greep. Ik bedenk hoe snel het tij opkomt en herinner me wat Brigid zei over de verraderlijke stromingen. Een kind is zo verdronken.

Het is moeilijk rennen op het strand. Mijn voeten zakken weg en het natte zand zuigt mijn schoenen naar beneden.

Ze maakt een bocht naar links, langs een langwerpige rotspartij die zich naar de zee uitstrekt. Ik begin dichter bij haar te komen en nu kan ik ook zien waar ze naartoe rent. Alles wordt duidelijk als ik zie naar wie Sylvie onderweg is. Het meisje is nog heel ver weg en staat met haar rug naar ons toe. Ik zie haar smalle schouders en haar lange lokken. Ze draagt een kort spijkerrokje, haar blote benen zijn melkwit en ze heeft haar sandalen in haar hand. Er is iets speciaals aan de manier waarop ze loopt, een beetje traag en lusteloos, alsof de aanraking met het natte zand iets sensueels voor haar heeft. De wind krijgt vat op de sjaal die ze om heeft: de uiteinden wapperen sierlijk omhoog, waarbij alle kleuren, die onmerkbaar, haast vloeiend in elkaar overgaan, zichtbaar worden.

Sylvie roept iets. Hoewel de wind haar woorden vervormt, kan ik ze nog net verstaan.

'Lennie! Ík ben het! Lennie!'

Het meisje loopt door. Misschien heeft ze het niet gehoord. Ze is bij de tweede trap aangekomen. Haar sjaal wappert achter haar aan en net als op een olievlek glanst het hele kleurenspectrum op. Dan blijft ze even staan en laat ze haar schoenen vallen. Ze vallen op hun kant en ze schopt ze rechtop.

'Lennie! Wacht op mij! Ík ben het! Ik kom eraan!'

Het meisje draait zich om. Ik kan haar gezicht zien en er is geen twijfel mogelijk: het is het meisje van de foto die ik bij Deirdre heb gezien. Ze staart een moment naar Sylvie. Ik merk dat ik gestopt ben met rennen. Ik wacht. Alles wacht. De wind is gaan liggen en het strand voelt uitgestrekt en hol, net zo leeg als de weidse hemel boven ons. Ik hoor de geluiden van de boulevard: het suizen van passerende auto's, een hond die naar een meeuw blaft. Heldere geluiden, en toch lijken ze onmetelijk ver weg.

Het donkere haar van het meisje is voor haar gezicht gewaaid. Ze strijkt het weg met haar hand. In het witte zeelicht kan ik de geslotenheid van haar gezicht zien, de niet-begrijpende, lege blik waarmee ze onze kant op kijkt. Dan haalt ze lichtjes haar schouders op, draait zich om en loopt de trap op, naar de weg.

Vrij plotseling blijft Sylvie staan. Vanwaar ik sta ziet het eruit alsof iemand op haar geschoten heeft: ze lijkt te verschrompelen, haar lichaam klapt dubbel. Ze zit op haar knieën en heeft haar armen om zich heen geslagen. Ze snikt, de wind brengt het geluid naar me toe. Het breekt mijn hart.

Het meisje met het lange donkere haar slaat geen acht meer op haar. Nu ze haar schoenen aanheeft klimt ze nog sneller de trap op en loopt weg in de richting van Kinvara House.

Eindelijk kom ik bij Sylvie aan. Ik kniel naast haar neer en neem haar in mijn armen. De trilling van haar amechtig kloppende hart gaat door in mijn lichaam. Ik druk mijn mond in haar haar. Een grote woede komt in me op. Ik ben woedend op alles en iedereen – iedereen met wie ik te maken heb behalve Sylvie. Op Adam omdat hij ons hierheen heeft gebracht en Sylvie heeft blootgesteld aan al dit verdriet. Op mezelf omdat ik ermee heb ingestemd, en op Deirdre vanwege haar waarschuwing en de belofte die ik haar heb moeten doen. Maar ik ben vooral woedend op het koele, afstandelijke meisje dat zojuist is weggelopen en niets heeft willen geven.

Uiteindelijk komt Sylvie tot rust. Ik word me weer bewust van de wereld om me heen en van Adams hand op mijn arm. De knieën van mijn spijkerbroek zijn nat en stijf van het zand.

'Zullen we teruggaan?' vraag ik aan haar.

Sylvie reageert niet.

Ik help haar overeind, en als ik haar hand vastpak voel ik

dat die heel koud is. Ze is zachtjes aan het huilen. We lopen terug over het strand. Het tij is gekeerd en de vloed komt opzetten. Onze voetafdrukken lopen vol met water waarin de blauwe lucht weerspiegeld wordt.

Adam kijkt me van opzij aan.

'Gaat het een beetje?' vraagt hij zacht.

'Nee, niet echt,' antwoord ik.

Onder aan de trap ter hoogte van ons hotel gaan we zitten, trekken onze schoenen uit en kloppen het zand eruit. De veters van een van Sylvies gympen zijn losgeraakt en ze knoopt ze langzaam en zorgvuldig dicht. Haar gezicht is streperig van de tranen. Ze gaat een paar treden hoger zitten en tekent met haar vinger in het dunne laagje zand dat op de trede ligt. De zee is blauw en onschuldig en heel, heel ver weg, aan de rand van de zichtbare wereld, is die ongerepte donkere lijn te zien, daar waar de lucht en de zee elkaar raken.

We blijven nog even zitten, ik ben nog niet in staat om me te verroeren. De adrenaline is weggezakt en er is een verpletterende moeheid over me gekomen.

Adam richt zich tot mij.

'Was dat het meisje van wie Deirdre je een foto heeft laten zien, was het Gemma?'

'Ja.'

'En Sylvie heeft echt nooit een foto van haar gezien?'

'Nee,' antwoord ik.

Heel langzaam schudt hij zijn hoofd. Zijn ogen zijn groot en verbaasd.

Sylvie heeft ons gehoord.

'Zij is mijn Lennie, Grace.'

'Ja, schat.'

Plotseling word ik bevangen door de ijlheid van alles, alsof dit leven, deze wereld nietig en dun is, als een laagje zeep of een lap fijne, bedrukte zijde: broos, veelkleurig en vergankelijk.

Ze komt een paar treden naar beneden en gaat naast me zitten. Er zitten korstjes tussen haar wimpers van het huilen.

'Waarom wilde ze niet met me praten?' zegt ze. 'Waarom wilde ze niet bij me blijven? Ze liep gewoon weg en wachtte niet op me, Grace.'

Ik weet niet wat ik zeggen moet.

49

Brigid klopt op onze deur.

'Deirdre Walker is er, ze wil jullie zien!' zegt ze stralend.

Een golf van dankbaarheid overspoelt me: dit is een geschenk, een buitenkans. Nu kan ik haar ervan overtuigen dat Sylvie en Gemma elkaar moeten ontmoeten.

Ik roep Adam en we gaan samen met Sylvie naar beneden – ik ben vastbesloten haar niet meer uit het oog te verliezen. Deirdre zit in de lounge op ons te wachten. Ik installeer Sylvie bij de televisie, waar een tekenfilm op vertoond wordt, en ga naar Deirdre om haar te begroeten en Adam aan haar voor te stellen. Maar Deirdre groet niet terug en lacht evenmin. Haar gezicht is bleek en vermoeid.

'Ik wilde je zeggen dat ik ontzettend kwaad op je ben. Na wat je me beloofd hebt.' Haar stem klinkt scherp en beschuldigend. 'Je hebt haar aangesproken, hè? Je bent naar Gemma toe gegaan en hebt met haar gepraat. Na alles wat ik je verteld heb.'

Aan haar manier van doen is te merken dat ze niet gewend is de confrontatie aan te gaan. Ze moet zichzelf dwingen om dit doen.

'Maar we hebben niet met Gemma gesproken. U moet me geloven,' zeg ik tegen haar.

'Ik wéét dat het zo is,' zegt ze.

We staan een moment tegenover elkaar. Haar kille woede lijkt misplaatst in de huiselijke sfeer van het hotel, te midden van de verschoten bloemetjeskussens en het onregelmatige tikken van de klok.

'Ik zal u vertellen wat er gebeurd is,' zeg ik tegen haar. 'We hebben Gemma gezien. We zagen haar op het strand. Sylvie was achter haar aan gegaan, ze moet haar door het raam van de hotelkamer hebben gezien. Ik ben achter Sylvie aan gerend en het duurde een tijd voor ik bij haar was. Maar ze is niet bij Gemma aangekomen. Ze heeft haar geroepen maar Gemma antwoordde niet. Ik heb haar absoluut niet benaderd. Dat had ik beloofd en dat heb ik ook niet gedaan.'

Ze kijkt me onderzoekend aan.

'Is het echt waar wat je zegt?'

'Ja, absoluut,' antwoord ik.

Plotseling gaat ze zitten, ze valt neer in een stoel alsof er zonder haar boosheid niets meer is wat haar overeind houdt.

'Het spijt me dat ik je beschuldigd heb,' zegt ze.

Ze zit er verslagen, in elkaar gezakt bij en strijkt met haar hand over haar gezicht.

Adam gaat naast haar zitten.

'Zal ik koffie halen?' vraagt hij.

'Ja graag, dankjewel.'

Brigid brengt een blad met koffie. Deirdre pakt een kopje en knijpt er zo hard in dat de bleke botjes van haar vingers door de huid heen te zien zijn.

'Grace, er is iets wat ik je niet verteld heb toen je bij me was. Sinds een paar weken is Gemma nogal down. Ze heeft me verteld dat ze over haar moeder en haar zusje droomt.' Zonder te hebben gedronken zet ze haar kopje neer. 'Vannacht had ze een nachtmerrie. Ze was erg overstuur toen ze wakker werd en zat te huilen aan het ontbijt. Daarom was ik er zo zeker van dat jullie met haar gesproken hadden.'

'Hebt u haar over ons verteld?' vraagt Adam.

'Ik heb geen woord over jullie gezegd,' antwoordt ze. 'Maar ze heeft misschien wel over jullie gehoord. Het kan dat erover gepraat wordt, op haar school misschien.'

'Als het door ons komt dat ze zo ongelukkig is, dan spijt me dat echt,' zeg ik.

Ze buigt haar hoofd, als teken dat ze dit aanvaardt.

'Er is iets waar ze het steeds weer over heeft,' zegt ze. 'Een herinnering die ze heeft. Nou ja, ik weet niet of het een herinnering is. Het is iets wat steeds weer in haar opkomt.'

In mijn achterhoofd voel ik een soort angst, er begint iets te trillen als de vleugel van een vlinder.

'Het gaat over de middag voor ze verdwenen,' zegt ze tegen ons. 'Gemma herinnert zich dat haar moeder de telefoon opnam, en ze denkt dat ze haar hoorde zeggen: *Goed, ik ben er voor zevenen.* Ze zegt dat haar moeder gelukkig klonk, alsof ze een afspraak had met iemand die ze kende. Ze klonk niet als iemand die van plan was er een eind aan te maken... Ze herinnert zich dat haar moeder in de gang voor de spiegel stond en lippenstift opdeed. Ze perste haar lippen tegen elkaar aan om de lippenstift egaal te verdelen. Ze zegt dat ze haar moeder hoorde neuriën...'

Ik werp een blik op Adam. Hij zit alert en geconcentreerd te luisteren.

'Heeft ze dit ooit aan iemand verteld? De politie – Brian Ennis?' vraagt hij.

'Ze heeft er destijds niets over gezegd,' zegt Deirdre. 'Ze was pas negen. Ze verkeerde in een shock – ze heeft een tijdje vrijwel niet gepraat. Alleen tegen mij en tegen haar vader zei ze weleens wat. Dus nee, ze heeft er toen niets over gezegd. Ze was zo in de war, ik denk dat alles één grote vage brij voor haar was.'

'En na die tijd?' vraagt Adam.

'Nee, ik geloof het niet,' zegt Deirdre. 'Pas de laatste paar weken begint het een obsessie te worden. Ik weet zeker dat ze niet naar de politie is gegaan... Het punt is, de helft van de tijd gelooft ze het zelf niet. Dan zegt ze: "Deirdre, wat vind jij ervan? Denk je dat ik het verzonnen heb? Kun je herinneringen verzínnen?"'

'Is dat wat u denkt?' vraagt Adam. 'Dat ze het verzonnen heeft?'

'Ik weet het echt niet.' Vol twijfel haalt ze haar schouders op, alsof ze niet gewend is dat er naar haar mening wordt gevraagd. 'Eén ding weet ik wel, en dat is dat Gemma niets liever wil dan dat er bewijs zou komen dat het geen zelfmoord was. Wat ze namelijk niet kan verdragen, nog steeds niet, is dat haar moeder ervoor zou hebben gekozen haar in de steek te laten en haar zusje met zich mee te nemen.'

Even valt ze stil. De klok tikt en wij wachten op haar.

'Ik heb eens iets gelezen over zelfmoord,' vervolgt ze. 'In een tijdschrift. Er stond dat wanneer je iemand verliest door zelfmoord, het rouwproces veel moeilijker is dan na een ander soort overlijden... Voor de nabestaanden is het de ergste manier waarop iemand kan sterven.'

'Ja,' zeg ik.

'Ik probeer haar duidelijk te maken dat haar moeder háár niet in de steek heeft gelaten, maar dat ze het léven vaarwel heeft gezegd. Toch voelt ze zich erg in de steek gelaten. Ze is zo wanhopig op zoek naar een andere verklaring.'

'Ja,' zeg ik. 'Dat is logisch.'

'Ik moest maar weer eens gaan.' Ze trekt haar vest dicht om zich heen, alsof het haar bescherming kan bieden. 'Ik had jullie niet moeten beschuldigen,' zegt ze.

Bij de deur nemen we afscheid.

Ik wend me naar Adam.

'Ze leek te suggereren dat ze dacht dat Gemma het verzonnen had. Die herinnering aan haar moeder.'

'Ja,' zegt hij.

'Wat denk jij ervan?'

'Ze zou gelijk kunnen hebben. Het is duidelijk wat Gemma beweegt en dat het een behoefte van haar vervult. Geloof me, ik kan dat begrijpen. Dat je op zoek gaat naar een ander verhaal, een andere verklaring – een die minder pijnlijk is.'

Ik weet dat hij aan Jake denkt, want hij heeft zo'n gekwelde uitdrukking op zijn gezicht. Wat zou ik graag mijn armen om hem heen slaan.

'Dus ja,' vervolgt hij, 'psychologisch gezien is het niet zo vreemd... Maar dat wil niet zeggen dat het niet gebeurd is,' zegt hij.

Even blijft het stil.

'Herinner je je nog Brigids theorie over die huurmoordenaar?' zeg ik. 'Dat Gordon erachter kwam dat Alice en Marcus iets met elkaar hadden en iemand inhuurde om haar te vermoorden? Dat zou wel kloppen met Gemma's herinnering.'

'Ja, dat zou kunnen,' zegt hij.

'Moeten we ermee naar de politie?'

'Misschien. Maar als bewijs stelt het weinig voor, na al die jaren. Vooral omdat ze er indertijd niets over heeft gezegd...'

Ik schrik als zijn telefoon plotseling begint te rinkelen. Ik voel me breekbaar en gespannen.

'Brian,' zegt hij geluidloos tegen mij.

Ik verwacht dat hij Brian zal vertellen over wat we van Deirdre hebben gehoord, maar hij luistert alleen maar. Ik kom er niet achter wat Brian tegen hem zegt.

'Zeker,' zegt Adam. 'Nou, dat is geweldig nieuws.' Hij beëindigt het gesprek en kijkt me stralend en triomfantelijk aan. 'Ze gaan de poel in de steengroeve dreggen,' zegt hij.

Dit geeft me een schok. Dat het gaat gebeuren, dat wij het in gang hebben gezet.

'Brian is er gaan kijken. Hij heeft dat pad van mij gevonden. Ik vind het geweldig dat hij Sylvie zo serieus heeft genomen,' zegt Adam.

Ineens klinkt het tikkende geluid van hoge hakken. Het is Brigid die het blad op komt halen. Ze kijkt ons met fonkelende, nieuwsgierige ogen aan.

'Goed nieuws, hoop ik?'

'Ja, heel goed, dank je,' zegt Adam.

Ik vraag me af wat ze van ons gesprek heeft opgevangen.

Als ze het blad wil pakken, stoot ze met de zijkant van haar hand tegen het melkkannetje. Het wiebelt en de melk gulpt over de rand.

'Wat stom van mij.'

Haar mond staat strak, ze is boos op zichzelf hoewel ze alleen maar op het blad heeft gemorst.

'Het geeft toch niet,' zeg ik tegen haar.

'Het geeft wel, Grace. Ik kan het niet uitstaan als ik onhandig ben.'

Die avond kan ik niet in slaap komen. Ik hoor de inmiddels vertrouwde geluiden uit Adams kamer: het ruisen van de douche, gevolgd door zijn stem als hij, vermoedelijk, met Tessa belt. Na het telefoongesprek hoor ik hem zijn bedlampje aandoen, waarna het stil wordt. Ik wou dat hij nog wat langer bezig was, het geeft me een veiliger gevoel als ik hem kan horen.

Uiteindelijk sta ik weer op, trek een jas aan over het t-shirt waarin ik slaap, pak een flesje whisky uit de minibar – een heel klein flesje, ik neem niet de moeite er een glas bij te zoeken – en ga op het balkon zitten.

Het dorp is stil geworden, boven mij is de hemel bezaaid met bleke sterren en het glanzende zwart van de zee strekt zich voor me uit. De enige kunstmatige verlichting komt van de lantaarns op de aanlegsteiger die een oranje lint over de kabbelende golfjes werpen. Er ligt een flauw schijnsel van kil maanlicht over het water. Ik zie dat de maan is afgenomen sinds de avond waarop we pech kregen in het veenmoeras, toen ze zo rond en stralend boven de berg opkwam. Dat ze nu afneemt herinnert me eraan dat we al bijna weer naar huis gaan. Ik tel de dagen af op mijn vingers: nog twee en we vliegen alweer terug. Plotseling word ik overvallen door een hevig verlangen naar Londen, naar de straten en de bussen, de rokerige lucht, naar de Londense nachten die altijd verlicht zijn en druk, niet ondoordringbaar, schimmig en vol geheimen hier in Ierland.

Een zuchtje zeewind brengt de franje van de parasol in beweging. Ik vraag me af wat ze in de groeve zullen vinden, en weer voel ik een mengsel van opwinding en angst. Ik merk dat mijn tanden klapperen: de kou is in mijn kleren gedrongen. Ik sla mijn jas dichter om me heen. Ineens moet ik denken aan iets wat Lavinia eens tegen me zei, de opmerking van die oude priester. *Het zijn niet de doden voor wie we bang moeten zijn, maar de levenden...* Ik hoor haar doorrookte, nostalgische stem en het is alsof ze naast me zit.

Het zijn de levenden die we moeten vrezen.

50

We rijden over de kustweg naar het noorden. Er is wat ochtend-
nevel en een zacht briesje van zee.

We komen langs een kruising die ik herken. Als je hier rechtsaf slaat, een kleinere weg in, kom je uit bij Gaviston Pits, waarna
je iets verder heuvelopwaarts weer op de weg naar Barrowmore
uitkomt.

Ik kijk tersluiks naar Adam.

'Wat vind je? Zullen we er even langsrijden, alleen om te kijken of er al iets gebeurd?'

'Misschien zijn ze nog niet eens begonnen,' zegt Adam.

Maar hij slaat toch rechts af. De lucht is scherp en bleek als
tin. De zon schijnt wit door de mist, en de bergen in de verte hebben een asblauwe kleur. De weg kronkelt het binnenland
in en algauw laten we de zee achter ons. Als we het pad naar de
groeve naderen, zien we zwaailichten flitsen.

'Er is iets gaande,' zeg ik. 'Ze zijn vast al begonnen.'

Adam mindert vaart. We gaan de bocht om, onder de eik die
over de weg hangt. Vier politiewagens staan bij de ingang van
de groeve geparkeerd. Hun dwingende lichten flitsen over ons
heen. Er is ook een ambulance en een grote witte bestelbus waar
'Technisch Bureau' op staat, vermoedelijk zit daar alle appara-
tuur voor forensisch onderzoek in. Het ziet er indrukwekkend
uit, de hele uitrusting en al die officiële voertuigen. En dat allemaal door ons toedoen. Plotseling heb ik spijt: het is te groot geworden.

Doordat er zoveel auto's geparkeerd staan komen we een heel
eind voor de ingang van de groeve tot stilstand.

'Er staat een ambulance,' zeg ik.

'Ja,' zegt Adam.

'Wat zou dat betekenen, die ambulance?'

'Geen idee. Misschien niets. Misschien gaat er altijd een ambulance mee, voor het geval dat. Ik bedoel, mochten ze iets vinden...'

Ik werp een blik op Sylvie. Ze heeft *Rupsje Nooitgenoeg* open op haar schoot liggen en drukt haar vinger door een van de gaatjes waar de rups zich doorheen heeft gegeten. Ze lijkt zich totaal niet bewust van alles wat er om haar heen gebeurt. We staan heel ergens anders geparkeerd dan de andere keren dat we hier waren, dus ik hoop dat we ver genoeg verwijderd zijn van de plek waar ze steeds moest overgeven.

Een koortsachtige nieuwsgierigheid heeft zich van mij meester gemaakt.

'Ik wil weten wat er gebeurt,' zeg ik tegen hem.

'Goed, ga maar kijken.' Hoewel ik weet dat hij ook nieuwsgierig is en graag met me mee zou gaan. 'Ik blijf wel bij Sylvie.'

Ik stap uit. Sylvie klautert naar voren, gaat op mijn plaats zitten en duwt Adam haar boek in handen.

Ik loop over het pad. Het is hier mistiger dan aan de kust: alles ademt vocht uit, ik voel mijn haar nat worden. De braamstruiken slaan tegen mijn broekspijpen en de bloeiende gaspeldoorns geven een zware kokoslucht af.

Bij het paadje dat Adam heeft gevonden en dat langs de rand van de groeve naar beneden leidt, zie ik dat de bosjes gedeeltelijk zijn weggehaald. Op een gegeven moment kan ik niet verder, er is een lint over het pad gespannen. Beneden, aan de modderige oever van het water, staat een groepje politiemensen. De meesten zijn in uniform. Ze staan rustig met elkaar te praten en het ziet er allemaal niet hectisch uit, maar het valt me wel op dat niemand lacht. Er komt een duiker naar boven. In zijn rubberen duikpak is hij glad als een zeehond en om hem heen rimpelt het water zilverig naar de kant. Hij duwt zijn duikmasker omhoog en schreeuwt iets tegen het wachtende groepje. Zijn galmende stemgeluid heeft die eenzame klank van stemmen die over het water roepen, alsof ze van heel ver komen. Dan trekt hij zijn masker weer naar beneden en glijdt terug, de diepte in.

Brian is er ook, hij staat te praten met een slanke blonde vrouw. Ze ziet er tot in de puntjes verzorgd uit en heeft een autoritaire, harde uitstraling. Ik denk dat ze zijn meerdere is.

'Brian!'

Hij hoort me, kijkt op en ziet me staan. Hij lijkt niet verrast door mijn aanwezigheid en steekt ter begroeting zijn hand naar me op.

'Kom maar naar beneden,' roept hij.

Hij lijkt zo ernstig, dat bevalt me helemaal niet.

Ik duik onder het lint door en klauter naar beneden. Er zoemen allerlei insecten om me heen, ze maken te veel lawaai, het klinkt onheilspellend, als het tikken van een ketel die droog staat te koken. Als ik bij het water ben aangekomen draait Brian zich naar me om en legt zijn hand op mijn arm.

'Grace, dit is inspecteur Maria Grenville,' zegt hij. 'Maria, dit is Grace Reynolds, over wie ik je verteld heb.'

Ze heeft koele grijze ogen en een efficiënte handdruk.

Dan valt er een korte stilte. De vrouw kijkt me met haar grijze ogen aan en strijkt een haarlok achter haar oor. Ik besef dat Brian haar alles over ons verteld heeft.

'Grace,' zegt Brian. 'Wat ik je nu ga vertellen is strikt vertrouwelijk.'

Ik knik, hoewel ik het niet helemaal begrijp.

'Dit is niet de gebruikelijke procedure, maar de situatie is dan ook hoogst ongebruikelijk,' zegt hij. 'We hebben al mensen bij Deirdre en Gordon langs gestuurd om met hen te praten...'

Mijn hart slaat op hol en de angst komt opzetten.

Brian schraapt zijn keel.

'Het ziet ernaar uit dat jullie gelijk gaan krijgen – Sylvie en jij,' zegt hij.

Ik weet ineens niet meer zeker of ik dat wel wil.

'We hebben iets gevonden,' zegt hij.

Het duurt even voor hij verder praat en ik merk dat ik mijn adem inhoud.

'Ze lagen op de bodem van de groeve,' zegt hij uiteindelijk.

'Ze?'

'De duikers hebben twee lichamen gevonden, van een volwassene en een kind.'

Mijn hart gaat tekeer.

'O, mijn god.'

'We weten het natuurlijk nog niet zeker – tot we het rapport van de technische recherche hebben...'

'Maar het zijn Alice en Jessica, hè?'

'Dat is mogelijk, Grace,' antwoordt hij. Hij klinkt bezorgd en een beetje defensief. 'Achteraf is het altijd makkelijk praten natuurlijk... Maar we hadden indertijd beter moeten zoeken.'

'Is er iets te zien... ik bedoel, is er iets wat wijst op de doodsoorzaak?' vraag ik.

Hij wendt zich tot de vrouw naast hem.

'Bij de lichamen zijn stenen gevonden en die zaten ook in hun kleren,' zegt ze. 'We kunnen het nog niet met zekerheid zeggen, maar ze zien er niet uit als stenen die uit de groeve komen.'

'Bedoelt u dat iemand stenen in hun kleren heeft gedaan?' vraag ik. 'Alice, voor ze zelfmoord pleegde? Alice heeft stenen in hun zakken gestopt – die van haar en van haar dochter – zodat ze zouden verdrinken?'

'Dat is een mogelijke theorie,' zegt de vrouw. 'Dat Alice het gedaan heeft.'

Maar er is iets afstandelijks aan de manier waarop ze dit zegt: ik voel dat dit niet is wat zij denkt.

'En de andere theorie?' vraag ik haar. 'Wat zou die kunnen zijn?'

'Eerst moet de technische recherche het onderzoeken natuurlijk,' zegt Brian.

'Ja, natuurlijk,' zeg ik tegen hem.

'Maar we denken sporen van een kogel te zien op een rib van het kind. We denken dat er op het kind is geschoten voor ze in het water terechtkwam. Misschien was ze toen nog niet dood, maar er is zeker op haar geschoten.'

'Alice?' zeg ik. 'Zou Alice dat schot hebben gelost?'

Hij schudt zijn hoofd.

'Alice had nog nooit een vuurwapen gebruikt en er was geen

aangifte gedaan van de diefstal van een wapen. We kunnen niets uitsluiten, maar dat lijkt uiterst onwaarschijnlijk.'

'Je denkt dat ze door iemand anders vermoord zijn,' zeg ik.

'Er zijn nog een heleboel vragen,' zegt hij. 'Maar in die richting denken we momenteel wel. Dat iemand anders ze heeft neergeschoten en dat de stenen in hun kleren zijn gestopt om ervoor te zorgen dat ze op de bodem bleven liggen, om het bewijsmateriaal te verdonkeremanen. Mensen die verdrinken komen na vier à vijf dagen bovendrijven. Hun lichamen vullen zich met gas en komen weer naar boven, niet iedereen denkt daaraan. Moordenaars zijn niet altijd de slimsten... Maar degene die dit heeft gedaan – je voelt gewoon dat erover is nagedacht. Hij wist wat hij deed...'

'Nou, laten we niet te hard van stapel lopen,' zegt de vrouw.

'Neem me niet kwalijk, mevrouw.' Hij wendt zich weer tot mij. 'Inderdaad is dat wat we nu denken. Dat we er met de theorie die we hadden misschien wel helemaal naast zaten.'

'Hebben jullie ook al een verdachte op het oog?' vraag ik. Ik denk aan Gordon en wat Brigid ons over hem vertelde. Maar op hetzelfde moment zie ik de verlegen man voor me die ons Flag Cottage liet zien en hoop ik dat het niet waar is.

De vrouw kijkt me streng aan.

'Uiteraard moeten we eerst wachten op het verslag van de patholoog-anatoom. We moeten dit niet overhaasten.'

'Nee, natuurlijk niet,' zeg ik.

'Ik bel je wel, Grace,' zegt Brian. 'Zodra er iets nieuws te melden is.'

'Mag ik het Adam vertellen?' vraag ik.

'Natuurlijk,' zegt hij. 'Maar hou het verder stil.'

'Dat beloof ik.'

'U hebt ons erg geholpen,' zegt de vrouw. Ze schudt me nogmaals, een beetje formeel, de hand. 'We houden contact,' zegt ze tegen me.

'Dank u wel,' zeg ik.

Over het kiezelpad klim ik terug naar boven, zo af en toe uitglijdend doordat er steentjes onder mijn voeten wegschieten.

Boven gekomen kruip ik onder het afzetlint door. Verderop, bij de ingang naar de groeve, zie ik de ambulance wegrijden, waarschijnlijk naar het mortuarium van het ziekenhuis in Barrowmore. Ik zie die stille, deprimerende ruimtes voor me die je soms op de televisie ziet, met van die uitschuifbare stalen laden voor de lichamen. De ambulance rijdt langzaam weg, met zwaailicht maar zonder sirene. Het heeft iets onheilspellends, alsof het zich in een droom afspeelt.

Ik ben bijna bij de auto aangekomen en zie dat Adam nog steeds bezig is met voorlezen. Ze lachen samen, ik denk dat ze nu samen de lijst opdreunen van dingen die de rups heeft opgegeten: één stuk chocoladetaart, één ijsje... Ze hebben me nog niet gezien.

Ik draai me om en ren terug over het pad. Plotseling is er nog iets in me opgekomen, iets waar ik achter moet zien te komen. Ik duik onder het afzetlint door en baan me een weg naar beneden.

Brian staat nog steeds met de blonde inspecteur over het water uit te kijken.

'Brian.' Ik ben buiten adem en mijn stem klinkt hees en schriel.

Ik pak hem bij zijn pols. De vrouw kijkt me scherp aan.

'Brian,' zeg ik nogmaals. 'Was er nog iets te zien aan de lichamen – iets specifieks? Iets wat jullie ervan overtuigd heeft dat het de lichamen van Alice en Jessica zijn?'

Hij aarzelt en kijkt naar de vrouw naast hem, alsof hij toestemming wil vragen. Ze knikt.

'Ze hebben een armband gevonden,' zegt hij. 'Op de bodem van de groeve, bij Jessica's lichaam. Waarschijnlijk van haar arm gegleden toen ze... nou ja, zo'n lichaam ontbindt natuurlijk. Het is niet zo'n prettig verhaal...'

'Een armband?'

Hij knikt.

'Ze had zo'n kleine bedelarmband. Die stond op de lijst met dingen die ze bij zich had toen ze verdween. Het viel me op omdat mijn dochter exact dezelfde armband had.'

Zonder een woord uit te brengen staar ik hem aan.

Hij denkt dat ik het niet begrepen heb.

'Die dingen waren destijds erg populair, alle meisjes droegen ze,' zegt hij. 'Ze kochten ze bij Claire's Accessories in Galway. Die kleine armbandjes, weet je welke ik bedoel?'

'Ja, ik zie ze zo voor me,' zeg ik tegen hem.

'Amy móést er een hebben,' zegt hij. 'Ze verzamelden die bedeltjes en ruilden ze onderling, ze geloofden dat ze geluk brachten.' Hij trekt zijn lippen samen, alsof hij een bittere smaak in zijn mond heeft. 'Nou ja, misschien dat ze sommige meisjes geluk hebben gebracht, maar voor Jessie gold dat in elk geval niet.'

Mijn hart gaat zo wild tekeer dat ik me afvraag of het aan me te zien is. Ik heb het gevoel dat ik op mijn grondvesten sta te schudden.

'Mag ik die armband zien?'

Brian aarzelt.

'Ik bedoel, ik begrijp dat jullie regels hebben wat dit soort dingen betreft,' zeg ik tegen hem. 'Maar het is misschien belangrijk weet je, voor Sylvie.'

Hij kijkt weer naar de vrouw naast hem. Ze knikt lichtjes.

'Daar heb ik geen probleem mee,' zegt ze. 'Gezien de omstandigheden.'

Hij legt zijn hand op mijn arm.

'Goed, ik zal hem je laten zien,' zegt hij.

Hij gaat me voor en begint over het pad naar boven te klimmen. Hij loopt zo langzaam, zet zijn voeten zo zorgvuldig neer dat iets in mij het wel wil uitschreeuwen. Plotseling heb ik zo'n haast dat ik zonder moeite het hele pad naar boven zou kunnen rennen.

Als we bij de weg zijn aangekomen, neemt hij me mee naar een van de politiewagens. Er zit een gespierde jonge brigadier op de bestuurdersplaats. Hij heeft een nogal scherpe aftershave op en drinkt koffie uit een thermoskan. Hij draait zich om en er verschijnt een glimlachje op zijn gezicht – niet een echte lach, want ook hij is zich bewust van de ernst van de situatie.

Brian opent de zijdeur.

Op de stoel staat een krat met doorzichtige plastic zakjes waarin bewijsmateriaal wordt bewaard. Met voorzichtige vingers zoekt Brian tussen de zakjes. Als hij gevonden heeft wat hij zoekt, houdt hij me het zakje voor.

De zon breekt door het wolkendek en schijnt op het plastic, waardoor het een moment ondoorzichtig is, of misschien is er wel iets in mij wat weigert van de inhoud kennis te nemen. Om me heen staat alles stil. Er klinkt een spetterend geluid als de brigadier een bodempje koffie uit het raam gooit en ik hoor een takje breken als Brian zijn voet verplaatst. Beide geluiden klinken me veel te hard in de oren. Ik merk dat ik sta te trillen. Dan laat Brian zijn hand zakken, zodat het licht niet meer direct op het plastic valt en de inhoud duidelijk zichtbaar wordt: de armband en de bedeltjes.

De armband is van een ander soort metaal gemaakt dan de bedeltjes, het is een legering die nu vol donkerbruine vlekken zit, maar de bedeltjes moeten met een laagje zilver bedekt zijn want die zijn helemaal niet aangetast, ook al hebben ze al die jaren in het water gelegen. Ik staar naar de heldere voorwerpen die het zonlicht weerkaatsen: een paar balletschoentjes, een hart, een krullerige 'J' van Jessica en een klein, glimmend draakje.

51

'Adam.'

Ik gebaar naar hem door de autoruit. Ik voel me heel vreemd, alsof ik mijn lichaam niet meer helemaal onder controle heb.

Hij zegt iets tegen Sylvie, stapt uit en doet het portier achter zich dicht. Zodra hij voor me staat verandert zijn gezichtsuitdrukking. Hij lacht niet en kijkt me bedrukt en verwachtingsvol aan. Ik vraag me af waarop hij reageert, wat hij ziet in mijn gezicht.

Een moment sta ik met mijn mond vol tanden, ik weet niet hoe ik moet beginnen. Ik heb het gevoel dat ik mezelf niet onder controle heb en iets zou kunnen doen wat totaal ongepast is, in tranen of in vreugdeloos geschater uitbarsten.

'Adam,' zeg ik zachtjes. 'Ze zijn gevonden.'

'Mijn god,' zegt hij.

Aan zijn gezicht zie ik dat het hem schokt nu het echt zover is.

Ik werp een blik in de auto. Sylvie kijkt niet op, ze is helemaal verdiept in haar boek.

'Ze denken aan moord,' zeg ik. 'Ik bedoel, ze weten het niet zeker maar in die richting denken ze. Er was een schotwond.'

Ik heb mijn stem niet meer onder controle.

Hij legt zijn arm om mijn schouders en omvat me met zijn warmte. Ik leun tegen hem aan, zou in hem weg willen kruipen.

'Er is nog iets, hè?'

Ik knik. Mijn mond voelt aan als vloeipapier.

'Er is een armband gevonden. Bij de stoffelijke resten van het kind.' De woorden liggen als tastbare voorwerpen in mijn mond. 'Die moet van haar arm zijn gevallen toen ze... nou ja, je begrijpt het wel... Adam, er was een bedeltje van een draak bij.'

Hij haalt zijn arm van mijn schouders en kijkt me met grote ogen aan. Een hele tijd zegt hij niets. De lucht heeft iets fonkelends en duns.

'Sylvies draak,' zegt hij.

'Ja.'

Hij staart me verbijsterd aan.

'Ik moet Deirdre bellen,' zeg ik tegen hem. 'Ik wil me ervan vergewissen dat ze op de hoogte is. Het voelt niet goed dat wij hier zijn en zij niet.'

'Nee, dat begrijp ik,' zegt hij.

Ik zoek in mijn tas naar mijn telefoon.

'Shit.'

Ik staar naar het schermpje: hij is niet opgeladen.

'Neem de mijne maar,' zegt hij.

Ik heb het nummer van Deirdre in mijn tas en bel haar op Adams mobieltje.

Ze neemt meteen op.

'Deirdre Walker.'

Haar stem klinkt veel te hoog, ik zou haar er niet aan herkend hebben.

'Met Grace.'

'Grace? Dat is merkwaardig,' zegt ze.

Ze klinkt verward. Misschien omdat ik Adams telefoon gebruik.

'Is er al iemand van de politie bij je geweest?' vraag ik.

'In verband met de groeve?' zegt ze.

'Ja.'

'Hij zei dat ze denken dat ze Alice en Jessica hebben gevonden,' zegt ze.

Ik vraag me af of ze in een shock verkeert, ze klinkt zo afstandelijk, alsof ze het niet echt in zich opneemt.

'Het spijt me,' zeg ik. 'Ik wilde alleen even weten of je van alles op de hoogte bent.'

'Heel erg bedankt, Grace. Dat is heel aardig van je,' zegt ze.

'Ik wist dat je erover na zou willen denken wat dit voor Gemma betekent. Ik weet niet of Gordon het je verteld heeft, maar ze hebben een armband bij het lichaam van het kind gevonden. Het zou kunnen dat ze Gemma gaan vragen of het Jessica's armband is...'

'Dat ze het Gemma gaan vragen...' herhaalt ze, nog steeds met die hoge, gespannen stem. 'Het punt is alleen... ik zei dat het merkwaardig is dat je belt, omdat ik jou juist wilde bellen.'

'O?'

'Ik kan haar niet vinden. Ik kan Gemma niet vinden,' zegt ze.

'Je kunt haar niet vinden?'

Een kille ontzetting bevangt me. Het is allemaal onze schuld, het komt allemaal door mij en Adam en Sylvie. Wij hebben dit in gang gezet. Ik besef dat ik zoiets had verwacht, had gevreesd.

'Ze zei dat ze bij Kirsty zou blijven slapen,' zegt Deirdre. 'Kirsty is haar beste vriendin. Dat was gisteravond. Ik heb Gemma geprobeerd te bellen maar haar telefoon staat uit. En toen ik Kirsty belde, zei ze dat Gemma niet is komen opdagen. Ze heeft Kirsty een sms gestuurd met de boodschap dat er iets was wat ze moest doen...'

Ik pijnig mijn hersenen, op zoek naar een voor de hand liggende verklaring.

'Zou het niet kunnen dat ze iets moest doen wat ze voor jou verborgen wilde houden? Dat ze misschien bij Marcus heeft gelogeerd? Je weet hoe tieners zijn.'

'Dat is het eerste wat in me opkwam,' zegt Deirdre.

'Heb je hem gebeld?'

'De telefoon in zijn huis staat op de voicemail. Ik begrijp het niet, meestal is daar wel iemand... Daarom wilde ik je bellen. Ik vroeg me af of het mogelijk is dat ze over Sylvie gehoord heeft en misschien op zoek is gegaan naar jullie.'

'Ik denk het niet want we hebben haar niet gezien,' antwoord ik.

'O.'

'Je moet met Brian praten,' zeg ik tegen haar.

'Ja, dat zal ik doen. Maar ik moet haar zelf ook gaan zoeken, ik moet iets doen. Ik ken alle huizen waar ze komt en ik wil al

haar vrienden opzoeken, alle plekken waar ze zou kunnen zijn.'
Ik hoor dat haar stem beeft. 'Weet je, er is vast niets met haar aan
de hand... Maar na... alles wat er gebeurd is, kun je jezelf niet
meer voorhouden dat er geen reden is voor bezorgdheid. Want
je weet dat het ergste kan gebeuren...'

Ze klinkt zo angstig.

'Je hoeft dit niet alleen te doen,' zeg ik tegen haar. 'Wij gaan
met je mee.'

'Dat hoeven jullie niet te doen,' zegt ze.

'Jawel, we komen je helpen, dat willen we graag.'

'Meen je dat?' Ze klinkt dankbaar.

'Als je hiernaartoe komt,' zeg ik tegen haar, 'kun je met Brian
praten en helpen we je Gemma te vinden.'

'Ik kom meteen,' zegt ze. 'Ik ben er binnen een kwartier.'

Ik geef Adam zijn telefoon terug.

'Ze kan Gemma niet vinden,' zeg ik.

'Ja, zoiets begreep ik al.'

'Ik heb gezegd dat wij haar zullen helpen zoeken.'

Hij kijkt me fronsend aan, alsof iets wat hij in mijn gezicht
ziet hem zorgen baart.

'Grace.' Zijn stem klinkt geruststellend. Hij strijkt mijn haren naar achteren. 'Je moet je niet te veel zorgen maken. Er is
hoogstwaarschijnlijk niets aan de hand. Kinderen lopen nu eenmaal weleens weg.'

'Dat weet ik,' zeg ik. 'Maar Deirdre is in alle staten.'

Ik kijk naar de auto. Sylvie drukt haar gezicht tegen het raam.
Bleek en roerloos kijkt ze ons ingespannen aan. Plotseling voel
ik me schuldig, want toen ik Deirdre aan de telefoon had was ik
haar bijna vergeten. Ik maak de deur open en ze klautert de auto
uit.

'Wanneer gaan we?' vraagt ze.

'Gauw, Sylvie.'

'Ik vind het hier niet leuk.'

'Nee, schat.'

Ik hurk bij haar neer en sla mijn armen om haar heen. Ze laat
zich vasthouden.

'Sylvie – is dit de plek waar het gebeurd is?' vraag ik. 'De plek waar... wat je zei...'

Ik kan de woorden niet vinden.

Maar deze keer komt ze niet uit haar schulp.

'Ik vind het hier niet leuk. Ik wil hier niet blijven,' zegt ze.

Ik kijk over haar schouder naar de politiewagens, het afzetlint en de man in de te ruime beschermende kleding die langzaam, alsof hij zwaar gebukt gaat onder wat hij heeft gezien, over het pad aan komt lopen. Ik denk aan het afschuwelijke dat ze onder water hebben aangetroffen – wijd er mijn gedachten heel even aan, om daar onmiddellijk weer mee te stoppen, alsof alleen al het beeld me kwaad zou kunnen doen. Ineens wil ik nog maar één ding: met Sylvie weggaan van deze plek.

Ik kijk op naar Adam.

'Als wij nu gaan, zou jij hier dan op Deirdre willen blijven wachten?'

'Natuurlijk,' antwoordt hij.

Ik druk mijn gezicht tegen dat van Sylvie. Haar huid is heel koud.

'Kom, we gaan weg, we gaan een leukere plek opzoeken,' zeg ik.

'Ja, Grace.'

'Laten we teruggaan naar Coldharbour en iets leuks gaan doen. We gaan een ijsje voor je kopen bij Barry's."

Ze klautert weer in de auto.

52

Voorzichtig rij ik terug naar Coldharbour. Ik heb nog niet vaak in deze auto gereden en heb moeite met schakelen. In de binnenspiegel kijk ik naar Sylvie. Haar boek ligt nog steeds op haar schoot, maar ze staart uit het raam. Ze is stil, maar lijkt niet van streek.

Ik schraap mijn keel.

'Sylvie, ik moet je iets verdrietigs vertellen,' zeg ik. 'Je hebt misschien gezien dat er allemaal politieauto's bij de groeve stonden. Ze hebben daar twee lichamen gevonden. De lichamen van...' Ik haal diep adem en worstel om de juiste woorden te vinden. 'Ze heetten Alice en Jessica, een moeder en een klein meisje. Ze woonden in Flag Cottage. Iemand heeft ze vermoord, lang geleden. Een slecht iemand heeft ze vermoord...'

Ik blijf steeds naar haar kijken omdat ik haar reactie wil peilen. Ze kijkt in haar boek.

'Ja, Grace,' zegt ze tegen me. 'Alice en Jessica zijn dood.' Ze spreekt de namen zo precies uit, net zoals ze 'Coldharbour' langzaam en exact uitspreekt, alsof ze zich aan de woorden wil vasthouden.

'Wie heeft ze vermoord, schat?'

Ze drukt haar vingers door de gaatjes in de bladzijde.

'Het water was rood,' zegt ze tegen me.

'Schat, kun je je er verder nog iets van herinneren?'

Ze schudt haar hoofd.

'Ik wil een ijsje, Grace.'

'Natuurlijk, schat. Misschien kunnen we het er straks nog over hebben...'

Ik rij langzaam door, langs velden met riet waar grote hopen turf liggen te drogen. We rijden langs een roestige tractor en de zwarte, kapotte romp van een roeiboot die met stenen op zijn plaats wordt gehouden.

Ik denk aan wat Deirdre heeft gezegd, hoor haar stem weer, hoog en scherp door de paniek waarin ze verkeerde. *Je weet dat het ergste kan gebeuren.* Ik voel haar angst alsof het míjn angst is. Ik wou dat ik haar kon helpen.

We rijden heuvelafwaarts Coldharbour binnen. De zon begint door de mist heen te breken en schijnt met een versluierd, parelmoeren licht. We passeren de muur van Kinvara House. Alles heeft een grijze ochtendglans en de vervlochten klimplanten zijn doordrenkt met vocht en glinsteren van de dauw. Het lijkt een kleine moeite om er even aan te kloppen en te vragen of Gemma daar is. De gedachte is nog niet in me opgekomen of ik ben ervan overtuigd dat ik het moet doen, dat het goed en vanzelfsprekend is. Want het lijkt me de meest voor de hand liggende verklaring: dat ze hier de nacht heeft doorgebracht, bij Marcus. En als ze hier niet is, weet Marcus misschien waar ze wel is.

Ik rij tussen de stenen valken de oprijlaan op.

'Grace. Mijn ijsje,' zegt Sylvie.

'Nog even geduld, zo meteen krijg je je ijsje,' zeg ik tegen haar. 'We zijn hier zo weer weg.'

Aan weerszijden strekt de tuin zich uit met de uitdijende witte vlakken van de narcissen in het gras en de weelderige fluwelen bloemen van de rododendrons. Het is voor het eerst dat ik de tuin bij daglicht zie en ik geniet van de kleuren van de bloembedden, de zachte zalmroze azalea's en de geheimzinnige rode en paarse tinten van de rododendrons. Na de verschrikkingen van de groeve is het een opluchting om ergens te zijn waar alles vredig en verzorgd is.

'Wat doen we hier?' vraagt Sylvie.

'Ik wil Marcus iets vragen,' antwoord ik. 'Het duurt niet lang.'

Ik zet de auto voor het huis en draai me naar haar om.

'Ik wil dat je even in de auto wacht, schat. Ik ben zo terug.'

Ze houdt haar boek tegen haar borst geklemd.

'Grace, je kunt me hier niet achterlaten, dat kán niet.' Ze klinkt onverzettelijk.

'Maar ik blijf in de buurt, je kan me steeds zien,' zeg ik tegen haar. 'Kijk, daar ga ik heen, alleen maar even die treden op naar de deur. Niet verder dan dat. Je zult me steeds kunnen zien.'

'Nee, ik ga met je mee.'

Ik stap uit en doe haar deur open. Het heeft geen zin om er een punt van te maken.

We lopen naar de voordeur. De geuren van de tuin strijken zacht langs ons heen: de lome zoetheid van de azalea's en de subtiele snoepjesgeur van de kleine voorjaarsbloemen. Ik bel aan. Het is zo'n ouderwets rinkelende bel die je door het hele huis hoort schallen. Ik zie de hal met de sierlijke trap voor me en al die indrukwekkende, onberispelijke ruimtes aan de andere kant van de deur. Maar door het matglas is niets te zien.

Er verschijnt niemand. Ik bel nog een keer. Nog steeds niemand – alleen dat holle gerinkel. Deirdre lijkt gelijk te krijgen toen ze zei dat er niemand was. Toch is dat vreemd, je zou hier iemand verwachten, een werkster of iemand die de administratie en het typewerk komt doen, zoals Alice deed. Zijn huis lijkt zo perfect, zo ordelijk: hij moet toch mensen in dienst hebben die daar voor zorgen.

We lopen de treden weer af. Voor de ramen aan weerszijden van de voordeur zijn de rolgordijnen neergelaten, waarschijnlijk om zijn dure stoffen tegen het licht te beschermen. Het huis ziet eruit als een uitdrukkingsloos gezicht met gesloten ogen.

Ik kan het niet uitstaan. Ik wil niet zo snel opgeven, er moet toch iemand aanwezig zijn. Misschien moeten we achterom lopen en kijken of er iemand in de tuin bezig is.

Ik loop samen met Sylvie langs de rechterzijkant van het huis. Er is een weelderige kruidentuin en een oude knoestige magnolia waarvan de bloemen doen denken aan geaderde, tot een kom gevormde handen. Een wilde kastanje begint uit te lopen, de nieuwe blaadjes hangen als stukjes verkreukelde stof naar beneden.

'Waar gaan we heen?' vraagt ze.

'We lopen even om het huis. Ik moet Marcus vinden. Misschien is er iemand die we kunnen vragen waar hij is. Een tuinman of zo.'

Ze grijpt mijn hand vast en drukt haar vingers tussen de mijne.

We gaan de hoek om en dan is daar plotseling het uitzicht, de baai die zich weids en schitterend voor ons uitstrekt. In het aarzelende zonlicht heeft de zee een koperkleurige gloed en het geluid van de beukende golven is hier plotseling veel sterker. Links van ons zien we de hoge boogramen van de zitkamer waar Marcus ons ontving. De gordijnen zijn open en onder de ramen zijn stoeptegels neergelegd, zodat je tot bij het raam kunt komen.

Het door het water weerkaatste licht valt op de ramen, waardoor het moeilijk is om naar binnen te kijken. Ik ga dicht op het glas staan en scherm mijn gezicht met mijn handen af. Het duurt even voor mijn ogen zich hebben aangepast.

Ik hoop iets te zien wat op de aanwezigheid van Gemma of Marcus wijst, maar de kamer is leeg en een en al chaos. Twee laden zijn uit het bureau getrokken en overal slingeren papieren rond alsof iemand iets gezocht heeft en geen tijd meer had om op te ruimen. Een van de whiskyglazen is gebroken en niemand heeft de moeite genomen de scherven op te vegen. Ze glinsteren schel in het licht dat op de grond valt. Als ik dat glas zie liggen slaat de schrik me om het hart.

Plotseling ben ik heel bang. Stel dat Gemma hier was en dat ze ergens bij betrokken is geraakt – een ontvoering of een inbraak. Maar dan zeg ik tegen mezelf dat dit krankzinnige gedachten zijn. Ik ben nog uit mijn doen door de ontdekking in de groeve. Er is vast een eenvoudige verklaring voor, waarschijnlijk is de werkster vanmorgen niet gekomen.

'Wat is er, Grace?'

'Ik weet het niet, schat. Het ziet er een beetje rommelig uit binnen. Het zal wel niets zijn,' zeg ik.

We lopen verder om het huis heen. We komen bij een donkere hoek waar het huis L-vormig is en de roestkleurige wortels van de klimop zich over de muur hebben verspreid. Een kil windje dat van zee komt ritselt door de blaadjes van de begroeiing. We komen bij een zijingang waarvan de verf door het zout is afgebladderd. De deur staat op een kier, ik duw ertegenaan en hij gaat verder open. Binnen zie ik de gang die naar de hal bij de voordeur leidt, langs de deur van de wc.

'Marcus?' roep ik in de donkere gang. Mijn stem klinkt hol en galmend.

Er komt geen reactie.

Kon ik Marcus nou maar vinden. Hij zou wel raad weten, hij zou vast wel weten wat er met Gemma aan de hand is. Als ik hem nou maar even kon spreken.

Plotseling heb ik een idee. Ik buig me naar Sylvie.

'Luister eens, schat. Er is iets wat we moeten doen. Het meisje dat je op het strand zag...'

'Lennie,' zegt ze.

'Ja, Lennie.' Het voelt heel raar om haar zo te noemen. 'We weten niet waar ze is, dus we moeten haar gaan zoeken. We gaan naar binnen om even snel rond te kijken. Om te zien of we haar kunnen vinden, of iemand ons kan vertellen waar ze is...'

'Ja, Grace,' zegt ze instemmend.

Ik neem Sylvie mee de gang in, langs de wc-deur. Zwijgend lopen we naast elkaar, als slaapwandelaars.

'Marcus! Gemma!' roep ik.

Ik schrik van mijn eigen stemgeluid: het klinkt te nadrukkelijk, te luid in dit stille huis.

Sylvie voelt hetzelfde, want ze drukt haar vinger tegen haar lippen.

Er is een geluid achter ons en ik draai me ogenblikkelijk om. Maar het is de deur die tegen de deurpost aan komt, wat een geluid maakt dat op kloppen lijkt, alsof er iemand naar binnen wil. Het maakt me nerveus. Ik loop terug en doe de deur goed dicht. Meteen is het geluid van de zee verdwenen: alle geluid is buitengesloten. De stilte van het huis slokt ons op.

We lopen door de gang en komen uit in de ruime, glimmende hal. Maar ook hier heerst wanorde. Midden in de hal ligt een jas op de grond en op een zijtafeltje staat een papierversnipperaar die onlangs nog gebruikt is, want de prullenbak die eronder staat puilt uit van de papierstrookjes. Ik kijk om me heen of er ergens een telefoon staat, maar dat lijkt niet het geval te zijn. We lopen langs het Tang-paard en de orchideeën. Met een schok realiseer ik me dat het geweer niet meer aan de muur hangt.

Sylvie moet gehoord hebben dat mijn adem stokte.

'Wat is er, Grace?'

'Niets, schat,' zeg ik tegen haar, 'maar ik denk dat we nu moeten gaan.'

Ik wil haar niet bang maken en probeer zo kalm mogelijk te klinken.

'Is Lennie hier?' vraagt ze.

'Dat weet ik niet, schat,' antwoord ik. 'Maar het is nu echt tijd om te gaan.'

'We moeten Lennie vinden,' zegt ze.

Ik grijp naar haar hand, maar ze ontglipt me en rent voor me uit naar boven, de bleke, gewelfde trap op.

'Néé, Sylvie!'

Ze slaat er geen acht op. Ik ren achter haar aan. Mijn borstkas voelt beklemd, ik heb moeite met ademhalen.

Ze is boven aan de trap aangekomen. Op de overloop is een raam met dikke fluwelen gordijnen ervoor en voor ons is een slaapkamer waarvan de deur wijd openstaat. Daar gaat ze naar binnen. Ik loop achter haar aan.

Dit moet de grootste slaapkamer zijn, het is duidelijk een schitterende kamer. Op het bed ligt een sprei van rood satijn en de gordijnen zijn bedrukt met een ingewikkeld patroon van Chinese bloemen en vogels. Maar de deur van de klerenkast staat open en overal op het bed en op de grond zijn chique pakken en overhemden neergegooid.

'Wat een rotzooi, hè?' zegt Sylvie een beetje streng.

Met mijn voet schuif ik een jasje opzij. Er ligt iets kleurigs onder, iets wat uit de toon valt bij al die mannenkleren. Ik ga op mijn knieën zitten om te kijken wat het is. Het is de kleurige sjaal die Gemma om had. De zijden stof is verfrommeld en gescheurd.

Ik hoor Deirdre weer zeggen: *Gemma herinnert zich dat haar moeder de telefoon opnam... Ze denkt dat ze haar hoorde zeggen: Goed, ik ben er voor zevenen... Ze zegt dat haar moeder gelukkig klonk...* Het komt in me op dat ze het Marcus misschien ook heeft verteld, waarschijnlijk heeft ze dat gedaan. En dan bedenk ik waar die herinnering nu toe leidt, alle vragen die ermee beantwoord kunnen worden nu de lichamen gevonden zijn en de schotwond en de stenen ontdekt zijn.

Ik grijp Sylvies hand. Plotseling is mijn hand nat en glijdt Sylvies huid langs de mijne.

'We moeten gaan, Sylvie.' Ik praat snel en mijn stem klinkt geknepen, het is helemaal mijn eigen stem niet meer. 'We mogen hier eigenlijk niet zijn. Kom, we gaan dat ijsje kopen...'

Achter mij hoor ik heel zacht een voetstap.

Ik draai me om. Mijn hart klopt in mijn keel.

53

Marcus staat in de deuropening. Hij ziet er keurig verzorgd uit en ondanks de wanorde in zijn huis lijkt hij volkomen op zijn gemak. Hij lacht me vriendelijk toe. Ik herinner me dat lachje van de avond waarop we gestrand waren in Coldharbour Bog en hij ons te hulp kwam en ons op een drankje trakteerde bij het haardvuur in zijn huis. Ik prent mezelf in hoe aardig hij toen was en onderdruk alle andere gedachten die in me opkomen. Nu hij hier in de kamer staat, lijken mijn verdenkingen rare gedachtespinsels. Iets aan zijn aanwezigheid – zijn ontspannen lachje, de geur die hij opheeft – heeft onmiddellijk een kalmerend effect op mij. Ik was emotioneel, uit mijn doen – dat weet ik.

'Marcus. Wat ben ik blij dat we je gevonden hebben.'

Ik weet dat het nu allemaal goed komt. Marcus zal het voortouw nemen, hij weet waar we Gemma kunnen vinden. Marcus, die weet hoe de wereld in elkaar zit en zijn leven leeft alsof het hem op het lijf geschreven is.

Hij buigt lichtjes zijn hoofd.

'Grace,' zegt hij. 'Sylvie. Nou, zoals altijd is het fijn om jullie te zien, maar hadden jullie niet op een iets minder avontuurlijke manier binnen kunnen komen?'

Mijn hoofd begint te gloeien.

'Ik heb wel aangebeld, maar er werd niet opengedaan,' zeg ik tegen hem. 'Het punt is – Deirdre belde vanmorgen, Gemma is verdwenen. Ik kwam kijken of ze misschien hier is, of dat jij weet waar ze is.'

Ik voel hoe Sylvie zich tegen me aan drukt, alsof ze zich onzichtbaar wil maken.

Marcus geeft geen antwoord op mijn vraag.

'Strikt genomen zijn jullie in overtreding,' zegt hij. Hij lacht geamuseerd, verleidelijk. 'Maar ik zal het door de vingers zien, omdat jullie het zijn.'

Zijn blik blijft op mij rusten, hij neemt me op.

'Het spijt me,' zeg ik tegen hem. 'Maar ik wist niet wat ik anders moest doen. We zochten Gemma en ik dacht dat ze hier misschien was of dat ik het jou zou kunnen vragen...' Ik wauwel maar door, van de zenuwen en omdat ik me zo opgelaten voel. 'Maar hier ben je dan,' zeg ik opgewekt, in een poging net zo ontspannen te klinken als hij.

'Ja, hier ben ik dan,' zegt hij.

'Het spijt me dat we zomaar naar binnen zijn gegaan,' zeg ik nogmaals, hoewel het me nogal dwarszit dat hij het me kwalijk lijkt te nemen. 'Je weet hoe het is als je vanuit een opwelling handelt. Het gaat zo snel, en dan doe je dingen die je beter had kunnen laten.'

Hij kijkt me nog steeds aan met dat flirterige lachje op zijn gezicht.

'Ja, dat doe je inderdaad als je gehoor geeft aan een opwelling,' zegt hij.

Sylvie zit aan me te trekken, ze doet van alles om mijn aandacht te krijgen. Ik kijk naar beneden en zie dat ze beeft, dat haar hele lichaam trilt. Ik wou dat ze dat niet deed.

'Ik dacht dat als Gemma hier niet is, jij misschien weet waar ze heen kan zijn gegaan, waar we haar zouden kunnen vinden,' zeg ik. 'Weet jij wat er gebeurd is?'

'Dus als ik het goed begrijp ben je gekomen om naar Gemma te vragen,' zegt hij.

Het is nogal vreemd hoe hij dit zegt, mijn vraag negerend. Plotseling komt er een vaag vermoeden in mij op, er gaat een alarmbelletje rinkelen, ik voel een zweem van angst. Maar dan zeg ik tegen mezelf dat er niets ergs gebeurd kan zijn, dat alles is zoals het moet zijn. Hij is zo ontspannen, zo onbezorgd.

'Deirdre is zo ongerust dat ze niet weet waar ze het zoeken moet,' zeg ik tegen hem.

'Ach ja, zo is Deirdre nu eenmaal,' zegt hij.

Ik wou dat hij antwoord gaf op mijn vraag.

'Ik vroeg me af wanneer jij Gemma voor het laatst hebt gezien,' zeg ik. Mijn stem klinkt schril en de woorden komen er te nadrukkelijk uit. 'Deirdre heeft gezegd – ik bedoel, ik weet dat Gemma hier soms is...'

Zijn blik rust nog steeds op mijn gezicht.

'En, nou ja, haar sjaal is hier,' zeg ik tegen hem. 'We zagen hem liggen, hier op de grond...' Ik buk me om hem te pakken. 'Kijk...'

Hij heft zijn hand op en maakt een kleine, beheerste beweging die me de adem beneemt en me doet verstijven.

'Ja,' zegt hij. 'Haar sjaal is hier.'

'Ik begrijp het niet,' zeg ik tegen hem.

Hij trekt zijn wenkbrauwen lichtjes op.

'Nee, Grace, je begrijpt het niet, hè?'

Zijn toon is kil. Mijn hart klopt in mijn keel en ik druk Sylvie dicht tegen me aan.

Een klein, nuchter gedeelte van mijn hersenen probeert te bedenken hoe we langs hem heen zouden kunnen komen, en of hij ons zou laten gaan. Zijn gestalte vult de deuropening. Hij ziet er tamelijk ontspannen uit, maar hij is erg fit en veel groter dan ik.

'Het is werkelijk heel jammer dat jullie hiernaartoe zijn gekomen,' zegt hij. 'Dat begrijp je inmiddels wel, denk ik? Voor jullie in elk geval, en misschien voor mij... Maar ik denk dat de jury...'

Ik zet een stap in zijn richting, Sylvie strak tegen me aan houdend.

'Ik denk dat we moeten gaan,' zeg ik tegen hem.

Weer heft hij zijn hand op en maakt hij die kleine, angstaanjagende beweging.

'Het spijt me dat het zo gelopen is,' zegt hij, en er klinkt ook daadwerkelijk iets van spijt in zijn stem. 'Geloof me, ik heb niets tegen je. Als mens. Je lijkt me bijzonder aardig, jullie allebei trouwens.' Hij haalt zijn schouders op. 'Maar ja, daar staan we nou.' Hij lacht even, alsof er iets in hem is opgekomen wat hem amuseert. 'Laten we het maar op jouw opwelling schuiven,' zegt hij.

Hij draait zich om, trekt de sleutel uit het slot en stapt resoluut de overloop op. Dan slaat hij de deur achter zich dicht en hoor ik hoe de sleutel in het slot wordt omgedraaid.

54

Ik luister aan de deur en hoor hoe zijn voetstappen zich over de overloop verwijderen. Bij elke stap denk ik: hij is bijna weg. Ik slaak een diepe zucht. Dat is tenminste iets om dankbaar voor te zijn – dat hij niet meer voor ons staat en met die spottende, kille blik op ons neerkijkt. Ik hou mezelf voor dat ze ons zullen komen zoeken, Adam, Brian, Deirdre: dat ze ons zeker zullen vinden. Ik zie duidelijk voor me hoe de politie de deur intrapt en hoe opgelucht iedereen kijkt. Ze zullen naar Kinvara House komen om Gemma te zoeken en dan worden wij gered.

Maar dan komen zijn voetstappen weer naderbij. Mijn hart klopt zo hevig dat het pijn doet. Ik vraag me af of hij ons gaat vermoorden, of hij zijn geweer heeft gehaald. Ik grijp Sylvie vast en duw haar achter me.

De voetstappen lopen echter onze deur voorbij. Ik begrijp het niet, waarom zou hij terugkomen om ons vervolgens met rust te laten? Dan ruik ik een hete, scherpe benzinelucht op de overloop.

'O god,' zeg ik. 'O god.'

Ik ben zo in paniek dat ik niet meer kan denken. Ik laat mezelf op het bed zakken en verberg mijn gezicht in mijn handen. Wanhoop overspoelt me. Niemand weet dat we hier zijn. Misschien komen ze Gemma zoeken, maar ze zullen niet op tijd zijn om ons te redden. Er is geen tijd meer.

Dan dringt alles tot me door en komt de realiteit als een mokerslag op me neer. Hoe verkeerd alles is geweest – al mijn beslissingen, alle keuzes die ik heb gemaakt. Ik wilde Sylvie helpen, ik wilde haar gelukkiger maken. Ze had niemand anders, alleen mij, en ik heb haar in gevaar gebracht en nu zullen we door mijn toedoen allebei sterven.

Ik voel Sylvies koele aanraking op mijn huid. Ze heeft haar handen over de mijne gelegd.

'Je verstopt je. Verstop je nou niet, Grace, verstop je nou niet,' zegt ze.

Ze trekt mijn handen van mijn gezicht. Ze beeft niet meer, ze is nu veel kalmer dan ik.

'Het spijt me, schat.'

Ik denk aan de liefde die ik voor haar voel en pak haar handen vast.

Ik begin de rook te ruiken en op de overloop is beweging voelbaar, alsof daar iets buitenaards rondwaart, iets levends wat tegelijkertijd ook niet levend is. Ik vraag me af waar je bij een brand aan doodgaat. Ze zeggen dat het de rook is, niet het vuur. Dat je stikt voor de vlammen je kunnen bereiken, dat de dikke rookwalm je belet te ademen. Inwendig schreeuw ik het uit: *Niet nu! Niet zo! O god, laat dit niet gebeuren, alsjeblieft!*

'Ik vind het hier niet leuk,' zegt Sylvie.

'Nee, schat.'

De geluiden zijn nu duidelijk te horen: het geknisper en gesis dat onze deur steeds dichter nadert. De zure rook slaat op mijn keel.

Sylvies voorhoofd is vol rimpels, ze fronst alsof ze iets niet begrijpt.

'Waarom gaan we niet weg, Grace?'

Haar onschuld ontroert me, haar kinderlijke kijk op de dingen, hoe eenvoudig alles in haar ogen is.

'Laten we gaan,' zegt ze.

Er slaat een golf van machteloosheid over me heen, een overweldigende wanhoop.

'Ik kan niet weg, ik weet niet hoe. Ik kan niet weg,' zeg ik tegen haar.

'Kun je niet weg, Grace?'

Nog steeds die kleine, bezorgde frons.

'Nee, schat, de deur is op slot.'

Ik sta op, loop naar de deur en morrel – ten overvloede – aan de deurknop. Er is geen beweging in te krijgen. Het vuur raast nu heel dichtbij: door de kier tussen de deur en de deurpost voel ik de hitte zinderen. Het is zo heet dat ik mijn hand wegtrek. De verf op het hout begint weg te schroeien.

Ik loop naar de ramen. Die zijn ook op slot. Nou ja, dat ligt ook voor de hand: hij gaat grondig te werk, hij denkt aan alles, het huis is natuurlijk goed beveiligd. Ik kijk naar alle sloten maar nergens is een sleutel te bekennen. Maar zelfs al zou ik een raam open kunnen krijgen, dan hadden we er nog niets aan. Het is hier te hoog om naar beneden te springen.

Sylvie komt naast me bij het raam staan.

'We kunnen buiten op de vensterbank gaan staan,' zegt ze. 'En dan zo naar het dak van de muziekkamer gaan.'

'De muziekkamer?'

'Die is hier om de hoek,' zegt ze.

Ik ga op mijn hurken zitten en leg mijn handen op haar schouders. Ik zal het spel met haar meespelen om haar kalm te houden en af te leiden. Ik heb er alles voor over om haar de angst die ik voel te besparen.

'Maar hoe komen we van het dak van muziekkamer naar beneden?' vraag ik.

'Via de klimop,' zegt ze. Haar stem klinkt rustig en zakelijk. 'Het laatste stukje moeten we springen, maar je vindt het niet erg om te springen, hè Grace?'

Ze strekt haar armen uit en legt haar handen om mijn gezicht. Dat is wat ik altijd doe als ik wil dat ze naar me luistert. Het is het gebaar van een volwassene, alsof zij nu de moeder is en ik het kind. Haar ogen zijn heel dicht bij de mijne. Ik zie hoe blauw ze zijn: het is de volmaakte bleke kleur van een koude winterse lucht.

Ik heb het niet meer. In mijn hoofd zie ik het tafereel in de groeve weer voor me: de armband in het plastic zakje, het draakje glinsterend in het zonlicht. Wat heb ik aan haar getwijfeld. Ik heb haar nooit echt vertrouwd, nooit haar hulp gevraagd. Ik heb me niet door haar laten veranderen.

'Nee, schat, ik vind het niet erg om te springen,' zeg ik tegen haar. 'Maar Sylvie, luister eens. Jij moet ons nu leiden en mij vertellen wat ik moet doen.'

Samen kijken we uit het raam. Ongeveer vijftig centimeter onder de vensterbank loopt een smalle bakstenen richel die om de hoek verdergaat. Het lijkt alleen maar decoratie: ik denk dat er nauwelijks genoeg ruimte is om je voet neer te zetten, en het steen ziet er brokkelig uit.

'Je moet heel voorzichtig zijn,' zegt ze, 'en je goed vasthouden. Maar het is niet ver naar de hoek.'

'Ik zal de ruit moeten breken,' zeg ik tegen haar.

Ik kijk om me heen of er iets zwaars in de kamer is. Er staat een lamp op een zware keramische voet. Ik ruk het snoer uit de muur.

Ik weet niet of ik ermee moet stoten of gooien. Ik pak een overhemd van Marcus en wind het om mijn hand.

'Sylvie, ga naar de andere kant van de kamer, hou je rug naar het raam gekeerd en leg je handen op je ogen. Wil je dat voor me doen?'

'Ja, Grace.'

Ze bedekt haar ogen met haar handen, maar kan het niet laten haar hoofd om te draaien en tussen haar vingers door te kijken.

'Hélemaal bedekken,' zeg ik tegen haar.

Het vuur is nu heel goed te horen: het buldert, knettert en raast. Even zwelt het aan, vermoedelijk hebben de vlammen in de gang iets zeer brandbaars te pakken, de fluwelen gordijnen misschien. Ik wist niet dat vuur zoveel lawaai kon maken. Bleke rook kringelt langs de scharnieren van de deur de kamer in.

Ik wend mijn gezicht af, sluit mijn ogen en stoot met de lamp tegen het raam.

Het geluid van brekend glas klinkt schokkend hard. Het echoot en het lijkt eindeloos te duren voor de vallende splinters de grond hebben bereikt.

Hij moet het gehoord hebben, waar hij ook is. Ik luister, maar hoor geen voetstappen. Misschien kan hij niet meer bij ons komen nu de gang in een vuurzee is veranderd. Dan hoor ik het geluid van een auto die met gierende banden over de oprit wegrijdt.

Ik haal de stukken glas weg die nog uit de onderkant van het raamkozijn steken en maak een opening waardoor we naar buiten kunnen klimmen. Ik snij me in mijn arm, het bloed druipt in dikke druppels op de grond, maar ik voel geen pijn.

'Sylvie, je moet me helpen, ik weet niet hoe het verder moet.'

'Niet bang zijn, Grace.' Ze glimlacht, ingenomen met die volwassen uitdrukking. Ik moet eraan denken hoe de goochelaar op Karens Halloweenfeestje zijn cape door de lucht liet vliegen en een konijn op Sylvies schoot liet verschijnen. *Niet bang zijn.*

Ik begin door het raam naar buiten te klimmen.

'Nee, laat mij eerst gaan,' zegt ze. 'Dan doe ik het voor.'

Ik onderdruk de impuls om haar tegen te houden.

Ze pakt een stoel, klimt erop en klautert door het raam. Met kleine stapjes schuifelt ze over de richel, zich tegen de muur aan drukkend en steeds dezelfde voet voor zettend. Ze vindt houvast aan het raamkozijn en een regenpijp.

'Zie je, Grace? Ik ben een acrobáát...'

Ze schuifelt door tot de hoek.

'Nu,' roept ze over haar schouder naar mij.

Ik klim naar buiten. Een hoog, scherp geluid klinkt in mijn oren, als het zoemen van een mug. Het is mijn hoogtevrees die opspeelt. Ik ben me intens bewust van de gapende leegte onder mij, van die enorme ruimte vol witte lucht. Boven mijn hoofd bevindt zich wat decoratief metselwerk waar ik me aan vastklamp. Mijn borst doet pijn doordat ik mijn adem inhoud.

'Niet naar beneden kijken, Grace,' zegt ze tegen me.

Dan verdwijnt ze om de hoek.

Ik schuifel over de richel, steeds met mijn rechtervoet voor mijn linker kruip ik verder. Een echte stap durf ik niet te zetten. Ik pak de regenpijp vast, zoals Sylvie net ook heeft gedaan, en voel hoe wiebelig die is. Ik druk me tegen de muur aan en dwing mezelf te ademen. Ik tel mijn ademhalingen.

Om de hoek blijkt het geasfalteerde platte dak van de muziekkamer zich vlak onder de richel te bevinden. Er groeit klimop tot over de rand. Opgelucht stap ik het dak op. Mijn vingertoppen doen pijn, ik heb ze opengehaald toen ik me aan het metselwerk vasthield.

Het dak heeft een breedte van ongeveer drie meter. Onder ons is gras: het gazon komt tot aan de muur van de aanbouw. Sylvie loopt naar de rand van het dak, draait zich om en laat zich op haar buik over de rand naar beneden zakken, zich vasthoudend aan de takken van de klimop.

'Zo moet je het doen,' zegt ze tegen mij.

Ik ga achter haar aan en laat me net als zij over de rand zakken. Ik zie haar onder mij langs de klimop naar beneden klimmen. Het laatste stukje, waar alleen nog maar een stam is en geen vertakkingen meer, springt ze naar beneden en landt op het gras.

Met mijn voet vind ik houvast aan de klimop en ik laat mijn gewicht op mijn voet rusten. Maar ik ben zwaarder dan Sylvie en hoor een hoog gekraak, als een stemmetje dat opklinkt. Als ik mijn gewicht naar mijn andere voet verplaats begint de klimop te scheuren. Ik voel de begroeiing onder me wegschuiven en grijp naar een andere tak, die het echter ook begeeft. Ik val op het gras en trek een deel van de klimop mee, en gruis van afgebrokkelde stenen waar de klimop aan vast heeft gezeten.

'Heb je je pijn gedaan, Grace?'

'Nee, hoor,' antwoord ik.

Ze komt naar me toe en ik houd haar dicht tegen me aan.

'Het is ons gelukt,' zeg ik.

Er druppelt bloed uit mijn arm op haar.

'Wat zielig voor je arm,' zegt ze.

'Het geeft niet,' zeg ik, hoewel het nu wel echt pijn begint te doen, alsof ik, nu we bijna in veiligheid zijn, me de afleiding kan veroorloven en de pijn kan toelaten. Met de pijn komt ook de angst terug – mijn angst voor Gemma, en alle wanhopige vragen over wat Marcus heeft gedaan.

Ik blijf een moment op het gras zitten en haal diep adem, de lucht in grote hoeveelheden in me opnemend.

'We moeten haar vinden, schat... We moeten Lennie vinden.'

Ik moet nog steeds huiveren als ik haar zo noem.

'Ja. Waar is ze, Grace?'

'Dat weet ik niet, schat.'

Er druppelt bloed uit mijn arm op het gras. Ik kijk naar het helrode plasje dat zo vlug in de aarde wordt opgenomen, zo snel, zo terloops kan je bloed dus wegvloeien.

'Wat moeten we nou doen?' vraagt ze.

'Luister, Sylvie. Toen je me over Coldharbour vertelde, had je het soms over een grot en een draak, weet je nog?'

'Ja, Grace.'

'Kun je me over die grot vertellen?'

Haar gezicht betrekt. Ze kijkt me angstig aan.

'Het mocht eigenlijk niet, we mochten daar niet komen. We kregen op onze kop, we waren stout als we daar heen gingen.'

Haar stem klinkt anders, alsof er iemand anders aan het woord is. Het beangstigt me, alsof mijn kind bezeten is. Ik zet dit gevoel van onbehagen van me af.

'Niemand zal je op je kop geven, vertel het me maar,' zeg ik.

Ze zegt niets.

Een misselijkmakende golf van paniek overspoelt me.

'Alsjeblíéft, Sylvie. Het zou belangrijk kunnen zijn.'

Maar haar gezicht is uitdrukkingsloos en gesloten.

'Sylvie, wil je het proberen, voor mij?' De angst heeft me in zijn greep, maar om haar niet bang te maken zorg ik dat mijn stem normaal klinkt. 'Denk eens aan de grot, probeer het nou... Het is voor Lennie, om haar te helpen,' zeg ik.

Ze doet haar ogen dicht en haar gezicht verkrampt, alsof ze worstelt om een herinnering boven te krijgen.

'De grot, Sylvie. Wat je je ook maar kunt herinneren, vertel het me, alsjeblieft...'

Een schaduw glijdt over haar gezicht.

'Het is koud, Grace.' Ze klinkt rustig en ernstig. 'Heel donker en verborgen.'

Er gaat een rilling door me heen – het klinkt als een graf. Ik ben zo bang voor Gemma, ik ben er zeker van dat ze dood is.

'Kun je me er naartoe brengen?' vraag ik aan haar.

Ze draait zich om en begint afwezig over het gazon te lopen. Ik volg haar op de voet.

Als ik omkijk zie ik een onnatuurlijke rode gloed achter de ramen op de eerste verdieping. Het vuur verspreidt zich. Er klinkt een kleine ontploffing, een van de ramen springt uit zijn sponning. Er kringelt gelige rook omhoog en verkoolde, roetige papiersnippers hangen als kleine zwarte vogels in de lucht.

Sylvie beweegt zich over het gras, langs de melkachtig witte narcissenbedden. Dan aarzelt ze. Uit de wilde kastanje vliegt een duif op. Ze blijft staan en kijkt de vogel na. Ze lijkt afgeleid, onzeker. Het is duidelijk dat ze de weg niet weet, dat ze geen herinnering heeft die haar kan leiden. Weer heb ik het fout gedaan. Ik had geen tijd moeten verspillen door haar dit te vragen. Ik sta op het punt om haar in te halen, haar vast te grijpen en hulp te gaan halen.

Maar dan versnelt ze plotseling haar pas. Als ze een grote treurwilg gepasseerd is, slaat ze rechtsaf en stevent op een woest struikgewas van rododendrons af. Ineens weet ze precies waar ze heen wil. Ze kruipt onder de rododendrons, en ik ga haar achterna. Sommige grote, oude exemplaren staan hoog op de stam, zodat Sylvie er bijna zonder bukken onderdoor kan lopen. Bij de jongere, dichtere struiken die erachter staan, gaat ze op handen en voeten verder en kruip ik achter haar aan. Er zijn takken afgebroken, waardoor de rode bloesems zich over de grond hebben verspreid. Omdat de losgeraakte blaadjes hun kleur nog hebben, kunnen ze er nog niet zo lang gelegen hebben. Er is iemand voor ons geweest die zich door dit struweel heen heeft geworsteld.

Plotseling bereiken we een open plek met een aarden wal en een deur. Het lijkt een oude opslagplaats of een ijshuis.

'Hier is het, Grace.'

Er zit geen slot op de deur, in plaats daarvan is er een stuk ijzerdraad om de klink gewonden. Mijn hart bonst. Ik maak het ijzerdraad los.

Binnen is het aardedonker en bedompt. De koude, vochtige lucht vult mijn mond en mijn neus. Instinctief doe ik een stap naar achteren.

'Ik wil dat jij buiten blijft, Sylvie. Gewoon even op me wachten, oké?'

Het lijkt alsof ze me niet hoort. Ze wurmt zich langs me heen

naar binnen. Ik loop achter haar aan. Er is een trap naar beneden. We zijn nog maar een paar treden naar beneden gelopen
of de deur zwaait met een zachte, doffe klap achter ons dicht.
Nu er geen licht meer door de deuropening naar binnen valt, is
de duisternis ondoordringbaar. Er hangt een zware, zure grondlucht. De muren en de duisternis hebben een drukkende werking, alsof we levend begraven zijn.

Op de tast schuifel ik terug naar de deur en met mijn voeten
voel ik de treden. Ik ben een beetje bang dat ik hem van binnen-
uit niet meer open krijg, maar dat is gelukkig niet het geval. Ik
leg een steen neer om de deur open te houden.

'Sylvie, wacht nou even.'

Maar ze is al doorgelopen, het donker tegemoet.

'Grace!'

Haar stem klinkt hoog en ver weg, als een dun draadje dat
door de stilte wordt opgeslokt.

Terwijl mijn ogen zich aan de duisternis aanpassen baan ik
me voorzichtig een weg naar beneden. De trap komt uit op een
benauwde, schemerige ruimte met een laag plafond. De muren
glimmen van het vocht, dat druppelsgewijs naar beneden sijpelt.

'O, god.'

Ik staar naar het lichaam in de hoek. Even denk ik een stapel
kleren te zien die er is neergegooid. Haar jurk glanst flauw op
in het dunne, vage schijnsel dat door het trapgat naar beneden
valt. Ik kan de vorm van haar lichaam onderscheiden. Ze ligt
vreemd uitgespreid, alsof haar ledematen in een verkeerde hoek
aan haar lichaam zijn bevestigd. Ze ligt op haar zij en ik kan haar
gezicht niet zien, alleen haar achterhoofd en haar lange, donkere
lokken.

Ik weet niet wat hij met haar gedaan heeft, ik deins terug voor
die wetenschap. Ik denk aan de harteloosheid die hem al eerder
tot moord heeft aangezet.

Maar Sylvie aarzelt geen moment. Ze rent naar haar toe, knielt
naast haar neer en neemt Gemma's hoofd in haar armen.

Ik ga ernaartoe en draai Gemma op haar rug. Haar lichaam

geeft niet mee, het is zwaar, als iets doorweeks. Haar gezicht zit vol blauwe plekken, alsof iemand haar met vingers vol inkt heeft betast. Ze zwijgt en haar ogen blijven gesloten.

'Grace.' Sylvies stem klinkt angstig. 'Is ze wel in orde, Grace?'

Ik buig voorover en hou mijn oor bij Gemma's mond.

'Ik weet het niet, schat, maar ik geloof wel dat ze ademt...'

Sylvie knikt flauwtjes.

Er is voor ons beiden geen mooier geluid dan dit ijle, onregelmatige ademhalen van Gemma.

55

Het ziekenhuis is in Barrowmore, niet ver van het huis van Deirdre, alleen wat hoger gelegen. We lopen door een saaie grijze gang waar het sterk naar ontsmettingsmiddel ruikt. De ochtendzon werpt scherpomlijnde, lichtgevende vlakken op de grond.

'Ik heb de pest aan ziekenhuizen,' zeg ik tegen Adam.

'Ik ook,' zegt hij. 'Ze doen me denken aan toen ik zes was en mijn amandelen werden geknipt. Ik mocht onwaarschijnlijke hoeveelheden aardbeienijs naar binnen werken, maar toch vond ik het een ramp.'

De gang voert door de kinderafdeling, waar op een muur een regenwoud is geschilderd. Ook staat er een kist die gevuld is met veelgebruikt speelgoed. Sylvie loopt dicht langs de muur en strijkt met haar vinger over de geschilderde dieren.

'Adam! Grace!'

Brian komt ons haastig tegemoet. We hadden gehoopt hem eerder te zullen treffen, maar we zijn wat later doordat Brigid nergens te bekennen was vanochtend en het ontbijt nog niet was klaargezet.

Brian kijkt ons stralend aan.

'Gaat het weer goed met jullie? Zijn jullie weer helemaal de oude, jij en Sylvie?'

'Ja, hoor,' zeg ik tegen hem.

'Ik heb net met Gemma gepraat,' zegt hij, 'om haar op de hoogte te brengen. Ze heeft nog wat blauwe plekken, maar de doktoren zijn erg te spreken over haar herstel.'

Ik pak hem bij zijn pols.

'En hebben jullie Marcus te pakken gekregen? Alsjeblieft, alsjeblieft, zeg me dat jullie hem hebben aangehouden.'

'Het spijt me, Grace.' Hij vertrekt zijn gezicht, alsof hij een bittere smaak in zijn mond heeft. 'Het lijkt erop dat Marcus is ont-komen. We hebben de luchthavens natuurlijk gewaarschuwd, maar ik denk dat hij het land uit is.'

'Néé.' Het is zo onrechtvaardig dat ik het niet kan verdragen.

Sylvie trekt aan mijn hand.

'Grace, gaan we nou?'

'Zo direct, schat. Kun je niet even gaan spelen?'

Met tegenzin loopt ze naar de kist met speelgoed.

'Maar vertel eens,' zeg ik tegen Brian, 'wat hebben jullie ont-dekt?'

Er wordt een bed door de gang gereden met een vrouw er-op die aan een infuus ligt. Ze heeft een lang, grijs gezicht. Brian wacht tot ze ons gepasseerd is. Ik brand van nieuwsgierigheid. Dan richt hij zich weer tot ons.

'Nog niets,' zegt hij. 'Maar we zijn ermee bezig. Er komen fo-rensische accountants uit Dublin die de geldstromen naar en tussen zijn rekeningen proberen na te gaan.'

'O,' zeg ik.

Ik had niet verwacht dat hij het over banken en accountants zou gaan hebben.

'Het zal nog even duren voor we het hele verhaal op een rij hebben,' zegt Brian. 'Maar het is wel duidelijk dat Marcus veel te verbergen had.'

'Waar blijkt dat uit?' vraag ik.

'Toen hij wegging had hij nog niet al zijn papieren vernietigd,' antwoordt Brian. 'Ik denk dat jullie hem gestoord hebben – hij dacht waarschijnlijk dat iemand jullie zou komen zoeken. We hebben wat documenten in zijn huis gevonden. Er is een hele-boel dat nog moet worden uitgezocht, maar wat we wel al weten is dat Marcus een paar buitenlandse bankrekeningen heeft en dat daar veel te veel geld op staat.'

Ik zie Marcus voor me, met zijn perfecte manieren en zijn aristocratische uitstraling. Ik kan het nog steeds niet geloven.

'Het heeft er alle schijn van dat de galerie en de winkel alleen maar een dekmantel waren, een middel om geld wit te wassen,' zegt Brian.

Ik denk aan de stijlvolle winkel met de crèmekleurige luifel. Alles blijkt anders te zijn dan ik dacht.

'Alice was een intelligente vrouw, heel goed met cijfers,' zegt hij. 'Misschien stelde ze vragen die hem zorgen baarden, het kan ook dat ze zich in haar onschuld iets heeft laten ontvallen. Hoe dan ook, waarschijnlijk was hij bang dat ze op den duur argwaan zou krijgen en hem zou gaan verdenken. Misschien dat hij haar daarom vermoord heeft.'

'En Jessica was er toevallig bij, maar hij had het niet op haar gemunt?' vraag ik.

'Mogelijk. Dat arme, arme kind,' zegt hij.

We denken allemaal hetzelfde: áls ze niet verkouden was geweest... áls ze mee was gegaan naar dat pyjamafeest. Het is altijd zo verdrietig dat het toeval zo'n grote rol speelt en dat rampspoed haast terloops je leven binnen kan komen.

'Ook Gemma,' zegt hij, 'is bijna het slachtoffer geworden van slechte timing. We hebben gereconstrueerd wat er gebeurd is: maandag is ze naar Marcus toe gegaan. Ze heeft hem gezegd dat ze besloten had ons te vertellen wat ze zich herinnert van de nacht waarin haar moeder stierf. Op dat moment was hij er net achter gekomen dat we in de groeve gingen dreggen...'

Hij stopt met praten als Sylvie naar me toe komt en aan mijn mouw trekt.

'Nú, Grace.'

Ze is vastbesloten en kijkt me fronsend aan. Haar mond staat strak en gespannen.

Maar ik moet eerst horen wat Brian verder te vertellen heeft.

'Nog heel even wachten, schat.'

Ik breng haar terug naar het speelgoed. Buiten scheurt de sirene van een ambulance de ochtendstilte aan flarden.

'Gemma kan zich niet herinneren wat er gisterochtend gebeurd is,' zegt Brian. 'Er zaten sporen van rohypnol in haar bloed. Het lijkt erop dat Marcus haar gedrogeerd heeft om tijd te winnen zodat hij weg kon komen.'

'Maar waarom?' zeg ik. 'Waarom heeft Marcus Gemma niet vermoord? Daar draait hij zijn hand toch niet voor om? Waarom gaf hij haar alleen maar een slaapmiddel en liet hij haar zo achter?'

Brians gezicht betrekt.

'We zijn weer met een aantal mensen gaan praten die we indertijd ook hebben ondervraagd. Er is iemand in het dorp, Polly O'Connor. Zij was de beste vriendin van Alice. Zij vertelde me gisteren dingen die ze niet eerder verteld heeft. Ze zei dat het gerucht dat Marcus en Alice minnaars waren op waarheid berust.'

Zijn stem klinkt verontwaardigd en het verwondert me dat hij dit zo schokkend vindt, iets zo gewoons en banaals als een verhouding.

'Welnu, Gordon was veel op reis en Alice en Gordon, nou, om eerlijk te zijn stelde hun seksleven niet zoveel voor... Ik vertel jullie nu alleen maar wat Polly me verteld heeft...'

Plotseling begrijp ik waar dit heen gaat en alles in mij zet zich schrap.

Brian slikt en ik zie zijn adamsappel bewegen.

'Alice dacht dat Marcus de vader was van de tweeling.'

Niemand verroert zich.

'Begrijp je, misschien wist Marcus dat,' zegt Brian. 'Misschien had Alice het hem verteld. Hij had al een van zijn dochters vermoord, misschien schrok zelfs Marcus ervoor terug om ook zijn andere kind te vermoorden.'

'Maar jezus...' zeg ik, 'hij had een relatie met Gemma...'

Brian haalt zijn schouders op.

'Gemma vormde altijd een risico,' zegt hij. 'Ze was een beetje een ongewisse factor. Er was altijd het gevaar dat ze zich iets zou herinneren en hem als schuldige zou aanwijzen. Misschien heeft hij haar verleid om greep op de situatie te houden...'

'Toch is er iets wat ik niet begrijp,' zegt Adam. 'Hoe kon hij nou weten dat het voorbij was en dat jullie in de groeve gingen dreggen?'

'Vertel eens,' zegt Brian, 'waar waren jullie toen ik jullie belde om te vertellen over het dreggen?'

'In de lounge van het hotel,' antwoord ik.

'Was Brigid misschien in de buurt?'

Ik herinner me dat Brigid naar ons toe kwam om het blad met de kopjes op te halen, en dat ze het melkkannetje omstootte en zo geërgerd was over haar onhandigheid.

'Ja, ze was inderdaad in de buurt.'

'Brigid is ook het land uit gevlucht. Zij was degene die Marcus zijn alibi verschafte op de dag van de moord.'

Ik denk terug aan de gesprekken met haar waarin ze ons aanmoedigde om haar in vertrouwen te nemen en hoe ze had gesuggereerd dat Gordon de moordenaar was. Ik word misselijk.

Brian schudt lichtjes zijn hoofd. 'Ik bewonderde hem echt, weet je dat? Ik vond hem zo indrukwekkend.'

Zijn stem klinkt gekweld en verbijsterd.

'Dat was de buitenkant,' zeg ik tegen hem.

'Om eerlijk te zijn leek hij alles te belichamen wat ik altijd had willen zijn. Dat huis, zijn zaken – allemaal dingen die ik misschien ook had kunnen hebben als het in mijn leven net even anders was gelopen...' Hij strijkt zwaarmoedig met zijn grote hand over zijn gezicht. 'Nou, dat was het laatste nieuws. We zien elkaar ongetwijfeld weer.'

Ik leg mijn hand op zijn arm.

'We zien elkaar niet meer, Brian. We vliegen morgen terug naar Londen.'

'Nou, ik heb jullie nummers. Ik hou jullie op de hoogte.'

Hij schudt Adam de hand en tot mijn verbazing omhelst hij mij.

'Het allerbeste met die kleine meid,' zegt hij.

Hij zwaait in Sylvies richting en loopt weg.

Ik kniel naast Sylvie en neem haar gezicht in mijn handen.

'Sylvie, ik moet je iets vertellen. De politie is op zoek naar Marcus maar ze hebben hem nog niet kunnen vinden. Hij is naar een ander land gegaan. Hij is heel ver weg...'

Haar gezicht is bleek en gespannen. Misschien is ze bang dat hij haar zal komen zoeken.

'Ze zullen hem vangen en dan gaat hij naar de gevangenis,' zeg ik tegen haar, in een poging haar gerust te stellen. 'Dat weet ik zeker. Ze zullen hem uiteindelijk vinden.'

Maar ik heb me vergist, het is iets heel anders wat haar bezig-houdt. Ze gaat staan en pakt mijn hand.

'Ik wil nu gaan. Ik wil haar zien. Gaan we nu, Grace?'

56

'Gemma Murphy? Jazeker. Ze heeft een kamer alleen.' De zuster heeft smaragdgroene oogschaduw op en fris, kortgeknipt zwart haar. 'Ze is jarig vandaag en ze hebben een klein feestje...'

Ze neemt ons mee naar een zijkamer. Deirdre is er, en Gordon ook. Gemma zit rechtop in bed, hoewel haar gezicht er nog vreselijk uitziet, vol blauwe plekken die ze heeft opgelopen toen Marcus haar door het struikgewas naar het ijshuisje sleurde. Overal staan bloemen en kaarten.

Deirdre lacht ons hartelijk toe.

'Gemma, dit zijn Grace, Sylvie en Adam.'

Gemma grijnst.

'Sorry, ik zie er niet uit,' zegt ze, terwijl ze met haar vingertoppen voorzichtig haar gezicht aftast. 'Ze hebben me vanmorgen een spiegel voorgehouden. Jezus, ik zie er waardeloos uit.'

'Gemma...' zegt Deirdre veelbetekenend.

Een blos verspreidt zich over Gemma's gezicht.

'Ik had een toespraakje voorbereid om jullie te bedanken dat jullie mijn leven hebben gered. Ik heb hem met Deirdre geoefend maar ik kan het echt niet, het is te gênant voor woorden.' Ze lacht haar brede lach. 'Maar toch bedankt. Ik ben ontzettend blij dat jullie daar waren.'

Er ligt een zak met zuurtjes op het kastje naast haar bed en een cd van Dizzee Rascal. Ze draagt een t-shirt waar JUST WAIT TILL I'M FAMOUS op staat. Ze is heel anders dan ik had verwacht: een levendige, zelfverzekerde tiener, en niet het schuwe, weemoedige meisje dat ik me bij haar had voorgesteld.

'Ik ben zo blij dat we je hebben kunnen helpen,' zeg ik tegen haar.

'Ze gaat morgen naar huis,' zegt Deirdre tegen ons. 'Ze willen haar nog één nachtje hier houden, voor de zekerheid.'

'Dat is geweldig,' zeg ik.

Sylvie zwijgt in alle talen. Ze kon niet wachten om hier te zijn, maar nu zit ze er een beetje verloren bij. Haar hand ligt heel klein en koud in de mijne.

'Nou, ik geloof dat jullie Gordon al ontmoet hebben,' zegt Deirdre.

Hij komt naar ons toe en schudt ons de hand.

'We zijn jullie zo dankbaar,' zegt hij, 'dat jullie Gemma gered hebben en alles aan het rollen hebben gebracht, zodat we er nu een punt achter kunnen zetten.' Hij kijkt ons met grote, vochtige ogen aan, waarop Deirdre een hand op zijn arm legt. 'Het betekent zo veel voor ons allemaal dat we nu weten wat er echt gebeurd is. Dat we weten dat Alice er niet voor heeft gekozen om ons te verlaten...'

Even wordt het hem te veel en ik weet niet wat ik moet zeggen.

De verjaardagstaart die ik bij Barry's in de etalage heb gezien, staat met zeventien kaarsjes erin op een tafeltje naast het bed. Onder het licht van de tl-buizen heeft de chocola een doffe glans.

Deirdre volgt mijn blik.

'Jullie moeten ook een stuk taart eten,' zegt ze. 'Ik zal de kaarsjes even aansteken.'

Maar het is een familiefeestje en wij horen er niet bij. Ik ben bang dat we ons opdringen.

'Eigenlijk moeten we ervandoor,' zeg ik tegen haar. 'We kwamen alleen maar even kijken hoe het met Gemma ging...'

'Jullie kunnen echt nog niet weg,' zegt Deirdre. 'Werkelijk, dat sta ik niet toe, hoor. Niet voordat jullie een punt van Gemma's taart hebben gehad.'

Ze steekt de kaarsjes aan. Het ziekenhuiskamertje begint feestelijk te ruiken naar warme marsepein en smeltend kaarsvet.

'Er wordt niet gezongen hoor,' zegt Gemma. 'Dan ga ik echt door de grond.'

'Oké, we zullen niet zingen,' zegt Deirdre. Ze schudt de lucifer uit en strijkt met een weemoedig glimlachje een volgende af. Ik voel hoe haar relatie met haar eigenzinnige pleegkind is – behoedzaam en tegelijkertijd toegeeflijk. Ik bewonder haar.

'Zo,' zegt ze. De kaarsen branden nu allemaal en flakkeren hevig. 'Misschien kan Sylvie je helpen met uitblazen.'

Sylvie schuifelt naar het bed. Gemma pakt haar hand vast, en als ze zich naar de taart toe buigt dansen de gele vlammetjes in haar donkere ogen. Nadat ze de kaarsen heeft uitgeblazen wordt haar gezicht wazig door de blauwe rook die erlangs kringelt. Sylvie heeft haar niet geholpen, roerloos staart ze Gemma aan.

'Nou, dat is goed gelukt, hè? Je hebt me geweldig geholpen,' zegt Gemma glimlachend.

Deirdre heeft papieren bordjes meegenomen. Staand eten we onze taart. De smaak is vol en zoet, maar mijn mond is droog en ik heb moeite met slikken. Alles wat niet gezegd is lijkt tussen ons in de lucht te hangen.

Misschien voelt Deirdre dit aan.

'Gordon en ik gaan koffiedrinken,' zegt ze tegen ons. 'Dan kunnen jullie even met zijn viertjes kletsen.'

Als ze weg zijn wordt het stil in de kamer.

Sylvie staat er nog steeds bij met die verloren uitdrukking op haar gezicht, en ik weet niet wat ik moet doen of zeggen om het makkelijker voor haar te maken.

'Je vlecht is helemaal losgeraakt,' zegt Gemma.

Sylvie legt haar hand op haar vlecht, die nog warrig en pluizig is van gisteren, van het kruipen door de bosjes. Ik wilde hem losmaken maar dat wilde ze niet.

'Heeft Siobhan het bij je gedaan?' vraagt Gemma. 'Dat meisje met al die slangentatoeages die riemen en zo verkoopt?'

Sylvie knikt. Haar ogen staan groot in haar witte gezicht.

'Ik weet hoe het moet,' zegt Gemma. 'Ik heb haar een keer gevraagd om het me te leren.' Ze gebaart naar een plekje naast zich op het bed. 'Kom hier maar zitten als je wilt,' zegt ze, 'dan maak ik hem weer goed.'

Sylvie klimt op het bed en gaat naast haar zitten.

Gemma pakt haar borstel en borstelt Sylvies haar.

'Je bent het blondste meisje dat ik ooit heb gezien,' zegt ze.

Ze haalt de knoop eruit en ontwart wat er nog van de vlecht resteert. Dan legt ze de kleurige linten op de deken, pakt ze weer op en begint ze in Sylvies haar te vlechten, de strengen over en weer over elkaar leggend. Hun hoofden zijn dicht bij elkaar. Ze zitten onder het raam en het witte zonlicht valt over hen heen. De kamer is gevuld met de feestelijke geuren van chocola en kaarsvet. Ik kijk naar Gemma's bewegende handen, de vloeiende, ingewikkelde patronen die ze ermee maakt.

Als ze de vlecht afmaakt zijn alle losse, rafelige stukjes weer samengevoegd.

'Zo,' zegt ze.

Ze haalt een spiegel uit haar kastje en houdt hem voor Sylvies gezicht. Sylvie glimlacht een beetje verlegen naar zichzelf.

'Hier kun je mee voor de dag komen,' zegt Gemma.

Ze legt de spiegel op zo'n manier weg dat ze zichzelf niet hoeft te zien.

'Ik probeer niet naar mezelf te kijken,' zegt ze tegen ons. 'Vreselijk, al die blauwe plekken.'

Sylvie strekt haar arm uit en betast Gemma's gezicht. Heel licht, alsof ze iets onbeschrijfelijk kostbaars aanraakt. Gemma legt haar arm om haar heen.

'Ik heb je al eerder gezien,' zegt ze tegen Sylvie. Ze praat heel zacht, ik kan maar net verstaan wat ze zegt. 'Ik zag je op het strand, die dag. Ik wist niet wie je was.' Ze fronst een beetje verwonderd. 'Nou, om eerlijk te zijn weet ik dat nog steeds niet...'

Sylvie zegt niets. Ze leunt met haar hoofd tegen Gemma aan en lijkt in trance of gehypnotiseerd. Alle spanning is uit haar gezicht verdwenen. Het lijkt alsof ik niet meer voor haar besta, alsof ze nu is waar ze thuishoort.

Mijn hart bonkt tegen mijn ribben. Van alles wat er gebeurd is – de brand, de grot, het gevaar – is dit waar ik het meest bang voor ben geweest.

Ik voel Adams hand op mijn arm; misschien wil hij me troosten, maar het kan ook zijn dat hij me tegen wil houden omdat hij bang is dat ik Sylvie bij Gemma weg zal trekken. Ik ben blij dat hij bij me is.

Ze zitten zo lang bij elkaar, het lijkt wel een eeuwigheid.

Uiteindelijk haal ik diep adem en zet ik me schrap om iets te gaan zeggen.

'Sylvie. Ik denk dat we zo... misschien moeten we afscheid gaan nemen...'

Mijn stem trilt.

Sylvie schrikt op als ze mijn stem hoort. Ze richt zich op en laat zich van het bed glijden.

'Luister eens, Sylvie,' zegt Gemma, een beetje verlegen en onzeker. 'Als je wilt kun je me op komen zoeken als ik weer thuis ben. Als je dat leuk vindt...'

Sylvie blijft even staan en staart Gemma aan. Met grote, stille ogen neemt ze haar helemaal in zich op. Ik wring mijn handen samen, die vochtig zijn van het zweet.

Dan schudt Sylvie haar hoofd. Het is een minieme, haast onzichtbare beweging.

'We kunnen je niet op komen zoeken,' zegt ze, en haar dunne, vastberaden stemmetje klinkt als een belletje. 'We moeten een vliegtuig halen op Shannon Airport.' Het klinkt nogal gewichtig en ze geniet duidelijk van die volwassen formulering. 'We gaan terug naar Londen. We moeten naar huis, mamma en ik.'

Een moment is het stil, niet langer dan een hartenklop.

'Oké,' zegt Gemma dan. 'Nou, dat is misschien ook maar beter, hè?' Ze laat haar hand even op Sylvies hoofd rusten. 'Laat me je één ding zeggen: ze zullen je haar te gek vinden in Londen... Ik ben blij dat ik het even heb kunnen fatsoeneren. Ik zei je toch dat ik dat zou doen?'

57

We lopen nog een laatste keer naar het strand. Er komt een harde, frisse wind van zee, maar in de verte ziet het water eruit als een stralende, zilveren plaat.

'Sylvie, we kunnen nog even naar Barry's gaan voor dat ijsje dat ik je beloofd heb...'

Maar tot mijn verbazing schudt ze haar hoofd.

'Ik wil een boottochtje maken, Grace,' zegt ze tegen me.

'Een boottochtje? Weet je dat wel zeker, lieverd?'

Ze knikt.

Ik geloof mijn oren niet.

Ze grijpt mijn hand vast.

'Ik wil het echt,' zegt ze.

Ik werp een blik op Adam. Hij kijkt me aan met een veelbetekenende glimlach, alsof hij ingenomen is met zichzelf. Sterker nog: hij kijkt de hele dag al zo vergenoegd, alsof hij iets ontdekt heeft. Geen antwoord of zekerheid, maar eerder een vaag gevoel van troost, alsof hij meer hoop heeft gekregen dan hij eerst had.

'Hebben we nog tijd?' vraag ik.

'Absoluut,' zegt hij tegen me. 'We zijn klaar, we hebben alles gepakt.'

Sylvie loopt voor ons uit over de aanlegsteiger, langs de geuren van zout en vis, langs de boten met namen als *Ave Maria* en *Endurance*, langs de kreeftenkorven en de nylon netten en de doorweekte, in elkaar gedraaide groene touwen. Bij een bord waarop CURRAN CRUISES staat ligt een kleine blauwe jol, de *Venturer*, aangemeerd. De motor bevindt zich op de achtersteven en het bootje biedt plaats aan zo'n twaalf mensen.

De schipper heeft een gezicht dat bruin en gerimpeld is als een walnoot en hij kijkt schrander uit zijn ogen, als een vogel. Ja hoor, hij wil ons de baai wel laten zien, alleen ons drieën, en als we willen varen we meteen uit. Het is een tochtje van een half-uur.

Adam betaalt. Als ik aan boord stap, helt het bootje over. Zoals gewoonlijk zijn mijn hakken veel te hoog en de schipper helpt me naar een bankje. Sylvie klautert behendig naar beneden en gaat op de voorplecht zitten. Adam komt naast me zitten.

De schipper start de motor en dan komt het bootje langzaam in beweging, waarbij het boegwater in fonkelende lichtscherven uiteenspat. Als we de beschutting van de aanlegsteiger verlaten slaat de wind ons in het gezicht.

Ik kijk even om. Coldharbour verwijdert zich van ons en is al zo klein dat het lijkt op een herinnering of een fantasie. Ik zie het witte strand en de winkeltjes aan de boulevard en de zachte voorjaarskleuren – lila en abrikoos – van de uitbottende bomen. Tegen de wazige pastelkleuren tekent zich de geblakerde bovenverdieping van Kinvara House scherp af, de zwarte dakspanten steken uit als beenderen.

Sylvie leunt over de voorplecht van de *Venturer*. Ze laat haar hand langs de zijkant hangen zodat het witte schuim haar huid vochtig maakt. Door de wind krijgt ze wat kleur op haar wangen en haar haar staat strak naar achteren. Ze lacht.

'Kijk,' zeg ik tegen Adam.

Stel dat we het gewoon verkeerd begrepen hebben en dat doodgaan iets heel anders is dan we altijd hebben gedacht?

Adam glimlacht.

'Hoe is dit zo gekomen?' vraag ik.

'Misschien kan ze het nu loslaten,' zegt hij tegen mij. 'Ze heeft een keus gemaakt, de enig mogelijke keus, maar misschien toch een keus die gemaakt moest worden.'

'Ik ben zo dankbaar,' zeg ik tegen hem.

Hij haalt lichtjes zijn schouders op, alsof hij zijn eigen aandeel relativeert.

'Het zal niet altijd makkelijk zijn als jullie weer thuis zijn,' zegt hij. 'Het is misschien nog niet voorbij, nog niet helemaal duidelijk ook. Maar het zal nu vast beter gaan...'

'Ja, dat denk ik ook.'

Even zeggen we allebei niets en is de lucht gevuld met het hunkerende gekrijs van de meeuwen.

'Grace.' Er klinkt een aarzeling in zijn stem en hij kijkt me niet aan. 'Als we weer terug zijn in Londen zou ik het fijn vinden om af te spreken... dat we elkaar kunnen zien...' Dan kijkt hij op. We zitten dicht naast elkaar en ik kan de vlekjes in zijn ogen zien. 'Ik bedoel, als jij daar ook voor voelt...'

'Voor je onderzoek?' vraag ik. 'Zodat je je artikel over Sylvie kan afmaken?'

Hij zwijgt een moment.

'Daar ook voor,' zegt hij.

Zijn hand ligt op het bankje tussen ons in. Ik leg mijn hand op de zijne. Ik ben gaan houden van de verbaasde blik waarmee hij opkijkt. Dit is genoeg voor nu, dit aarzelende, stralende moment.

Dan, op enkele tientallen meters van de boot, neemt de zee ineens vorm aan en springt er iets naar boven. Een dolfijn. Een stralende, duizelingwekkende verschijning. We kijken naar de perfecte boog die hij beschrijft. En dan weer een, en weer een.

'Kijk nou toch eens,' zegt de schipper. Hij zet de motor zacht en kijkt trots, alsof het zijn dolfijn is. 'Nou, jullie hebben wel geluk vandaag. Die laat zich niet zo vaak zien, en wat is hij schitterend.'

We wachten nog even, maar dan is de dolfijn weer verdwenen. Ik ben nog helemaal vol van zijn levendige verschijning en als ik mijn ogen sluit voel ik zijn schittering in mij.

'Ja,' zeg ik. 'Wat was hij schitterend.'

De schipper voert de motor weer op.

We zijn nu heel ver uit de kust. Plotseling is er deining doordat we ons niet meer binnen de beschermende armen van de baai bevinden. Het kleine bootje gaat vervaarlijk op en neer. Sylvie leunt over de zijkant en ik ben bang dat ze over de rand valt. Ik grijp haar bij haar trui. De schipper, die volkomen in zijn element is op zee, lacht om mijn beschermende actie.

'Die redt zich wel, mevrouw,' zegt hij tegen mij. 'Maakt u zich maar geen zorgen.'

Sylvie voelt dat ik aan haar trui trek en kijkt me over haar schouder aan. Haar gezicht straalt. Dan kijkt ze weer vooruit, naar waar we heen varen. Met onder haar de diepe, ongekende duisternis en voor haar de blauwe, weidse horizon waar je niet bij kunt komen, en overal om haar heen de uitgestrekte, stralende zee.